청춘이여!
4차산업에도 오아시스는 있다

청춘이여!
4차산업에도 오아시스는 있다

저자_ 김동균 박영진 신기철 신재천 조대호
       최종화 박재식 장석진 최성철

초판 1쇄 인쇄일 • 2019년 11월 17일
초판 1쇄 발행일 • 2019년 11월 18일

펴낸이_ 나호열
펴낸곳_ 도서출판 무이재
편 집_ 박주순

출판등록 2017년 3월 20일 제2017-9호
01416 서울시 도봉구 노해로 70길
E-mail_ moo2jae@naver.com

ISBN 979-11-966951-8-7 03320

청춘이여!
4차산업에도
오아시스는 있다

기업 임원 출신의 교수들이 전하는
생각과 지식의 공전 이야기

지은이_ 김동균 박영진 신기철 신재천 조대호 최종화 박재식 장석진 최성철

어제를 디딤돌로 열어갈 내일들

수확의 계절 가을에 아홉 명의 교수들이 인생 경험과 연구를 바탕으로 청춘에게 도움을 주고 싶은 이야기를 모아 『청춘이여! 4차 산업에도 오아시스는 있다』를 발간하게 되었습니다.

광교산 자락의 진리관 연구실에서 창밖의 교정을 바라보면서 학생들의 활발한 움직임과 유쾌한 대화 소리를 들으며 청춘이 부럽다는 생각을 하면서도 한편으로는 이들의 어려움을 걱정하게 됩니다. 교수로 강의하거나 면담을 하면서 학생과 만나 대화를 나누면서 그들의 어려운 점을 이해하고, 도움을 줄 방법을 생각하게 되었습니다. 이에 경험 많은 교수들의 경험과 연구 결과를 기반으로 현재를 이겨내고 미래의 방향을 제시하는 나침반과 같은 사례들을 모아 책을 집필하였습니다.

현재 청춘들은 극심한 취업난과 4차 산업혁명 시대의 급변하는 환경을 헤쳐 나가야 하는 이중고를 겪고 있습니다. 어느 것도 쉬운 것은 없으며 모두 큰 부담을 주고 있습니다. '위기'라는 말은 위험과 기회가 같이 있다는 뜻입니다. 특히 4차 산업혁명은 변화하는 시대 상황에 유연하게 적응하는 청춘들에게는 더 큰 기회일 수 있습니다. 이런 기회를 최대한 이용할 수 있도록 이 책에 전문 지식과 미래 방향을 제시하려고 노력하였습니다.

본 책은 기업에서 근무했던 교수의 경험을 온고지신溫故知新으로 삼고 급변하는 4차 산업혁명 시대를 다양한 시각에서 바라보며 집필하였으며, 저자의 성명순으로 구성되어 있습니다. 책의 구성은 창조적 기업 활동에 필요한 전문 지식과 4차 산업혁명의 본질과 발전 방향을 이야기하고 있습니다. 창조적 기업 활동에 필요한 전문 지식 부문에는 삶에서 마주치는 돈의 의미와 중요성, 부를 축적하고 미래를 예측한 투자법을 알려주고, 청춘의 꿈을 설계하고 실현하는 방법을 제시하고 있습니다. 4차 산업혁명 부문은 4차 산업시대의 본질을 알려주고 인공지능, 빅데이터의 기술 및 발전 현황을 기술하고 있습니다. 또한 기업의 고객만족 활동의 범위를 확대하여 고객의 잠재적 욕구까지 충족시키는 고객행복경영을 새롭게 제시하고 있고, 기업 경영의 핵심인 SCM^{Supply Chain Management}의 역량 및 경쟁력 확보 활동에 대해 자세하게 기술하고 있습니다.

로봇의 법인격 부여에 대한 고민과 해결, 4차 산업혁명 환경에서 건설업계가 해야 할 일, 지구 온난화를 극복하고 후손에게 건강한 환경을 물려주는 방법, 그리고 디지털 문화에 적응한 디지털 네이티브인 차세대 젊은이들이 사회 주축으로 성장하는 미래 열쇠를 제공하고 있습니다.

저자들은 원고를 작성하면서 생각을 정리하고 미래 발전 방향을 깊게 연구하는 계기가 되었으며, 사례 중심으로 집필하여 쉽고 재미있게 읽을 수 있도록 노력하였습니다. 본 책이 독자에게 조금이나마 도움이 되기를 바라면서 청춘들의 미래에 희망의 메시지를 전하고자 합니다.

2019. 11
경기대학교 진리관에서
저자 대표 신 기 철

4차 산업혁명을 위한 지침서

경기대학교는 경기도를 대표하는 대학으로 진리를 탐구하고, 성실하게 책무를 수행하며 사회와 국가를 사랑하고 봉사하는 대학건설을 건학이념으로 하고 있습니다.

저는 경기대학교 총장으로 취임하면서 "뉴new 스타트start 뉴new 경기kyonggi"를 슬로건으로 4차 산업시대에 맞는 새 패러다임을 짜고 사회가 필요로 하는 교육과정을 준비하여 새 시대가 원하는 인재를 양성하기 위해 최선을 다하고 있습니다.

특히 산업체에서 높은 역량과 다양한 경험을 가진 취업, 창업 전문가를 산학협력교원으로 초빙하여 대학 내 청년창업활성화와 창업 붐을 일으켜 경기대학을 '취업과 창업이 강한 대학'으로 만들고자 노력하고 있습니다.

2018년 우리대학에 초빙된 산학협력교수님들은 공대학생을 대상으로 '2018 4차 산학협력 아카데미' 옴니버스 강의와 전교생을 대상으로 '산학협력교원 취업특강'을 통해 학생 진로에 대한 문제를 공감하며 나아가 해결방안을 제시하는 역할을 하고 있습니다.

그 중 특강을 맡아주신 아홉 분의 산학협력교수들께서 산업체, 연구소, 공공기관 등의 사회경험을 바탕으로 격변하는 글로벌 시대에 청년들이 해야 할 일을 연구하고 변화하는 세상에 대응하는 자세 및 고민해결방안을 학생들이 이해하기 쉽게 공동 작업으로 책을 출간하였습니다.

이 책을 통하여 청년학생들이 현재와 미래에 당면할 어려운 문제에 대한 해결책을 찾고 4차 산업혁명시대를 선도할 수 있는 인재로 자라나는데 조금이라도 도움이 되었으면 하는 바람입니다.

산학협력교수로서 연구개발, 진로상담, 취업 및 현장실습 지도 등 바쁜 생활에서도 시간을 내어 젊은이들에게 도움이 될 수 있는 책을 공동 출간한 교수님들께 감사의 인사를 전합니다.

2019년 11월
경기대학교
총장 김 인 규

구체적 경험을 바탕으로 한 진리

일생을 살아가면서 인당 GDP가 천 불 이하의 삶과 삼만 불의 삶을 동시대에 겪어낸 세대는 많지 않을 것이다. 격동의 20세기에 태어나서 보릿고개를 겪으면서 힘들게 공부하고, 글로벌 일류 기업을 만들어 낸 한국의 장년 세대는 기네스북에 등재 할 정도의 가치를 지닌 희귀한 분들이다. 특이한 세대를 살아낸 아홉 분의 산학교수들이 후배들을 위하여 글을 썼다.

이 책은 4차 산업혁명 시대를 맞이하여 인공지능, 빅데이터, 플랫폼 등 각 분야의 기술 혁명을 소개하고, 로봇 등 인공지능 기기의 사회적 책임에 대한 의견이 제시되어 있다. 차세대 젊은이에게도 직장 생활의 꿈과 열정의 중요성을 강조하고 있고, 금융, SCM, 품질 및 고객 서비스에 대한 실무 지식과 향후 방향을 제공하고 있다. 또한 환경과 에너지 보호 및 건설 분야의 4차 산업 접목에 따른 발전 방향도 자세하게 언급하고 있다.

또한 전자, 건설 및 금융 기업의 임원으로 30년 이상 근무하면서 현장에서 만난 고객 이야기와 기업 경영의 프로세스에 대한 발전사를 기술하고 있다. 특히 해외에 파견되어 근무한 경험이 풍부하여 글로벌 감각으로 저술한 것도 특징이다. 저자들은 경험한 전문 분야에 대한 해박한 지식을 바탕으로 고객과 기업 프로세스의 변화 흐름을 분석하고 미래 발전 방향을 제시하고 있다.

1부 창조적 기업 부문에서는 인생의 꿈을 실현하는 방법, 돈의 중요성과 부의 축적 방법, 지구 온난화에 대비한 환경과 에너지 문제, 건설 산업의 미래 전망을 제시하고 있다. 또한 기업의 핵심 경쟁력인 고객만족 경영 및 SCM 혁신에 대한 한 단계 도약 방향을 제시하고 있다.

2부 4차 산업혁명 부문에서는 4차 산업의 태동과 발전 및 4차 산업의 기반 기술을 알기 쉽게 설명하고, 새롭게 대두되는 인공지능 기기의 법인격화 과제에 대해 방향을 제시하고 있다.

무엇보다도 이 책은 교수들이 기업에서 직접 경험한 우수사례가 풍부하게 실려있어 생동감 있고 기업 현장에서 곧바로 응용할 수 있도록 작성되었기에 중소기업의 관리자 및 사원들에게 추천한다. 또한 학교에서 학생들의 지도하면서 느낀 이야기를 진술하게 기록하고 있어 대학생 및 취업 준비생에게도 도움이 될 것으로 확신한다.

바쁜 시간에도 불구하고 후배들을 위하여 집필한 교수들의 노고에 큰 감사를 드린다.

2019년 11월
경기대 산학협력단
단장 이 준 성

section 1
창조적 기업경영

신기철 _
꿈을 꾸고 실현하자

신재천 _
고객만족경영에서 고객행복경영으로 진화

고객 중심의 시대이다

품질경영에서 고객만족경영으로 발전되었다

이제는 고품격 서비스 시대이다.

미래는 고객행복경영

조대호 _
미래의 건설 산업, 어떻게 변화할 것인가

최종화 _
Supply Chain으로 미래경영을 열다

장석진 _
4차 산업시대의 생존전략

최성철 _
추락하는 미래에 기술의 날개를 달자

창조적 기업경영

돈의 흐름과 가치이해는
글로벌시대의 필수요건이다

글_ 김동균

김동균 교수는 ㈜신한은행에 30년을 근무하며 기업 및
IB 금융업무, 신용평가 및 심사분석을 담당하였음.
10년여 영업점장으로 재직하는 동안 PB 고객과
기업을 상대로 다양한 여수신 금융 상품을 제안하는 등
맞춤형 금융컨설팅에 특화한 경험을 바탕으로 새로운
환경에서의 일관된 투자원칙 고수와 방향을 제시하였다.

예나 지금이나 누구나 갖고 싶어 하는 돈이란 생활에 꼭 필요한 수단이다. 세상을 살다 보면 때로는 돈이 너무 많아도 부작용이 있고 한편으로는 너무 적어도 불편함과 어떤 때는 소외감이 드는 경우도 있다. 우리는 어렸을 적부터 돈의 가치와 사용하는데 편리함을 익히면서 돈을 벌기 위해서 평생을 보내기도 한다.

　또한 자기나라의 돈을 소지하고 세계 어디를 간다 해도 사용하는데 불편함이 없는 세상이 되었다. 지구상의 웬만한 도시에는 각 나라별 돈을 사고팔면서 이득을 취하는 이들을 쉽게 맞닥뜨릴 수 가 있는 소통의 장이 이제 큰 도로처럼 잘 닦여 있다는 것이다.

　또한 한 나라의 돈의 가치는 나름의 구매력을 갖게 되는데 자기나라 돈의 가치와 구매력은 오랫동안 구축해 놓은 경제시스템과 보이지 않는 무시하지 못할 경쟁력에서 비롯되는 것이어서, 돈의 높은 상대적 가치는 그 나라 국민의 여유와 긍지를 느끼도록 하는 것이다. 이런 이유로 나라의 지도자나 정부는 자기나라 돈의 가치 상승을 위하여 물불을 가리지 않고 적합한 경제 정책을 추진하고 있다. 무한 경쟁사회에서 가치상승을 위한 그러한 노력은 당연한 이치임에 틀림이 없다.

　세상에는 돈을 버는 방법도 다양하며 다방면에서 성공한 이들도 많다. 최종 잣대는 돈을 얼마나 갖고 있는지와 얼마나 버는지에 따라 성공여부를 가리기도 하는데 세상이 많이 바뀌고 변화해가고 있다는 게 실감이 난다.

　한 뼘 크기에 불과한 프로그램을 개발하여 수백억의 가치를 창출하는 이들이 있는가 하면 길거리를 훑으며 낡은 재활용품을 수거하여 살아가는 이들도 있다. 이는 누구나 돈을 이해하는 관점과 돈에 대한 인식은 사람과 이들이 처한 환경에 따라 판이하게 다를 수 있음을 알 수가 있다. 기왕이면 더 많은 부의 축적을 위해서는 남보다 손쉽게 돈을 버는 방법을 터득하여 실행한다면 보다 풍요로운 삶을 영위할 수 있을 것이다.

세상을 이롭게 하는 돈의 원천과 흐름

예나 지금이나 돈과 같은 매개수단이 없이 물물교환으로 사람들의 욕구를 충족하기에는 어려운 일이다. 어떻게 가치를 산정하며 미래에 사용할 물건들을 저장하고 축적하려면 엄청난 물리적인 공간이 뒷받침되어야 하는 것인데 이는 비용의 면에서도 비효율적인 것이다.

선친시대의 사람들은 이런 어려움을 극복하고 누구나 갖고 싶어 하는 욕망의 가치를 담은 물건을 정하여 지금의 화폐와 같은 기능을 부여하여 사람들이 소유하려는 것들을 그런 중간 매개체를 이용하여 충족 하였던 것이다.

수천 년 전의 구시대에도 돈을 쫓아 다니며 부를 축적하는 타고난 재능을 소유한 이들이 있었지만, 그런 재능을 소유한 이들은 자본주의가 무르익은 오늘날 더 탁월한 능력을 발휘할 수 있을 것이라 생각된다. 이들은 남의 의중을 꿰뚫고 마음을 사는 특별한 기질을 타고났으며, 후천적으로도 여느 사람들보다 앞서 사업의 기술을 터득하여 특별한 사업기질을 발휘하게 된다.

돈은 버는 것도 중요하지만 돈을 어떻게 사용하여 사람들과 교감을 갖는 방편으로 생각하는 것이 더 없이 중요하다 생각한다. 어렸을 적부터 터득했던 경제이론에 비추어 보면 벌어들인 돈을 적절하게 사용함으로써 더 많은 부를 갖게 된다고 알고 있다.

일반적으로 사람들은 자기주장이나 투자논리에 대입하여 시대적인 상황을 극복하여 벌어들인 돈을 금고나 은행에 저장하여 재투자기회를 놓치는 경우도 있다. 때로는 적정한 시점에 사회적인 공헌을 할 기회를 잃음으로써 기업의 명성과 신뢰를 실추시키게 되는 경우를 흔히 보게된다.

그래서 적절한 필요자금을 제하고 하는 활발한 투자활동은 곧 자본주의 사회에서 참여경제를 활성화하기 위하여 적극적으로 실천함으로써 사회적인 기여는 물론이고 장기적으로도 투자금 이상의 이익금을 회수하는 지름길이라 생각 된다.

투자의 방법도 다양하다. 투자대상에 따라 사회적인 지탄을 받는 경우도 있기는 하지만 단순한 경제 및 투자원리에만 입각한다면 성인오락이나 경마와 같은 사행성 게임인 경우에도 사회 전체적으로는 긍정적인 요인으로 작용하기도 한다.

요즘 세상은 먹을 것, 입을 것이 부족하여 살지 못하지는 않는다. 보통 사람들은 적정한 수준의 흥미와 스릴을 가미하여 투자를 함으로써 많은 재미를 느끼게 되는데 투자규모, 보유자금 등 동원 가능한 범위 내에서의 건전한 투자활동은 국가적으로도 필요하며 많은 사람들이 참여하도록 권장하여야 한다.

영화에서 등장하는 갱단과 같은 집단의 아편거래, 금괴 등 밀수입 등에 의한 불법거래가 아닌 이상 사회는 다양한 투자활동을 하도록 투자 상품을 개발하여야 한다. 그래야 곳곳에서 약간의 투기적인 거래가 이루어지면서 다양하고 복잡한 금융 투자 상품에 대한 이해와 식견을 갖게 되는 계기가 된다.

그렇게 다져진 이해와 식견은 다양한 파생 투자 상품이 성행하였던 2007~2008 서브프라임 글로벌 금융위기 상황이 다시 재현되더라도 유연하게 적응을 하여 대비할 수가 있게 된다.

사람들은 자기가 투자한 원금대비 손실이 내포된 투자에 대하여 꺼려하기 마련인데 뒤집어보면 조금만 위험을 감지한다면 적당한 위험을 슬기롭게 극복하면서 투자수익을 내는 사람을 주변에서 보게 된다. 이들과의 짧은 대화에서 이들의 공통점은 현실을 냉철하게 직시하고, 빠른 의사결정을 내린다는 공통점을 가지고 있다.

객관적으로 나타난 위험치는 숫자에 불과하다. 투자를 잘하는 사람의 경우 이면에 숨겨진 커다란 이익을 남들보다 쉽게 이해하고 접근한다. 필자도 공감이 가는데 즉 특정위험에 대한 가치는 보는 사람마다 주관적인 것임에 틀림이 없다.

부동산의 예를 들면 어떤 사람은 사업건물을 놓고 당장 수치상으로 투자금 대비 수익률이 마이너스라 생각하여 매수를 포기하지만, 어떤 투자자는 미래의 수익을 기대하며 남의 돈까지 차용하여 투자를 하여 단기간에 몇 배의 이익을 취하는 사람을 주변에서 보게 된다. 이런 과감한 공격형 투자자는 나름대로의 경험과 혹은 주변의 지인으로부터 정보를 받을 수도 있다. 투자에 관한 최종 의사결정은 자기 책임으로 결정하게 됨으로 적정한 판단과 과감한 실행이 필요하다.

보통 사람들은 주저주저 하여 투자시기를 놓치게 되어 실패하게 되는데 이런 유형의 사람들은 주변에 투자지향적인 사람들과의 교류를 통한 간접경험을 통하여 위험이 상대적으로 적은 투자부터 시도하게 된다면 단계적으로 잠재적인 수익의 실체를 발견하게 될 것임에 틀림이 없다.

필자는 그동안 금융기관의 컨설턴트로 30년 가까이 근무했는데 상담했던 대부분의 고객들은 특별한 자기중심의 견해를 갖지 못하고 누군가의 권유에 의하여 투자결정을 하는 경우를 많이 보아왔다. 대부분의 사람들은 돈의 본질적인 가치에 대한 이해부족과 관리 또한 허술하다. 이렇듯 본인이 결정한 투자에 대한 확고한 믿음과 철학이 뒷받침되지 못한다면 기대수익을 창출하기 어렵다.

사소한 투자결정 시에도 본인의 경험과 정보를 반영하여 과감하게 투자결정을 하는 것 자체가 스스로의 믿음을 확고히 해 나가는 과정인 것이다.

투자는 의사결정 프로세스도 중요하지만, 적절한 시기의 선택이 투자수익을 높이는 중요한 포인트로 작용한다. 주식 매수 및 매도 타이밍을 놓쳐서 투자 원금을 날리는 경우를 보는데, 적절한 투자시점이 매우 중요하다. 이는 투자자의 의도대로 되는 것은 아니지만, 흐름과 방향을 잘 읽어서 매수와 매도시기를 적절하게 선택하여야 할 것이다.

초우량 기업들의 투자프로젝트를 세계 도처에서 진행하는 것을 매스컴을 통하여 보게된다. 이런 큰 기업들은 전문가로부터 다양한 정보와 자문을 제공받아 진행하기 때문에 실패할 확률이 낮지만, 급변하는 국제정세의 흐름을 타지 못하고 철수와 진입 시기의 지연 등으로 천문학적인 투자금을 날리는 경우를 보기도 한다.

시장의 급격한 환경변화에도 이유도 있겠지만, 내부의 투자결정상의 문제점 혹은 최고경영자의 경영철학이 상이하여 실패하는 경우도 있다. 필자는 사기업의 경영 성과여부는 최고 경영자의 철학과 방침이 무엇보다 중요하다고 본다. 경영자들의 부단한 사회경제의 흐름에 대한 관심과 이해가 필요하며 이는 단숨에 이루어지는 것이 아니고 오랫동안 체득 되어야 하는 것이다.

세계가 좁혀지면서 세계 사람들과 교류는 물론이고 실무적인 부분까지 직접 관여하여 사업에 대한 안목을 키우게 된다. 가업승계에서 세금납부 이외에는 부단한 노력 없이 자동적으로 대물림 되어지는 전통은 큰 문제점으로 지적되고 있다. 선친의 사업을 승계하여 유지할 만한 경영능력이 부족함에도 불구하고, 전통적인 상속의 세습과정으로 지분만 승계되는 꼴이 되어 점차 사업이 퇴보하여 결국 경영승계에 실패하는 사례를 많이 볼 수 있다.

자본주의가 무르익은 무한경쟁의 시대에는 기업은 조기에 후계자를 정하여 이들로 하여금 실질적인 경영수업을 체계적으로 받게 하여 어려움을 극복하는 내성을 키워주어야 한다. 그렇게 강화된 내성은 선친 부재로 인한 사업실패 위험으로부터 벗어나게 될 것이다. 많은 기업들의 경영승계 실패로 인한 직접적인 경제적 손실은 물론이고 사회국가적으로도 지대한 영향을 미치게 되는 것이다.

좋은 사업가들은 미래 먹거리를 남보다 일찍 발견하여 오랫동안 준비함으로써 튼실한 결실을 거둔다. 우리의 경우에도 과거 통신사업분야에서 초기단계에 관련 주력 사업체를 과감히 인수하여 지금은 황금알을 낳는 공룡과 같은 세계적인 유무선 통신 기업으로 성장시킨 사례를 볼 수 있다.

물론 정부당국의 직·간접적인 지원도 뒤따랐겠지만 무엇보다도 투자안목을 가진 최고 경영자의 과감한 판단과 의사결정이 결정적인 성공의 요인이라 할 수 있다.

그만큼 기업의 최고경영자가 차지하는 비중이 크기 때문에 최고경영자는 시장을 주시하며 보다 신속하게 상황에 적합한 사업투자 결정을 내릴 수 있는 경영능력을 갖추고 있어야 한다. 밤낮으로 경쟁자의 위상과 고객의 니즈를 파악하여 준비하고 대처하지 않으면 순식간에 시장에서 퇴출되는 무한경쟁시대에서 최고경영자의 미래안은 매우 중요하다.

우리나라를 포함하여 전 세계는 공급과잉 시대를 맞이하여 제품이 산더미처럼 넘치고 있다. 팔 사람은 넘쳐나고 우리가 만든 상품과 서비스를 구매해주는 고객은 어디에 숨어 있는지 좀처럼 찾기가 어려운 게 현실이다. 각 산업에서 대부분 공급 초과인 상황에서 우리기업이 만든 제품을 사주는 고객을 확보하는 것은 경영자의 최고의 미션이며 가치이다.

어떻게 해서든지 제품을 만든 기업 입장에서는 더 많이 팔 수 있는 방법이 없을까?하고 밤낮으로 고민 하는 게 현실이다. 우리기업과 함께하는 고객을 지속적으로 확보하여야 현 수준의 경영상황을 유지하게 될 것이다. 그런 진정한 고객을 유치하는 데는 남다른 열정과 투자를 하지 않으면 고객유치는 실패로 돌아간다. 평생고객을 찾는 것은 곧 부모와 형제 이상의 값진 관계로 비유될 수 있다.

서울시내 중심가의 프라이빗뱅킹센터의 중요한 고객을 관리하는 것은 그야말로 평생 친구나 가족 이상의 밀접한 관계와 친밀감을 유지하여야 한다. 그렇지 않으면 하루아침에 경쟁사의 고객으로 이전되어 가는게 현실이다.

고객과의 진정성이 깃든 관계를 설정하지 못한다면, 고객들은 냉정하게 떠나 버린다. 그 자리를 채우기 위한 신규고객을 찾기는 더 더욱 어려울 것이다. 고객으로부터 신뢰를 확보하기 위해서는 혼신을 다한 응대가 필요하며 이는 오랫동안 훈련과 경험을 통해서야만 얻게 되는 것이다.

다양한 부류의 고객들과의 관계에서 고객이 원하는 것과 이를 위한 빈틈없고 적절한 준비와 대응을 꾸준히 실행하여 체득함으로써 드러나지 않은 절제된 매너와 솜씨를 상시 발휘하여야 충성 고객을 확보하게 된다.

이렇듯 진정한 동반고객을 얻는 것은 쉬운 일이 아니며 각고의 노력이 필요하다. 그리고 사내의 직원들이 다양한 수준의 고객을 대하며 관리하는 테크닉을 지속적으로 연마하고 전파시킴으로써 기업 전체적으로도 수익이 늘고, 시장의 경쟁에서도 이길 수 있게 될 것이다.

또한 우수한 고객응대 사례나 시장에서 반응이 좋은 상품과 서비스에 대해서는 적극적인 벤치마킹으로 전 직원이 동참하여 제2의 히트상품이 계속적으로 출시되도록 시스템적 체계를 마련하는 기업은 매출액 성장은 물론이고 고객들이 자발적으로 찾아주는 기업으로 거듭나게 된다.

성공적인 투자를 하는 사람들과 기업으로부터 얻어지는 수익을 또다시 새로운 투자처로 공급하는 자금의 선순환은 투자를 받는 사업이 다시 번창하여 경쟁력 있는 기업으로 거듭나게 된다. 그러한 기업들이 많아지면 국가적으로도 큰 경제발전을 하는 토대가 될 것이다. 이렇듯 돈의 위력과 파급성은 대단하다. 자금이 한 곳에 머무르지 않도록 자금을 보유한 개인과 기업은 부단히 투자처 등 새로운 사업을 찾음으로써 이들의 자금이 다른 사람에게 전해지는 순환의 연결고리를 만들어 가야하겠다.

그러한 긍정의 투자환경은 많은 사람들이 경제활동에 참여하게 되어 사회적으로도 역동성과 에너지가 넘치는 긍정적인 환경이 만들어지게 된다. 국가적으로는 새로운 투자환경을 조성하고 참여기업들이 안정적으로 투자활동을 할 수 있도록 규제를 최소화하는 등 적극적인 지원체계 시스템을 구축하여야 하겠다.

나아가 국내 투자자는 물론이고 외국에 본사를 둔 기업 등 외국인의 국내투자가 활발하게 이루어지도록 개방과 규제를 완화하여 법이 정한 테두리에서 경제활동 원칙을 준수하면서 국내 파트너들과 다양한 비즈니스 협력관계가 유지되도록 지원해야 한다. 국경이 없는 경쟁의 시대에 어떤 업종, 특정 거래에 대한 배타적인 규제는 투자신뢰도를 떨어뜨리며 더 많은 투자를 받을 기회를 상실하게 된다. 따라서 정부는 신중하고 상세하게 외국인들의 투자사례 및 거래 케이스를 피드백 하여 개선하는 시스템을 작동하여야 한다.

외국인들은 우리나라에 대한 투자정보, 고객성향, 문화적인 환경 등 전반적인 이해가 부족한 탓에 동일한 사업에 대하여 투자를 하기까지 많은 자원과 시간이 필요하게 된다. 국내진출을 검토하는 수많은 기업들이 신속한 자료와 이들 외국인 기업이 안전하게 믿음을 갖고 접근하도록 실행이 가능한 체계적인 지원시스템과 법체계를 마련하여야 하겠다.

글로벌화가 빠르게 진행되면서 서울 등 대도시를 찾는 외국인 비중도 크게 늘어나고 있다. 이들 외국인들의 경제활동 참여비율도 계속 증가하고 있으며 소비재 등 일부산업에서는 상당한 자금력과 기술력을 앞세워 시장을 선도하는 경우도 있다. 이러한 수준의 시장 경쟁력을 갖추고 있는 외국인 투자기업들이 더 많이 생성되고 기업이 보유한 자금이 제2의 사업에 투자로 연결됨으로써 우리나라의 총 경제규모도 비례하여 증가하는 생산적인 투자환경이 만들어지게 되는 것이다.

최근에는 소액의 투자금으로 시장에 진출하는 경우도 많은데 이는 인터넷과 스마트폰을 이용한 거래환경이 잘 구비되어 누구든지 시장에 부합하는 사업 패키지만 있다면 빠르게 시장에서 몫을 해낼 수 있기 때문이다. 사회 전반의 트렌드와 구매계층 성향분석에서 남보다 빠르게 준비하는 등 적극적인 자세로 고객지향의 제품과 서비스를 구현할 수 있다면 가능한 것이다. 외국의 사례를 보면 영세 기업임에도 불구하고 벤처투자형 사업가 정신과 시장에 부합되는 탁월한 서비스를 만들어 짧은 시간에 큰 수익을 벌어들이는 기업을 보는데 우리나라와 같이 대기업 일변의 기업환경에서는 이런 벤처 투자형의 성공기업들이 더 많이 나와야 하겠다.

특히 상대적으로 젊은 20~30대들이 번듯한 대기업에 취업하기 보다는 새 사업에 도전하여 정복하는 모험가 정신을 발휘하도록 투자 여건을 만들어주어야 한다. 이런 젊은이들이 과감한 사고전환과 도전자세로 적은 비용을 투자하여서 수익실현은 물론이고 투자를 주저하는 사람들에게 용기를 갖게 하고 희망을 전파시킴으로써 국가적으로 선순환 형태의 투자환경 조성에 역할을 담당하게 된다.

이런 많은 젊은이들이 기존의 대기업이나 공무원으로 진출하기 보다는 벤처 투자나 창업을 시도하는 가운데서 수많은 돈을 들이고도 얻을 수 없는 시행착오와 실패의 과정을 경험함으로써 새로운 안목을 갖고 더 매력적인 사업에 진압하는 기회를 갖게 될 것이다.

학교나 지역에서는 산학연계의 협력 사업을 더 많이 발굴하여 자금과 기술부분에서 애로사항이 있는 사회초년생들이 손쉽게 접근하여 창업을 하도록 면밀하게 준비하여야 한다. 정부의 예산지원도 중요하지만 새로운 사업을 준비하는 창업자들과의 연계 프로세스가 잘 구현되도록 소프트웨어 형태의 체계적인 시스템 마련이 우선 되어야 할 것이다.

지금 사회 곳곳에서는 벤처투자 사업 자문컨설팅을 빙자하며 금품을 요구하는 등 사회적인 투자환경 붐을 타고 복덕방과 같은 수준의 형식적인 자문을 하면서 비정상적인 거래를 시도하는 이들이 많다. 이런 사람들을 분별하고 정리하여 국가가 지원하는 자금이 목적대로 쓰이도록 엄격한 감시와 감독이 이뤄져야 한다. 소중한 국가재원이 이처럼 형식적으로 낭비되는 부분을 찾아내어 개선하여야 하며, 또한 투자 지원된 자금이 목적대로 사용되어 낮은 수준일지라도 반드시 결과를 낼 수 있도록 더 정교한 관리가 필요하다.

다양한 사업을 지원하되 지원 자금에 대한 준칙 준수와 일정부분의 성과체계가 뒷받침 되도록 보완해야 하겠다. 시대적인 환경변화의 흐름이기는 하지만, IT 부분이나 이공계사업으로만 집중된 지원을 분산시켜 사회 전반적으로 균형 있게 배분하여야 하겠다. 소득과 생활수준이 높아지면서 인문예술 사회문화 분야에도 더 많은 관심과 지원이 필요한 시점이다. 선진국들의 경험에 비추어 보면 국가의 바탕이 되며 기초를 다지는 원동력은 예술과 문화적인 수준에서 비롯됨을 알 수 있기에 그러하다.

나라별 통화가치 비교를 통한 경제력 추정

우리는 가끔 언론이나 방송에서 통화의 가치 영향력에 관한 기사를 접하고는 한다. 화폐제도가 미흡한 시대보다 현대를 살아가는 지구인 모두는 자국의 화폐 가치가 가급적 다른 나라 통화가치 대비 상승하기를 갈구할 것이다. 하지만 어느 나라의 통화가치가 단시간에 상승하기란 아주 어렵고 복잡한 사전 과정이 필요하다.

1년 전의 통화가치가 세계 공용통화인 달러 대비 오르거나 내리는 경우 누군가는 이익을 다른 이는 손해를 보게 되는 상반된 구조로 영향을 미친다. 개인들이나 중소자영업 종사자 입장에서는 가급적 원화의 가치가 상승하기를 기대하게 된다. 물론 통화의 가치가 기대하는 이의 마음대로 되지는 않을 터인데 그래도 통화가치 변동에 예민한 이들은 마치 주식가치의 등락에 상당한 관심과 기대를 갖고 있는 것처럼 매일 시시각각으로 그 흐름에 신경을 곤두세우고 있다.

혹자는 신입직원 시절부터 퇴직까지 30여 년간 통화의 변동 상황에 관심을 갖고 그 흐름을 주시하면서 다양한 통화가치 변동에 대한 관심과 나름대로의 전망과 예측능력을 갖추고 있어 주변의 부러움을 사고 있다. 필자는 환율문제로 고민하는 주변 사람들에게 소개하여 그 해법을 전달해주고 있다.

한 나라의 통화가치는 가능한 다른 나라 통화대비 상승해야 곧 그간의 경제력이 평균적으로 나아졌다고 말할 수 있다. 예를 들면 천원으로 5년 전에 커피 한 잔을 마셨는데 5년이 지난 후에도 동일한 값으로 한 잔을 마실 수 있다면 아니 두 잔을 구입할 수 있다면 긍정적인 통화가치의 변동흐름이 될 것이다. 물론 그 기간 동안의 평균 소비자 물가를 감안하더라도 동일금액으로 동일한 수량을 5년 전 가격으로 구입한다면 국민들은 반가운 일이 되는 셈이다.

물가와 환율의 관계는 서로 반대흐름으로 구별되는데 어느 나라의 물가가 오른다면 그 나라의 통화가치는 하락하게 되는 셈이다. 그래서 아프리카나 남미의 저개발국가의 경우 물가수준이 높으나 그 나라의 화폐가치는 상대적으로 선진국가에 비하여 저평가 되어있다. 자본주의가 발달되고 물질문명이 급속히 전파되면서 실물자산에 대한 수요선호가 증가하여 대부분의 국가에서 전반적인 물가는 상승함으로써 점차 과거대비 화폐의 가치는 하락하게 되는 것이다.

중요한 것은 상대적인 가치부분에 차이이다. 우리나라의 물가와 다른 나라와의 평균 물가수준의 차이가 곧 실질적인 화폐가치의 차이로 비례하여 반영됨으로써 일국의 물가변동은 중요한 의미를 갖게 된다. 우리나라의 경우도 최근 수년 동안 물가의 안정과 수출규모 증가에 따른 외화유입, 외국 투자기관의 투자가 활발하여 전반적으로 원화가치가 안정적인 흐름을 보이면서 장기적으로 외국통화 대비 가치가 상승하고 있다.

우리나라의 경우 1997년 아시아 금융위기 이후 많은 기업들과 심지어 개인들도 화폐의 가치와 속성에 대한 눈높이가 상승하여 전반적으로 돈의 가치와 중요성에 대하여 깨우치는 계기가 되었다. 아시아 금융위기 직전 환율은 달러당 천원에서 위기 발생 이후 달러당 이 천원에 달하여 많은 기업들이 수입결제 자금 확보와 외화를 구하기가 어려웠다. 돈의 가치상승과 흐름이 시차를 두고 그 나라의 경제상황을 반영하여 나타나는 경우에는 가치변동에 따른 충격과 영향이 덜하지만 당시 금융위기 상황에서는 단기간에 통화의 가치가 급락함에 따라 긴요한 운전자금인 유동성 확보에 큰 어려움을 겪으며 상장기업은 물론이고 유동자금이 부족한 많은 기업들이 도산하고 말았다.

특히 대기업에게 거액의 자금을 빌려주고 이자를 받는 금융기관, 특히 대출재원을 외국의 단기차입금으로 조달하는 많은 단자회사들의 도산과 인수합병의 거래가 다수 발생하였다. 당시 많은 단자금융기관들은 거액의 외화자금을 높은 이율을 지급하고 단기자금으로 조달하여 기업에게는 1년 이상 장기조건으로 운용함으로써 위기 발발에 따른 외화자금 부족은 물론이고 외화차입금을 보유한 기업들의 상환 부담과 고금리에 따른 어려움이 연쇄적으로 발생하였다. 특히 이들 기업이 보유한 많은 채권들이 부실화됨으로써 수익성 악화가 계속되었다.

일시적 어려움에 처한 금융기관을 포함 우량기업들까지 외국의 투자기관에게 헐값으로 팔리기도 하였다. 이처럼 신체의 혈액과도 같은 돈의 가치와 흐름이 왜곡됨으로써 돈을 투자하는 사람도 투자를 받는 입장에서도 별스러운 혜택을 입지 못하는 등 전반적인 경제성장 둔화는 물론이고 국가 전체적으로도 큰 어려움으로 이어졌다.

당시 가격결정 기능인 시장 메커니즘 작동이 중단되었던 것이다. 시장이란 사려는 수요자와 팔려는 공급자의 크기에 따라 적정한 가격이 형성되는 등 시장논리가 작동된다. 그런 구조 속에서 시간의 경과에 따라 점차 절대적인 거래규모도 커지고 이에 파생되는 부의 크기도 연동하여 증가됨으로써 긍정적인 선순환의 경제발전으로 이어져 국가적인 경제성장이 이루어지게 된다.

90년 초부터 자본시장 개방과 글로벌화의 진전으로 국가 간 경계가 점차 옅어지면서 단기간에도 큰 자금의 이동과 투자가 수월하게 이루어지고 있다. 투자국의 입장과 투자를 받는 나라의 상황이 다르며 개별기업의 입장에서는 더 많은 차이가 있다. 특히 세계금융시장의 기축통화인 달러의 가치흐름과 금리변동에 따라 지구상의 많은 나라의 기업이 큰 영향을 받게 되는 것이다.

이런 세계적인 경제 위기상황에도 물가인상률이 낮고 통화 변동성도 상대적으로 안정적인 선진국의 입장에서는 더없이 좋은 돈벌이 기회를 얻은 셈이다. 세계를 향한 더 많은 기회와 경쟁력을 확보할 수 있게 되어 결국은 국민복지와 부의 축척에도 긍정적인 요인으로 작용하게 된다. 지구상의 많은 국가들은 자국의 경제번영을 최우선의 가치로 상정하고, 목숨을 걸다시피 하면서 모든 정책과 예산을 경제번영을 위해 쏟아 붓고 있다.

선거에서 승리하여 정권을 거머쥔 지도자들은 첫 번째 슬로건으로 내세우는게 경제발전과 국민의 복지향상이다. 점차 글로벌 경쟁 환경이 치열해지는 상황에서 나라의 경제상황에 미치는 영향변수는 다양하고 복잡하게 얽혀 있어 고도의 정치적 의사결정은 물론이고 이해당사자들의 직·간접적인 실리에 대해서도 전략적인 판단이 요구된다. 그래서 모든 나라의 정치 지배구조와 더불어 시장기능의 작동상황에 따라 경제발전 가능성을 가늠해볼 수 있다. 세계의 오랜 역사적인 배경과 실제 사례를 비추어보면 우선 지배목적과 종교적인 가치실현과 전파를 위해 수많은 국가와 민족들 간 분쟁과 싸움이 지속되고 있다.

세계 도처의 좋은 기업들이 기대가치가 상당함에도 불구하고 일시적인 유동성 위기를 극복하지 못하고 파산하여 선진국 기업들에게 헐값에 매각되었다. 선진국들은 가공할 만한 거액의 외환 보유와 걸맞은 시장기능, 금융제도 등 원활한 자본주의적인 시스템 의 가동으로 저개발국가 대비 보다 쉬운 대·내외 투자활동을 보장받는 셈이다.

돈벌이가 좋은 주체는 누구이며 어떤 TIP이 있을까?

요즘같이 돈이면 만사가 해결되는 세상은 웬만한 벌이라면 누구든지 관심을 가지고 달려들 것이다. 십여 년 전 만해도 돈을 버는 주체는 상당한 이력과 기업체를 운영하는 사람들이나 가능한 일이지만 요즈음은 학업을 병행하는 이십대 심지어 십대 고교생들도 사업성 있는 아이디어만 있다면 얼마든지 돈을 벌 수 있는 세상이 열렸다. 남들과 차이나는 조그마한 생각을 사업으로 연결하여 돈을 버는 사람들을 주변에서 많이 접하고 있는데 사실 보통사람들과 간발의 차이에 불과한 내용을 잘 포장하고 각색하여 비즈니스로 연결하는 재주가 있는 사람들이다.

요즘 세상은 하루가 멀다 하고 수많은 상품과 서비스들이 출시되어 시장이라는 곳에 올리지만 성공하는 아이템은 사실상 불과 몇 되지 않는다.

이렇듯 지구상의 많은 사람들끼리 경쟁하여 승리하는 사람들만 인정받고 부를 누리게 되는 현실인 세상이다. 우리는 돈을 얻고 사용하는데서 짚고 넘어가야할 몇 가지 사항들이 있는데 첫째, 돈에 대한 중요성은 인식하되 지나치게 돈을 쫓다보면 운이 닿지 않는 경우를 주변에서 맞닥뜨리곤 한다.

지나치게 돈을 내세우면 돈은 점점 멀어지는 것은 다름 아니고 중요한 팁을 간과하여 하찮은 주변사항에 집중하여 실기하는 것이다. 일예로 우리는 주식투자하는 친지나 여러 사람들을 만나게 되는데 한결 같은 공통점은 특별한 원칙 없이 본인의 투자방식대로 마음대로 사고팔고 하는 것이다. 주식시장이 어떠한 곳인가? 정보 분석과 수집 등 엄청난 능력을 갖고 있는 기관투자가를 위시하여 평생을 컴퓨터 주식장세 안내판을 모니터링하는 전문 개인투자가 등 세상에 주식투자 전문가들이 밤낮으로 연구하여 투자를 하는 곳이다. 이런 시장에서 보잘 것 없는 투자금액으로 개인이 이익을 얻는 것은 낙타가 바늘구멍을 지나는 것보다 더 어렵다. 그래서 주변에 친지나 친구들이 주식으로 투자수익을 거둔 이를 거의 보지 못하는 것이다.

돈을 버는 제일의 원칙은 무슨 투자자산이든지 적당한 시기에 구매하여 적당한 시기에 매도 하는 것이다. 그 흐름을 타면 최고의 부자가 될 수 있지만, 적당한 시기를 알아내는 것이 어렵고 때로는 거의 불가능한 수준이다. 어느 시기 이후 결과에 대한 예측수준을 확인할수는 있지만 현실적으로 보면 거의 요행에 불과한 것이다.

매일 환율과 금리, 주가 등 수많은 경제지표를 수시로 접하지만 상승폭, 하락폭은 고사하고 오를 것인가 내릴 것인가하는 단순한 방향을 예측하개 조차 어렵다. 단순한 양자의 선택에서도 불과 수일만이라도 맞출 수 있다면 천문학적인 돈을 벌게 될 것이다.

주가가 내리면 다음날도 내릴 것이라는 두려움으로 주식을 팔고, 결국은 손실을 보게 된다. 본인이 예측한 수준보다 더 내려가면 소위 물타기라는 투자기법으로 더 많은 금액을 투자하여 주식을 구매하게 된다. 이런 식으로 몇 번만 거래를 하다가 전 재산을 주식으로 날려 패가망신하는 사람들을 주변에서 볼 수가 있다. 이 사람들은 모두 매수와 매도의 시기를 놓쳐서 투자금을 날리게 된 것이다.

그렇다면 적당한 투자 시기란 언제인가? 반복하여 강조하지만 서두르면 금물이다. 비단 투자만이 아니다. 모든 세상의 이치가 마음을 조아리며 서둘러 되는 일은 없다. 마음을 평정하고 주변의 시장상황과 사실에 근거하여 투자의 속도를 조절해 나가야한다. 해서 주변에 그나마 투자를 해서 버는 이들의 이야기는 적당한 투자 대비 이익을 실현한 뒤에는 몇 개월 길게는 1~2년을 쉬고 다시 투자를 하는 경우를 보는데 개인 투자자로서는 양호한 성과를 실현하는 셈이다. 이들의 투자패턴에서 엿볼 수 있는 것은 어려운 장에서도 투자이익을 얻고 나서 연이어 이익을 기대하여 재투자하는 의욕을 스스로 제어하여 마음을 다스리는 것이다.

경험 없는 투자에 속도를 내는 이들은 계속 이익을 얻을 것으로 기대하여 투자 이익금 외에 남의 돈까지 빌려 투자함으로써 투자흐름을 타지 못하고 한 방에 날리게 되는 것이다. 다시금 강조하는 것은 마음을 가다듬고 현실적인 사실에 근거하여 단계적으로 하는 것이며 일정의 이익을 얻었을 경우에는 잠시 쉬어가며 면밀하게 주변의 투자환경을 들여다보며 본인의 판단과 차이가 나는 부분을 떠올려보는

것이다. 이런 과정을 반복하다보면 나름대로의 투자기법을 터득하게
될 것이다. 본인 나름대로의 투자원칙을 서두르지 않고 지키는 것이
돈을 잃지 않는 최선의 길인 셈이다.

또 중요하게 지켜야 할 사항이 돈을 버는 경우 보다는 잃은 경우, 주
변 사람들에게 적극적으로 상의하고 알리는 것이다. 주변에 보면 투
자를 하여 조금만 이익을 내도 가볍게 자랑삼아 알리지만, 돈을 잃은
경우에는 창피하고 해서 마음에 두고 다시 회복을 기대하며 조급한
투자로 더 많은 투자금을 날리는 경우를 볼 수 있다. 이 또한 조급한
마음을 다스리지 못해서 무리한 투자와 현실적인 매수·매도 시기
를 놓치는 경우이다.

초기투자 단계에 돈을 잃을 경우라면 반드시 주변의 가족, 친지들
과 자기 투자에 대한 상황을 솔직하게 털어놓고 조언을 구하다 보면
실패하는 경우도 줄고 또 나아가 많은 주변사람들로부터 정보를 얻어
투자판단에 정보로 활용되어 실패율을 낮출 수 있게 된다. 다양한 사람
으로부터 정보를 얻게 된다면 개인의 투자판단을 새롭게 하며 냉철하
게 현실을 직시함으로써 올바른 투자결정을 내릴 수 있게 된다.

다시 한 번 강조하지만 본인의 투자실패 사례를 가급적 많은 사람
들에게 알려서 조언을 구하는 것이 중요하다. 우리가 주변에 큰 병을
얻어 이 사실을 주변 사람들에게 알려줌으로써 병치레 사례나 경험
을 구함으로써 병의 진전을 막고 때로는 치료를 하게 되는 이치인 셈
이다. 그만큼 본인의 혼자 생각만으로는 일을 그르치게 될 확률이 대
단히 높은 것이다. 더군다나 요즈음 같이 시시각각으로 변하는 시대
에 개인들은 각종의 위험에 무방비 상태에 놓이는 셈이다.

개인들은 투자와 관련하여 의사 결정시 가능한 주변사람들과 대화
하고 상의하여 조언을 구해야 경쟁관계에서 조율해가며 생존할 수
있는 것이다. 본인의 생각만을 믿고 홀로 판단하는 것은 실패의 지름
길인 셈이다. 많은 사람들로부터 정보를 얻고 구하여서 생각을 다듬
어 자기만의 노하우를 터득하는 방법을 배우는 것이다. 이런 식으로

매사 의사결정을 하게 된다면 대인관계가 친밀해지고 생활이 여유로우며 함께 하는 보람도 얻게 된다. 즉 적극적인 사회적인 관계를 형성해 나가는 것이다.

이런 과정에서 더 친밀함과 살아가는 보람을 느끼게 될 것이며 결국 자기주변 사람에게도 전파함으로써 사회 전체적으로도 긍정의 관계로 연결되어 활력이 넘쳐나게 된다. 소위 긍정의 에너지가 작동하여 더불어 좋은 일이 일어나는 시너지 효과가 발생하여 모든 사람들과 함께 이익과 행복을 나누게 된다.

요즘같이 스마트폰에 과하게 의존하면서 IT 세상에 파묻혀 본인의 생각대로만 살아가는 환경일수록 더욱 더 주변과의 관계를 강화하여 점점 줄어가는 인간적인 관계를 복원하고 구축해야 남은 인생을 보다 즐겁고 풍요롭게 지낼 수 있게 된다. 스마트폰의 디지털화에 적응하는 것도 좋지만, 아날로그의 정서적인 관계를 구축하여 조급해지고 매마른 사회 분위기를 완충하는 조절이 필요한 시점이다.

글로벌 비즈니스 환경이 급속하게 전개되면서 사회 모두가 긴밀한 관계를 형성하기에는 어려움이 있다. 하지만 가족들과 친지들 그리고 주변의 사람들과 동아리 형태로 관계를 더 많이 갖으며 관계형성과 정보를 공유하여 생활을 윤택하게 하고 인간적인 관계도 더 강화시키는 것이다. 조그만 일들도 상호간 피드백하고 조언하여 발전하는 계기로 삼으며 나보다 못한 환경에 처한 사람들에게도 정보와 지식을 전해주며 살아가는 삶의 아름다움을 발견하도록 지혜를 나누는 것이다.

현실적인 제약이 있기는 하지만 친구, 직장동료 사이 등 기초적인 관계를 보완하다 보면 많은 사회 구성원들이 참여하여 전반적인 사회관계가 친밀하고 활성화됨으로써 좋은 결실과 생산적인 관계를 형성하게 된다. 이렇게 된다면 개인의 투자로부터 얻을 수 있는 방편도 많아지고 거대한 네트워크와 자본을 갖춘 기관투자그룹의 경쟁에서도 방어적으로 대처도 할 수 있게 되어 개인투자자 입장에서는 긴요한 절차인 셈이다.

글로벌 세상에서 최고의 돈벌이 직업은 무엇일까?

요즈음 같은 다원화 되고 개방된 세상에는 인종, 지역 등 특별한 경계나 제한 없이 사업적인 아이디어 하나만 있다면 누구든지 사업에 도전할 수 있는 세상이 되었다. 특히나 스마트폰과 인터넷 하나면 무슨 일이든 해결할 수 있는 즉 시공간을 초월한 세상이 열린 셈이다.

젊은 학생들이 학업과 사업을 병행하며 큰 성공을 거두며 리드하는 사람들을 언론이나 방송에서 만날 수 있는 세상이 되었다. 주변에서 직장에서 사람들과의 직·간접 경험에서 비롯되는 불편함과 요구사항에 대하여 한번쯤 고민하고 심혈을 기하여서 본인만의 독특한 사업적인 솔루션을 갖게 됨으로써 시장에서는 차별적인 아이디어에 대한 가치를 부여해주게 되는 것이다.

무슨 일이든 처음 성공하기까지가 어려운 것이지 한 번 경험하게 되면 두 번째, 세 번째는 보다 쉽사리 길을 찾을 수가 있고, 때로는 시너지효과까지 생겨서 빠른 시간에 사업규모가 눈덩이처럼 커가는 경우를 볼 수 있다. 우리는 주변에서 경험하고 일어나는 사소한 일을 그냥 지나치는 것보다 의문을 갖고 고민하며 해결하려고 도전하는 과정에서 가치있는 사업적 아이디어가 떠오르는 경우가 많다. 사업으로 성공한 이들에게 성공의 요인을 물어보면, 대부분 이렇게 주변에서 일어나는 갖가지 현상에서 체득한 자그마한 경험에서 비롯되었다고 답하는 것을 볼 수 있다.

우리가 아는 글로벌 기업도 대부분이 사업초기에는 보잘 것 없어보이는 아이템이지만 계속적으로 처음 얻은 아이디어를 응용하고 때로는 제휴하며 다양한 사업영역으로 확대해가며 초대형 기업으로 성장한 기업들이다. 사업이란 고도의 위험이 수반되는 초경쟁의 어려운 영역이지만 독특한 영업기법이나 시장을 볼 수 있는 안목을 키운다면 궁극에는 성공으로 연결할 수 있다.

　요즘은 AI, 데이터 분석 등 모든 사업영역에서 IT와 연관된 프로세스를 이해하지 못하면 경쟁에서 뒤쳐질 수밖에 없는 비즈니스 환경변화가 빠르게 일어나고 있다. 과거의 아날로그적 사업 아이템으로는 시장에서 경쟁할 수 없으며, 모든 상품 서비스가 디지털화 되어 사업 사이클 기간도 점차 단축되어 가는 추세다. 대부분의 사업에서 디지털, 데이터, 인공지능 등 IT 부분과 접목되어 연결되지 않으면 한걸음도 나아갈 수 없는 세상을 살아가고 있다.

　인문사회 전공학생들의 경우에도 디지털 분야의 관련 지식을 일정수준 이상은 알고 있어야 한다. 모든 주변이 디지털화되어서 과거 아날로그적 사고로는 해결이 안 되는 구조로 변해 있다. 새로운 사고로 접근하고 통합하여 실현해가는 비즈니스적인 마인드를 일상에서 부터 적용하고 시도해야 경쟁에서 이길 수 있다.

　IT 분야에서 일정수준의 지식과 기본 안목이 부족하면 관련된 다양한 프로그램에 참여하여 터득하는 등 급속히 디지털화 되어가는 세상에 적응하여야 하겠다.

　돈을 버는 직업은 다양하지만, 중개 비즈니스 업무 즉 양측이 원하는 바를 연결해주고 보수를 챙기는 직업이 개인적으로는 가장 부러운 직업이라 생각한다. 예로부터 중개는 거의 성사된 상황, 서로 팔고 사고 싶어 하지만 마지막 가격결정을 못하는 것을 협상토록 조언하여 최종 결정 하도록하는 매력적인 직업이다. 중개인은 부동산 중개 외에도 많은 상품과 서비스를 중간에 두고 조율하는 매도인과 매수인을 설득하여 거래를 매듭짓는 중요한 협상가의 역할을 하는 것이다.

　중개인은 전문적인 기술과 지식이 없이도 사람을 아우르며 거래에 이르도록 하는 마법의 기술을 갖고 중간에서 중요한 역할을 수행하게 된다. 비즈니스 환경변화에 적합한 최고의 직업군인 셈이다. 최고의 산업국가인 미국에선 오래전부터 로비스트라는 직업을 가진 사람이 여러 분야에서 국내는 물론이고 글로벌 비즈니스 환경에서 CEO 못지않게 중요한 역할을 수행하며 미국을 최고의 자본주의 국가로 거듭나도록 하였다.

본래 중개 업무는 자기의 특별한 캐릭터에 세상 돌아가는 이야기나 정보에 중점을 두고 다양한 부류의 고객을 관리하며 중요한 거래정보를 얻는 데에서 비롯된다. 일상에서 반복되는 일에 대해서도 소중히 하며 연관되는 사람들과 수시로 네트워킹 함으로써 좋은 비즈니스 기회를 얻게 되는 것이다.

이런 재주를 가진 사람들은 다른 사람보다 손쉽게 부를 얻을 수 있다. 이는 돈에 대한 흐름과 가치에 대하여 남다른 센스를 가지고 있기 때문이다. 중개 비즈니스에서는 고객관리가 무엇보다 중요하지만 인내와 집요함이 필요하다. 많게는 한곳에서 수십 년을 중개업무를 하는 사람을 보게된다. 그들은 장인정신의 자세로 일에만 집중하면서 자기가 맡은 일에 대해서는 최고의 비즈니스 감각을 완성해야 하겠다는 의지와 책임감이 강하다. 이런 마음가짐으로 고객을 만나고 관리한다면 상당한 경쟁력을 갖고 있다고 할 수 있다. 즉 같은 입장이면 더 성공적인 거래로 이끌어갈 확률이 높은 것이다.

고객과의 관계를 유지하고 발전시키는 것은 귀찮고 힘든 일일수도 있지만 오랫동안 신뢰를 바탕으로 정보를 교환함으로써 유용한 정보를 얻어 이익을 얻을 수 있다. 무슨 일이든지 집요함과 끈기가 필요한 것이다. 단시간에 원하는 대로 되는 일은 세상 어디에도 없을 것이며 상당기간 준비하며 대비하고 정성을 쏟아야 결과를 얻을 수 있는 게 현실이다. 세상에 돈을 버는 일은 널려 있다. 하지만 돈은 버는 사람만 계속해서 버는 쏠림현상은 더욱 두드러지고 있다.

흥미로운 것은 이론과 현실의 차이이다. 경제이론에서 주장하는 대로 원칙에 의거하여 투자를 하였는데 종자돈까지 사라지는게 현실이다. 이렇듯 많은 대외변수들이 작용하여 이론과는 다르게 정반대의 결과가 계속 되는 것이다.

즉 돈을 버는 일, 남의 지갑을 여는 일, 남의 마음을 사는 일은 어렵고도 잘 되지 않는 일이다. 한가지에 몰두하여 인내를 기지고 올인하지 않는 한 좀처럼 기회는 오지 않는다. 서두에서도 언급했지만 부를 얻을 기회가 행운처럼 포착이 된다면 미루지 않고 의사결정을 내리는 부류의 사람들이 있다. 이런 부류의 사람들은 두둑한 배짱을 가진 사업가 기질이 다분한 사람들이라 하겠다.

하지만 이런 과단성 있는 사람들도 과욕과 급한 마음을 제어하지 못하여 일을 그르치는 경우가 많으니 이도 저도 아닌 보통의 사람들이 정글과 같은 비즈니스 세계에서 성공하는 것은 낙타가 바늘구멍을 지나는 정도로 어렵다해도 과언은 아닐 것이다.

시기와 때가 있다는 말을 주변에서 많이 듣는다. 모든 일은 시기적으로 적합한 때가 있으며 이 시기를 놓치지 않고 정성과 에너지를 쏟아 부어야 한다. 적절한 비유가 될런지 모르겠지만 어려운 고시합격자들의 평균 연령대를 분석하면 거의 이십대 중후반이다. 이렇듯 그 시기에 목적한 바를 이루지 못하면 기회를 잃는 셈이 되는 것이다. 비즈니스 사이클과는 다르긴 하지만, 어린나이에 사업적으로 성공한 사람을 종종 보게 된다. 비록 경험이 짧기는 하지만 세상이 변하여서 즉 디지털화 환경에 적응력이 앞서는 20~30대 젊은이들이 사업 성공 확률이 과거에 비하면 훨씬 더 상승한 것이다.

해서 권유하고 싶은 것은 사업적인 아이디어와 열정이 있다면 어린 나이일지라도 과감하게 사회에 진출하여 기성세대들과 경쟁을 하라는 것이다. 좋은 아이디어와 열정을 가지고 있다면 성공할 확률이 높다 하겠다.

사업에 뛰어들어서 실패하더라도 재기와 큰 경험을 얻을 수 있으니 당장 돈을 벌지는 못하더라도 무엇과도 바꿀 수 없는 소중한 경험을 얻었으니 이것이야 말로 더 큰 사업을 추진하도록 해주는 밑거름이 되는 것이다. 이삼십대는 주저하지 말고 드넓은 세상에 진출하여 도전하고 현장을 체험하는 것이 중요한 시기이며 인생에서 황금기를 맞이하기 위한 중요한 시기인 것이다.

　지나고보면 인생은 짧은 기간이라고 이야기 한다. 세상에 잠깐 동안 나온 소풍인 셈인데 눈 깜짝할 사이에 지나는 기간에 풍요롭게 즐기면서 사는 것이 성공적인 삶이라 하겠다. 그러기 위해서는 온갖 경쟁에서 이겨야하고 남보다 더 뛰면서 극복해야하는 책무감이 있어야 하겠다. 이런 무겁고 버거운 일들은 가능하면 활기 있고 에너지가 넘치는 이삼십 대에 도전하여 몸소 체득함으로써 자기의 굳건한 경쟁력으로 자리매김 하도록 하여야 한다.

　어릴 적부터 가장 노릇을 하는 등 궂은 일을 경험하며 경제적으로는 물론이고 사회 각 분야에서 성공한 사람들을 만날 수가 있다. 이런 분들은 대부분 독립심과 자립심이 남달라 투철한 도전의식으로 기필코 이루어 내는 헝그리 정신이 몸에 배어있다. 요즘 같은 핵가족의 과잉보호의 사회적 분위기에 비하면 많은 차이가 있다.

　과거 전후세대, 386 시기의 사람들은 본인의 노력과 의지에 힘입어 자수성가하는 경우가 많았다. 사회가 핵가족화, 자본주의 진전, 네트워킹의 개방화시대가 되면서 과거와 같은 자생 형태에 의한 성공케이스가 점차 열어지고 있다. 또한 요즈음 부모들의 자식에 대한 지나친 관심과 간섭으로 점차 젊은 세대들이 자립심 등 독립적인 사고력이 떨어지면서 누군가의 도움에 의해서만 해결하려는 의존적인 성향이 강한 젊은이들 비중이 점차 증가하고 있다.

　사회 전반에서도 젊은이들게 강한 정신력과 자립에 의한 자기 인생을 개척하도록 권유해야 하겠다.

　주변에 선배들이나 가까운 친척의 경우를 보면 평생 가르치고 버젓한 직장까지 입사한 자녀의 결혼준비가 버겁다고 걱정한다. 어떤 이들은 집을 마련해주기도하고 부족하면 집을 얻어주는 등 많게는 십억까지 혼수품으로 뒷바라지 하는 것을 당연히 여기는 안타까운 현실이 만연되고 있다.

　십 수 년 전까지도 잘 나가는 직업을 얻은 젊은이를 배우자로 하는 경우에 소위 열쇠라는 것으로 빗대어 혼수를 준비했지만, 요즈음은 너나 할 것 없이 웬만한 가정에서도 이 열쇠를 준비하여야 하는 새로운 풍습이 자리 잡고 있어 기성세대들은 물론이고 젊은 사람들 간에도 보이지 않는 심리적인 부담과 갈등이 존재하고 있다.

좋지 못한 사회적인 풍습은 과감하게 고쳐 나가야한다. 사회적인 페미니스트 운동으로 연결하여 자기 노력과 열정 없이 부모의 도움과 지원으로 새로운 가정을 출발하는 불공정함은 제거되어야 한다. 이는 경기로 빗대면 계속 반칙을 하면서 경기를 속행하는 것과 다를 바가 없기 때문에 반드시 공정함이 회복되어야 한다.

이런 반칙경기를 정상적인 게임으로 간주하여 진행해온 사람들은 오히려 주변사람에게 더 떠벌리고 허풍을 떠는 경우가 많다. 이번에 혼수로 얼마를 장만해주었다는 등 도대체 기본적인 교양과 상식수준이 의심스러울 정도의 사람들이 주변에는 너무나도 많다. 돈이면 다 해결이 된다는 황금만능 시대가 성큼 다가 온 것도 있지만, 무엇보다도 남의 마음과 지위를 돈으로 대체하여 얻으려 하는 것을 당연시하고 주변에서 부추김으로써 많은 사람들이 그릇된 사고와 풍습임을 망각하고 계속 행동한다는 것이다.

이와 같이 남에 대한 배려가 없는 세태를 변화시키려면 사회의 큰 해악이 되는 비정상적인 사회풍습을 과감하게 개선하며, 개선에 진전이 없을 경우에는 과감히 없애야 하겠다.

우리의 희망인 젊은 세대들이 부단한 노력으로 자기 능력을 발휘해야 국가적으로도 발전하고 더 많은 물질과 번영을 가져다준다. 남의 도움 및 요행수로 시작을 그르친다면 이런 사람은 꿈과 발전이 없을 것이며, 이런 부류의 사람들로 사회가 채워진다면 보나마나 희망이 없는 나락의 사회로 되어갈 것이다

뜨거운 열정으로 도전하며 살아가는 사람들의 경험과 모범적인 사례를 주변의 친구나 지인에게 전파하여 희망의 메시지를 새로운 삶의 전기를 갖도록 해야 하겠다. 이런 일들은 일차적으로 종교단체, 학

교, 지자체 등 다양한 사회각급기관들이 긴밀하게 교류하여 미래의 사회를 준비하는 중요한 아젠다로 설정하여 전략적이고 장기적인 계획을 수립하고 실행하여야 하겠다.

사회적으로 네거티브적인 풍습 개선에 가치를 두고 사회적인 힘을 모아서 지속적이고 체계적으로 실행한다면 점차 변화될 것이다. 이런 변화의 의지로 더 많은 에너지를 갖게 되며 발전할 수 있는 모멘텀으로 작용하여 건전하고 번영된 사회로 가는 지름길이 될 것임이 확실하다.

당장의 물질과 행복에 만족해서는 안 되며 지금은 고달프고 어려울지라도 시스템적인 사회적인 긍정의 인프라 체계를 곳곳에 구축해야 하는 과도기적 시대환경에 서있다.

사회의 모든 계층들이 앞장서서 개혁하고 정의가 있는 사회구조로 변화를 꾀하여야 할 때인 것이다. 국민소득 3만 불 시대에 걸맞는 국민전체의 사회적인 가치교양 기준도 걸맞게 상향될 수 있도록 해야 하겠다.

평균적으로 우리사회의 모든 사람들이 최고의 돈을 버는 지름길은 사회적으로 안정된 시스템과 의식구조를 개선하고 안정화 시키는 것이다. 이에 대한 책임은 남이 아니고 내 자신의 책무인 것이다. 올바른 생각과 정의로운 가치를 내세우며 자기의 능력을 발휘한대로 성과를 얻어내는 시스템을 가동하여야 한다. 그래서 더 많은 사람들이 도전하고 참여하려 한다면 기대 이상의 사회적인 시너지를 가져오게 될 것이다. 그 중심에는 기성세대 보다 젊은 세대들이 앞장서서 리드하고 실천함으로써 우리 사회는 안정적으로 거듭날 것이다.

젊은이들이여!

올바른 사고로 무장하고 도전하며

세계로 진출하라.

환경과 에너지, 이제 그 숙제를 풀자

글_ 박영진

박영진 교수는 코오롱글로벌(주)에서
31년간 근무하면서 많은 건설과정을 경험하였다.
후반기에 신재생에너지 개발업무를 수행하면서
환경과 에너지의 관계를 깊이 고민하고
우리가 나아가야 할 방향을 찾고자 노력하고 있다.

지구는 중증환자다. 최근 우리나라는 미세먼지로 온 국민이 몸살을 앓고 있다. 역사상 가장 심각한 미세먼지의 공격을 받고 있는 것 같다. 북극의 빙하가 녹기 시작한 것도 이미 오래 전 이다. 21세기 가장 큰 이슈 가운데 항상 중심에 있는 주제가 환경이다. 오래전부터 논란이 되어왔지만, 대부분 당장은 큰 일이 아니라는 안일한 생각에 다소 무관심하기도 하였다. 이제는 더는 미루면 안 될, 당면한 과제라는 심각성을 선진국을 중심으로 전 세계가 공감하고 있다. 주원인이 무엇인지, 해결방안은 있는지, 이제 남의 일이 아니고 우리의 일, 나의 일로 다가왔다는 걸 새롭게 깨닫고 더 이상 외면하지 말자. 현실을 직시하고 해결방안을 함께 찾아보자.

우리가 지금 사용하는 에너지는 과연 괜찮은가. 지금까지 가장 많이 사용되며 에너지 시장을 점령하고 있는 것은 화석연료다. 이러한 절대적 점유로 인하여 그동안 경쟁국들 간에 치열한 지배권 다툼이 있었다. 때로는 이로 인해 전쟁도 불사했다. 그러한 지배력 다툼은 계속되고 있으며, 화석연료가 환경파괴의 주범이라는 사실도 점차 명확해지고 있다. 화석연료에만 의존한 결과로 발생한 환경파괴는 우리의 책임이 크다. 이제는 환경파괴의 주범인 화석에너지 사용에서 벗어날 방안을 찾아야 한다. 기술적으로 경제적으로 어렵다는 푸념을 툴툴 털고, 적극적으로 해결방안을 찾아 실행할 때이다.

본 글에서 이러한 이야기들을 나누어 보고 다음 세대를 위한 우리의 고민을 파악하고 또 노력함으로써 그 해결 방안을 찾도록 하자. 그것이 선진국 대열에 들어서는 우리의 당연한 책임이자 과제이다.

에너지 사용의 주도권 경쟁

1991년 1월 17일 미국을 중심으로 34개국으로 결성된 다국적군이 이라크를 공습하였다. 유명한 걸프전쟁이 시작된 것이다. '사막의 폭풍'이라는 작전으로 스텔스 폭격기, 패트리엇 미사일 등 다국적군의 최정예 무기가 총동원되었다. 이들 다국적군은 유엔 안보이사회의 의결을 거쳐 쿠웨이트를 점령한 이라크가 기한 내 점령지에서 철수하지 않을 경우 무력사용을 하여도 좋다는 승인을 받아놓았다.

약 한달 간 다국적군의 폭격이 이라크 내 대부분의 군 시설을 포함한 주요시설을 철저히 파괴하였다. 이후 미군 기갑사단과 다국적군을 투입시켜 지상전을 개시한 지 5일 만에 이라크군을 쿠웨이트에서 완전히 축출하면서 1991년 2월 28일 마침내 '사막의 폭풍' 작전이 종료되었다. 걸프전쟁은 40일 만에 끝이 났지만 이라크군은 약 20만 명의 사망자가 발생하였고, 42개 사단 중 41개 사단이 무력화 되었다. 반면 다국적군은 370여 명의 사망자가 발생하는 전무후무한 일방적인 승리로 세계전쟁사에 기록 되었다.

걸프전쟁의 원인은 8년간의 이란-이라크 전쟁으로 상처만 남은 이라크가 경제적 어려움을 겪으면서 시작되었다. 당초 이라크의 호전적인 후세인 대통령은 이란이 이슬람혁명으로 혼란스러운 상황을 틈타 평소 접경지역 분쟁을 빌미로 1980년 9월 22일 전격적으로 이란 국경지역 산유지를 점령하면서 시작되었다. 그러나 이란은 호메이니라는 절대적인 종교 지도자의 지휘 아래 무려 8년간 이라크와 대등한 격전을 벌였다. 호메이니는1979년 당시 이슬람혁명을 이끌고 있는 최고 지도자였으며 이란의 팔레비 왕조를 축출하고 이란 공화국을 설립하였다. 비록 자국 내 혁명으로 혼란스럽고 국력이 쇠퇴되기는 하였으나, 그에 대한 이란 국민들의 지지는 절대적이었다. 이란은 그런 국민들의 지지로 이라크의 기습공격에도 전열을 재정비하여 8년간의 전쟁을 이끌어 왔다. 마침내 유엔의 중재 아래 전쟁은 이란과

이라크 모두에게 막대한 인명 피해와 경제적 손실을 입히고 1988년 종료되었다.

이라크 후세인대통령은 어려워진 경제상황을 타파하기 위해 또 다른 국경을 접하고 있는 쿠웨이트를 노리고 있었다. 쿠웨이트와의 국경 유전지대를 놓고 소유권을 주장하면서 분쟁이 일어났다. 이라크는 국경지역의 이라크 석유 매장량을 쿠웨이트가 훔쳐가고 있으며, 과잉 공급으로 인해 원유시장 가격을 하락 시킨다는 이유로 1990년 8월 2일 전격적으로 쿠웨이트를 침공하였다. 이란과의 전쟁피해를 쿠웨이트를 점령함으로써 만회하려는 후세인 대통령의 의도였다. 쿠웨이트의 군사력은 이라크에 비해 절대적 열세라 채 한 달도 안 되어 1990년 8월 28일 쿠웨이트는 이라크에 완전히 점령당했다. 이라크의 후세인 대통령으로 인하여 혼란스러워진 중동 산유국의 안정을 위해 미국을 중심으로한 다국적군이 탄생하였고, 유엔의 승인 하에 걸프전쟁은 시작되었다. 당시 전 세계에 걸프전쟁은 매일 생중계 될 정도로 전 세계의 주목을 받으면서 다국적군이 자체 개발한 군 병기의 실험장으로 활용되었다는 부정적인 평가를 받기도 하였다. 우리나라도 다국적군의 일원으로 지원금, 의료진 등을 지원하였다.

이러한 이라크, 이란, 쿠웨이트로 이어지는 산유국의 갈등은 자국의 경제적 이득이 가장 큰 목적이었고, 그것을 달성하기 위하여 유전지역을 차지하려는 전략적인 침략이 중동의 전쟁을 불러오게 된 것이다. 원유가 자국의 경제력에 핵심인 중동의 산유국을 중심으로 현재까지 전 세계에서 가장 많이 사용하는 원유를 둘러싼 갈등은 계속되고 있는 것이다. 그만큼 원유에 의존하는 에너지 사용은 국가 간의 전쟁과 경제적 갈등을 지금도 계속 유발하고 있다.

에너지는 국가의 흥망에 직접적인 영향을 준다

1991년 12월 소련이 해체되었다. 단연 세계 톱뉴스 거리였다. 소런 해체와 함께 러시아가 탄생하고 우즈베키스탄, 카자흐스탄 등 12개 공화국이 새롭게 독립하였다. 공산당을 대표하는 러시아가 무너진 것은 누구도 예상하지 못한 엄청난 사건이었다. 그런데 그 이면에는 에너지를 둘러싼 미국의 소련 붕괴 전략이 있었다는 사실이 숨어 있었다.

중동의 이란은 호메이니가 이끄는 회교혁명으로 왕조를 무너뜨리고 공화국으로 새롭게 탄생되었다. 이에 전통적인 왕조 국가인 사우디아라비아가 위협을 느끼자 미국의 군사지원을 요청하고 무기도 구매하면서 미국과 가깝게 지내게 되었다. 이에 미국은 사우디아라비아에게 원유 생산량을 최대한 늘려줄 것을 요청하였고, 그 결과 세계 원유가의 하락이 시작되었다.

당시 경제 하락과 식량 부족 등으로 어려움을 겪고 있던 최대 석유수출국인 소련은 연방장악력을 상실할 정도로 막대한 경제적 타격을 입었고 끝내 해체되고 말았다. 소련이 해체되기 전 수년 동안 미국의 레이건대통령의 보이지 않는 힘에 의해 전 세계의 절대적 에너지인 원유 가격의 하락에 의해 소련이 붕괴 된 것이다. 에너지를 이용한 미국의 숨은 힘이 발휘된 것이다. '에너지안보'라는 단어가 사용되는 것도 그만큼 에너지의 영향력은 절대적이기 때문인 것 같다.

에너지의 대표인 석유는 국가 간의 정치적, 경제적 갈등을 끊임없이 유발하고 국가 안보에도 위협적인 존재이면서 한시도 없어서는 안 되는 필수품의 역할을 톡톡히 하고 있다.

미국의 새로운 에너지 주도권 경쟁

석유수출국기구OPEC 회원국들의 원유가격 담합으로 전 세계 경제가 비정상적으로 출렁거리는 시대가 있었다. 이를 바라보는 선진국들의 시선이 고울 리 없다. 그러나 그동안은 이를 대체할 에너지를 찾지 못하면서 마땅한 방법을 찾을 수 없었다. 그런데 원유 추출기술의 발달로 셰일가스와 셰일오일이 개발되었다. 미국이 막대한 투자를 하여 개발한 셰일에너지는 다소 원가는 비싸지만 더 이상 원유가 중동 산유국만의 전유물이 아니라는 새로운 시장판도를 개편하였다.

미국은 자금력을 바탕으로 셰일에너지를 생산하고 수출을 시작하였다. 산유국들이 원유가를 높이면 셰일에너지를 더욱 많이 공급하여 원유가를 통제하기 시작하였고, 그 영향력이 발휘되면서 원유의 가격을 통제 할 수 있게 되었다. 산유국은 생산량을 더욱 줄여 원유가격을 올리려고 해도 셰일에너지가 전 세계로 공급되자 예전같은 가격의 담합이 무기력하게 되었을 뿐만 아니라, 경제적 손실을 우려하는 일부 산유국이 이탈하는 등 중동 산유국의 힘은 점차 약해지고 있다. 미국의 의도대로 더 이상 원유의 주도권은 중동 산유국에만 있지 않게 되었다. 더구나 미국의 셰일에너지 부존량은 전 세계가 60~100년 동안 사용 할 정도로 막대한 양이다. 미국의 직접적인 에너지 주도권이 성공적으로 안착되고 있는 것이다.

우리 기후가 요즘 정상이 아니네요~

전 세계 곳곳에서 이상 기후가 나타나고 있다. 이상 기후란 가끔 나타나야 하는데 이렇듯 자주 발생하면 더는 이상 기후라 명명될 수 없다. 여름에는 폭염과 산불 그리고 홍수, 겨울에는 폭설 등 비정상적인 보도를 자주 접하다보니 충격도 점차 무디어져 간다. 지난 2018년 여름, 우리도 잊지 못할 폭염을 경험하였다. 살인적이 더위에 자정작용을 잃어가는 지구의 변화를 우려하면서도 계절이 바뀌면 그 생각 또한 잊혀 지곤 한다.

왜 이런 현상이 나타날까? 그동안 많은 기사들이 언론을 통해 보도되어 관심 있는 국민들의 대부분은 알고 있다. 산업을 발전시키다보니 화석에너지를 사용하면서 이산화탄소를 많이 배출시켰고, 이산화탄소의 온실효과 등으로 온난화가 이루어져 지구의 평균기온은 오르

고 북극의 빙하가
녹아내리면서 지구
의 이상 기후는 더
욱 가속화되고 있
다. 그동안 반복되
는 기상 이변 현상
과 언론보도에 익

숙해져 이제는 덤덤하게 바라보는 지경이 되었다. 그런데 문제는 이
러한 현상이 점차 빨라지고 있다는 사실이다. 기후 전문가들의 경고
도 이어지고 있다. 단순한 보도가 아니라 경고다. "이제는 더 이상 이
산화탄소를 배출하지 않아도 온도 상승을 막을 수 없다. 2030년이면
북극의 여름 빙하는 모두 녹아 없어진다. 이로 인해 지구의 해수면이
상승하고 100년 후엔 이탈리아 베네치아가 바다에 잠긴다.", "빙하가 사
라지면 지구상의 생물 40%가 사라질 것이다." 등등. 미국 버지니아 체서
피크만 탠지어섬은 1850년 대비 66%가 해수면 아래로 잠겼다. 대구지
역의 명물 사과가 철원, 연천 지역에서도 재배가 가능하단다.

 이렇듯 상당히 구체적인 현상과 예상이 지속적으로 발표되고 있다.
그런데도 일반인들이 심각하게 느끼지 않는 것은 왜일까? 막연히 '정
부와 전문가들이 알아서 대처하겠지' 하는 안일한 생각이 지배하고 있
는 것 같다. 더 충격적인 것은 "이제는 이러한 현상을 막기에는 시기적
으로 늦었다."라는 전문가의 평이다. "이제 우리가 할 수 있는 일은 지
구 온난화를 늦추는 일 뿐이다. 이미 늦었지만…"라는 또 다른 기후
전문가의 말이 현재로선 최선의 대책이다. 그의 말대로 최대한 온난
화를 늦추면서 다음 세대에 물려주는 것이 우리의 과제가 되었다. 다
음 세대들이 우리보다 현명한 방법으로 지구를 치유할 수 있도록
시간을 벌어주는 것만이 우리의 할 일이라니, 이 얼마나 답답하고
참담한 상황인가?

어쩌다 하나 뿐인 우리 지구가 이 지경이 되었나?

1,700년대 1차 산업혁명으로 경제가 급속하게 발전하면서 많은 에너지가 사용되었다. 그 중 가장 많이 사용된 에너지가 석탄이었고 2차, 3차 산업혁명으로 더욱 급속하게 발전하면서 석탄과 함께 석유가 전 세계 모든 에너지원으로 사용되었다. 4차 산업시대인 현재까지도 대부분의 에너지원을 석탄과 석유가 차지하고 있다. 즉 화석연료가 대부분의 연료원인 것이다. 전 세계 통계로 보아도 87% 이상이 이러한 석탄, 석유, 가스 등 화석연료를 사용하고 있다.

원유를 둘러싸고 산유국 간의 갈등이 빈번하고 전쟁까지도 불사하는 이유가 있는 것이다. 세계 최강국인 미국도 이러한 이유로 에너지의 주도권을 가지려고 수단과 방법을 가리지 않고 있다. 에너지는 단순히 산업과 가정의 필요한 연료의 기능만이 아니고, 국가의 흥망에 절대적인 영향력을 가지고 있기 때문이다. 그런데 이렇게 절대적으로 사용되고 있는 화석연료는 필연적으로 온실가스(이산화탄소)를 배출시키고 그 영향으로 기후변화라는 불행한 결과를 초래하고 우리는 그 불행한 결과를 경험하고 있다. 산업발전, 화석에너지 사용급증, 온실가스 배출, 기후변화라는 필연적인 부작용을 순서대로 경험하고 있는 것이다. 기후변화 다음은 어떤 변화가 올 것인가? 기후전문가들의 경고는 많은 생물이 멸종할 것이라고 한다. 홍수와 폭설, 빙하 소멸에 따른 해수면 상승, 기온의 상승 등에 따라 지구상의 많은 생물이 사라질 것이라고 예측하고 있다. 실로 무시무시한 경고다. 그런데도 대부분의 사람들은 이 상황을 막연하게 우려하면서도 뚜렷한 대안 없이, 의식하지 못한 채 생활하고 있다.

오늘날의 환경을 어찌하나요~

늦었지만 다행히도 선진국을 중심으로 온실가스를 줄이고자 하는 노력이 전 세계에서 시행되고 있다. 사실 선진국은 일찍이 산업이 발달하여 별다른 제재 없이 화석연료를 사용하여 경제대국이 되었다. 그 결과 지구의 온난화가 시작된 것이고, 산업발달 초기로 진입하는 개도국들도 화석연료를 적극적으로 사용하는 단계로 진입하였다. 다시 말하면 지구 온난화의 주범은 선진국이고, 개도국은 화석연료의 사용에 제재를 받으면서 제대로 사용해보지도 못한 채 지구 온난화라는 환경을 맞이하게 되었다. 따라서 선진국은 개도국에게 미안함과 책임을 느껴야한다.

아무튼 2015년 12월 파리에 195개국이 모여 지구온난화 방지를 위한 합의를 하였다. 산업화 이전 대비 지구온도 상승을 2℃ 이하로 유지하기로 하고 각국의 이행방안을 주기적으로 제출하고 점검하는 등등…. 한편으로 개도국들에게는 그린에너지에 대한 기술과 재정지원 방안을 마련하고 있다. 우리나라가 인천 송도에 유치한 '녹색기후기금' 사무국은 선진국들의 기금으로 조성된 '지구환경기금'을 관리하는 역할을 하고 있다. 이 기금은 지구환경 문제와 개도국들의 기후변화에 따른 피해를 줄이고 적응할 수 있도록 재정적 지원을 주목적으로 하고 있다. 늦었지만 그나마 다행이다.

그런데 여기에 또 복병이 나타났다. 세계 최강국 미국의 트럼프 대통령은 전임 오바마 대통령이 서명까지 한 파리합의문을 파기하고 탈퇴하는 어이없는 상황이 벌어졌다. 트럼프 대통령은 다른 사안에서도 엉뚱한 일을 많이 벌이고 있어 이제는 더 이상 이상하게 느껴지지도 않을 정도다. 전 세계 환경을 위한 합의 내용을 자국의 이익만을 위해 독자행동을 하고 있는 것이다. 자국의 이익이 아니고 불행의 시작일 수도 있는데 말이다. 어찌되었든 파리협약 이후 각국에서 온실가스 배출의 감축 계획을 발표하고 이행하기 시작했다. 유럽 국가들이 적극적으로 참여하고 있고 우리나라는 물론 일본, 중국까지 감축 계획을 발표하였다. 세계 10대 경제대국으로 성장하기까지 우리나라는 얼마나 많은 화석에너지를 사용했을까? 우리나라의 에너지 소비량을 보면 가늠할 수 있을 것 같다. 2014년 기준으로 보면 우리나라는 석유소비 세계 9위, 에너지소비 세계 8위, 전력소비 세계 8위이고 그 결과 탄소배출 세계 7위 국가이다. 이쯤되면 우리도 온실가스 배출의 주범국가로서 손색이 없다. 자랑스러운 경제대국으로 성장한 이면의 부끄러운 결과인 것이다.

우리는 환경을 지킬 방안을 찾아야 한다

전 세계적으로 지구 환경을 지키고자 하는 공감대가 형성되었다. 미국의 트럼프 대통령만 제외하고 각국에서 지구 온난화의 주범이라고 하는 화석에너지를 줄이려는 노력이 확산되고 있다. 원유를 대신해서 전기를 만들어 줄 신재생에너지의 개발과 설치가 유럽 국가를 선두로 전 세계적으로 급격하게 진행되고 있는 것이다. 태양에너지, 풍력에너지, 지열에너지, 바이오에너지 등 기술개발에 속도가 붙었고 이미 엄청난 규모로 각국에 신재생에너지 발전설비가 설치되고 있다. 비록 발전량으로 보면 기존 화석에너지 설비를 대체하기는 역부족이기는 하지만 기술개발과 함께 대체에너지로 점차 자리 잡아가고 있다.

전기자동차, 수소자동차의 개발도 함께 진행되는 등 많은 투자와 노력이 집중되고 있다. 신재생에너지 개발을 주도하고 있는 독일은 화석에너지와 원자력에너지를 모두 대체하려는 원대한 계획을 세우고 추진하는 최초의 국가이다. 덴마크는 이미 해상풍력 발전을 중심으로 40%이상의 에너지를 신재생에너지로 대체하고 있다. 조금 늦게 출발한 영국도 막대한 자금을 투자하여 가장 많은 해상풍

력발전소를 건설하고 있다. 태양에너지가 우수한 스페인은 태양발전과 풍력발전의 선두기술을 보유하고 있다. 이를 통하여 화석에너지 사용을 줄이고 지구온난화 저지에 세계 각국이 힘을 모으고 있다. 이러다 보니 이미 신재생에너지 분야 기술은 유럽의 선진국들이 벌써 저만치 앞서가고 있다. 더욱 충격적인 것은 후진국으로 여겼던 중국이 어느새 어마어마한 규모의 경제와 사회주의 체제를 바탕으로 세계 최대의 풍력발전설비 설치 및 보유국이 되어있는 실정이다.

그렇다면 우리나라는 어떤가, 우리도 대략 20년 전부터 신재생에너지를 개발하고 설치해 오면서 정부에서도 2010년부터 본격적으로 신재생에너지 설치를 추진하고 있고, 민간 기업에서도 적극적으로 개발에 힘써오고 있다. 태양광발전을 중심으로 지역마다 풍력발전설비 설치도 서서히 늘어나고 있다. 포항지진의 원인으로 지목이 되면서 개발이 주춤하겠지만 가장 효율이 좋은 지열발전도 꾸준히 개발하고 사업을 추진해왔다. 하지만 본격적으로 대규모 신재생에너지 발전설비를 설치할 때마다 지역 이기주의적인 민원으로 제동이 걸리고 있다. 물론 반대하는 이유도 분명 있다. 하지만 똑같은 설비를 유럽의 선진국에서는 벌써 개발하고 설치에 앞장서고 있는데 우리는 10년째 제자리걸음이다. 정부 추진의 대규모 해상풍력발전 사업이 지역민원으로 인하여 10년이 지난 지금도 실증 설비만 설치하고 있는 수준이다. 신재생에너지의 잃어버린 10년이다. 아니 20년이 될 수도 있다. 설치사업이 진행되어야 기술도 함께 개발이 되는데, 우리는 선진국의 뒷모습만 멀리서 바라보는 처지가 되었다. 현재로서는 지구 환경을 지켜줄 가장 바람직한 대안인데도 말이다.

선진국은 환경에서도 앞서간다

선진국 문턱에 선 우리나라, 그런데 유럽 등 선진국은 여러 분야에서 저만치 앞서 있다. 그 거리는 좀처럼 좁혀지지 않는다. 세계 10위의 경제대국이라고 자처하면서도 선진국이라 하기에는 아직 요원한 듯하다. 선진국은 단순히 경제력만으로 들어갈 수 있는 영역이 아니다. 마이크로소프트라는 전무후무한 소프트웨어 회사를 성장시킨 빌 게이츠, 우리는 그를 부자라 부른다. 물려받은 땅이 갑자기 올라 보상금으로 많은 부를 얻었지만 사회적인 역할을 하지 못하는 이들을 우리는 졸부라 부른다. 그리고 사람들은 진정한 부자는 존경하지만 졸부는 절대 존경하지 않는다. 존경받는 부자들을 선진국이라 한다면, 단순히 부만 얻은 졸부는 선진국이라 부르지 않는다. 경제를 포함하여 사회, 문화, 군사 등 모든 면에서 앞서가야 선진국이라 할 수 있다. 그 중 가장 중요한 선진국의 자격은 국민의 의식수준이다. 경제력에 걸맞게 국민 다수의 생각이 선진화 되어야 하는데 이는 경제력 부흥만큼이나 어렵다.

역사적으로 수없이 우리나라를 침략하여 우리를 힘들게 했던 일본, 그래서 우리가 미워하는 일본을 왜 선진국이라 하는지 일본을 다녀온 사람들은 금방 느낄 수 있다. 남에게 해를 끼치지 않는 질서의식 하나만으로도 선진국의 자격은 충분하다 할 수 있다. 우리가 일본 국민의 생활수준을 따라 잡았음에도 아직 우리는 국민의 의식수준, 질서 의식 등에서 부족하기 때문에 선진국이라 불리기에는 부족하다.

1989년 일본에 출장을 갔을 때, 일본 서민들의 생활수준은 우리와 비슷했다. 하지만 10일 남짓 그들과 생활하며 경험한 그들의 질서의식은 정말 부러울 정도로 높은 수준이었다. 우리도 진정한 선진국이 되어야 한다. 뭉치면 객관성도 잊고 도덕성도 잊고 내 이익만을 주장하는 패거리 의식에서 벗어나야 한다. 내 생각만 옳고 남의 주장은 잘못 되었다고 하는 불합리한 생각도 전환되어야 한다. 나의 생각뿐만 아니라, 다른 사람의 생각도 옳을 수 있다는 의식의 공감이 보편적으로 확산될 때 우리는 진정한 선진국이 될 수 있다.

지구 온난화가 점점 심각해지면서 전 세계가 해마다 이상기온으로 고통을 받고 있다. 에너지 선진국들은 화석에너지의 폐해를 극복하는 방안으로 신재생에너지 설비를 경쟁적으로 설치하면서 지구 온난화 저지에 적극적으로 나서고 있다. 그들이라고 지역 민원이 없었겠는가. 선진국에서는 자신은 100% 만족하지 않아도 공동체를 위하여 서로 협의하고 타협하면서 신재생에너지 설치를 빠르게 진행하고 있다. 그러다 보니 유럽 선진국에는 많은 신재생 에너지 설비가 설치되고 연구개발도 진전되어 새로운 시장의 기술과 산업에 주도권을 가지고 있다. 선진화된 국민의식이 경제적인 선진화를 이끌어주고 있는 것이다. 안타깝게도 우리는 아직도 눈 앞의 이익을 위한 지역민원으로 10년이란 세월을 흘려보냈다.

선진 국민의식은 기술개발도 앞서게 한다

1973년 1차 오일쇼크 사건이 전 세계 에너지시장을 뒤흔들어 놓았다. 당시 이집트와 시리아를 중심으로 한 아랍권과 이스라엘과의 중동전쟁이 발발하였다. 미국 등 이스라엘을 지원하는 국가들을 압박하고 전쟁의 주도권을 잡기위해 아랍권의 석유수출기구인 OPEC은 원유가격을 올리려고 매달 5%씩 원유생산을 줄여나갔다. 그 결과 1년 동안 원유가격이 4배나 폭등하는 초유의 사태가 벌어졌다. 안정적으로 원유를 사용하던 전 세계 국가의 경제가 이로 인하여 마구 흔들렸다. 우리도 석유가격 폭등으로 힘들었던 당시를 기억하는 분들이 많을 것이다.

경제적 혼란을 어느 정도 극복하고 있을 즈음에 1980년 2차 오일쇼크 사태가 또 발발했다. 이란의 이슬람혁명 이후 이란-이라크 전쟁이 시작되었고, 이란이 석유수출을 전면 금지하는 조치를 취하면서 원유공급시장은 혼란에 빠졌고 또다시 원유가격이 1년 새 3배가 급등하는 상황이 벌어졌다. 전 세계의 경제는 물론 우리나라도 원자재 가격상승으로 많은 기업들이 어려움을 겪었고 국가 경제도 힘든 시기를 보내야 했다. 이러한 두 차례에 걸쳐 오일쇼크를 경험한 선진국들은 원유 에너지로부터 벗어날 대안을 적극적으로 찾기 시작하였다. 대표적으로 1980년 덴마크의 Vestas사는 풍력발전기를 개발하고 생산하기 시작하였다. 필자가 2013년 요르단에 풍력발전 사업개발을 하려고 방문하였을 때, 20년 전 Vestas사가 초기의 풍력발전기를 요르단에 시험설치 해놓은 것을 보고 놀랐던 기억이 있다.

미국은 원유의 주도권을 가지려고 기술개발을 꾸준히 추진한 결과 최근에 셰일오일 및 가스 개발에 성공하여 수출도 하고 있다. 기존 원유보다는 생산원가가 비싸지만 이제 더 이상 중동 국가들이 오일쇼크와 같은 원유가격의 주도권을 행사 할 수 없는 훌륭한 제어장치의 역할을 수행하고 있다. 그 과정에는 선진국들의 앞선 대안 마련과 추진력이 있었고, 정부의 정책을 신뢰하는 수준 높은 국민들의 지지가 절대적인 역할을 했다. 지금도 덴마크를 비롯한 유럽 국가를 가보면 우리는 지역 민원으로 엄두도 못 낼 지역에 많은 신재생에너지 설비가 설치, 운영되고 있는 것을 볼 수 있다. 국민의식이 선진국을 만드는 것이다. 환경에 대한 개선의지 없이는 절대 선진국이 될 수 없다는 사실을 모두가 알아야겠다. 지역 이기주의에서 벗어나 대의를 생각하는 국민의식이 있어야 비로소 진정한 선진화가 이루어질 것이다.

4차 산업시대의 환경

"이제는 더 이상 이산화탄소를 배출하지 않아도 온도 상승은 막을 수 없다. 2030년이면 북극의 여름 빙하는 모두 녹아 없어진다.", "이러한 현상을 막기에는 시기적으로 늦었다.", "이제 우리가 할 수 있는 일은 지구온난화를 늦추는 일 뿐이다." 이는 앞서 언급한 기후 전문가들의 평이다. 그렇다면 최선의 길은 지구 온난화를 최대한 늦추는 일이다. 후손들이 더 나은 기술개발과 온난화 개선의 노력을 할 수 있도록 시간을 벌어주어야 한다. 우리는 어느새 4차 산업시대에 살고 있다. 많은 기술들이 개발되었고 4차 산업기술 또한 우리가 활용할 수 있는 도구이다. 신재생에너지 기술을 지속 개발하고 스마트 그리드를 활용하여 에너지 효율을 극대화하는 등 화석에너지 절감노력을 지속해야 한다. 2030년에는 가솔린과 경유차가 사라질 것이라고 전망하고 있다. 대체에너지를 지속적으로 개발하고 탄소배출을 줄이는 노력을 적극적으로 하여 지구 온난화의 속도를 늦춰야 한다. 후손들에게 더는 무책임하고 부끄러운 조상이 되어서는 안 되니까.

얼마 전 본 영화가 떠오른다. 지구의 환경이 더 이상 살기 어려울 정도로 나빠졌다. 먼 우주공간에서 지구와 비슷한 환경의 행성을 찾아 580명의 선발대가 우주선을 타고 새로운 행성을 찾아 지구를 출발했다. 그 행성에 도착하기까지는 120년이 소요되므로 모든 탑승객을 냉동 상태로 출발시켰다. 120년 비행하는 동안 우주선은 자동으로 조정되고 있으며 로봇만이 우주선을 지키고 있다. 30년 정도 날아갔을 즈음, 기계 오작동으로 한 남자가 깨어난다. 그 남자는 행성까지 도착 할 기간이 90년이나 남았다는 사실과 그 시간이 남은 자기 수명보다 훨씬 길다는 사실을 알고 절망하였고 급기야 외로움을 참지 못해 마음에 드는 여인 한 명을 깨운다. 그들은 나름대로 즐겁게 지냈으나 로봇과의 대화 도중에 여인은 남자가 자기를 의도적으로 깨웠다는 것을 알고 엄청나게 화를 내고 절망에 빠져든다. 우여곡절 끝에 그 남자는 다시 냉동시키는 방법을 알아내고 그 여인을 냉동시킨다. 자신은 냉동 상태로 돌아갈 수 없어 그대로 우주선을 지킨다. 영화의 마지막 장면은 무사히 행성에 도착하였고 탑승객들도 모두 정상적으로 깨어났으며 그들은 우주선 내에 아름다운 나무와 꽃과 수풀들이 우거진 모습을 보게 된다. '행성에서 행복한 삶을 기원 한다'는 남자의 메모와 함께.

영화의 장면들이 과학이 발달하면서 현실화 되는 과정을 우리는 보아 오고 있다. 충분히 예상할 수 있는 시나리오다. 기후전문가의 말대로 더 이상 지구 온난화를 막을 수 없다면 언젠가는 지구를 떠나 새로운 행성을 찾아야 하는 영화 속의 이야기가 현실이 될 수도 있다. 5

차 산업부터 아마도 우리는 준비해야 할지도 모른다. 그래도 최선을 다하자.

　지금부터라도 4차 산업의 우수한 기술로, 그리고 지구 온난화를 막고자 하는 모두의 협력을 전제로 미래 에너지 전망을 보면 현재 87%의 화석에너지 사용률이 2040년에 36% 수준으로 줄일 수 있다고 한다. 모든 국가가 국제협약을 준수하면서 노력한다면 그 속에서 답을 찾을 수 있지 않을까? 영화가 현실이 되지 않도록 말이다.

우리나라는 어떻게 하고 있나?

　"신재생에너지 비율 2017년 7%에서 2040년 35%로 상향조정, 원자력발전과 석탄발전의 신규설치는 하지 않는다."는 것이 우리나라 제3차 에너지 기본계획이다. 향후 20년간 국가 에너지 수급전략을 수립하는 것이 '에너지 기본계획'이다. 에너지는 한시도 없어서는 안 되는 중요한 자원이므로 국민 모두의 삶에 직접적인 영향을 미친다. 따라서 이 에너지 기본계획은 전 산업계는 물론 일상생활에서도 지켜져야 한다. 일상에서 즉각 피부로 느껴지지는 않지만 이로 인해 전기료가 대폭 인상된다면 모두가 예민하게 받아들일 것이다. 2018년 여름 폭염으로 인해 많은 전기를 소모하고 국가차원에서 전기료를 할인해준 전례가 있다. 그만큼 전 국민이 전기료에 민감하게 반응을 하고 경제적으로도 많은 부담이 되기 때문이다. '에너지 기본계획'은 산업통상자원부에서 발표하는 일상적 정책이려니 하고 무관심하게 보는 이들이 대부분이지만 신재생에너지 비율 35%"라고 하는 말은 "전기료가 지금보다 대폭 오른다."라는 말로 귀결된다. 전기요금이 대폭 오른다면 모두들 관심을 가질 것이다. 전기료가 왜 오르지? 답은 신재생에너지로 만드는 전기가 현재의 원전이나 석탄발전보다 훨씬 비싸기 때문이다. 지금까지 논의했던 지구온난화 방지를 위해 화석에너지 사용을 줄이려면 비싸지만 신재생에너지를 더 많이 생산하여야 하기 때문이다. 원자력 발전은 탄소배출은 하지 않지만 원전사고의 엄청난 피해 우려로 탈 원전 정책을 시행하고 있다. 여기에 정부 정책 수립의 고민이 있는 것이다. 지구 온난화 방지와 탈 원전을 위해 신재생에너지를 확대하려고 하니 전기료 인상이라는 반발에 직면하게 되는 것이다. 더구나 당장은 기존 원전업계와 석탄 발전업계의 규모 축소로 인한 반발도 엄청나다. 이러한 양면성을 조화롭게 이끌어가는 것이 정부의 역할이다. 정권의 방향이라고 무조건 밀어붙이면 오히려 부작용만 생기고 실천이 어려울 수도 있다. 국민적인 합의가 전제 되어야 할 것이다.

덴마크의 해상풍력발전기 설치 현장을 다녀온 적이 있다. 끝없이 넓은 바다에 높이 약 150M 정도의 거대한 해상풍력 발전기 110기가 힘차게 돌아가고 있었다. 전체 용량은 400MW로 일반 원자력발전소의 40% 수준의 용량이다. 발전효율을 비교하면 그 용량은 훨씬 줄어든다. 그만큼 신재생에너지는 용량 면에서는 아직 원자력발전소에 비하면 취약하다. 따라서 당장은 원자력발전이나 석탄발전을 모두 대체할 수가 없다. 하지만 급속도로 발전하는 기술개발로 설치원가가 혁신적으로 줄어들고 있고 동시에 꾸준한 신재생 에너지설비 설치를 확대한다면 화석연료나 원자력에너지 사용을 우리가 원하는 만큼 줄일 수 있는 날이 올 것이다. 신재생에너지와 탈 원전, 탈 석탄 발전의 절묘한 시기적 조화가 필요한 때이다.

우리도 바꾸어야 하지 않을까?

탈 원전을 주장하는 이유는 원자력발전소의 오작동으로 발생할 엄청난 피해와 폐기물 처리 때문이다. 소련의 체르노빌 원전사고와 최근 일본 후쿠시마 원전사고가 이를 증명하고 있다. 이후 탈 원전의 주장이 막강한 힘을 받고 있다. 우리나라의 24기 원전도 같은 위험을 내포하고 있다는 우려를 하고 있다. 한편, 우리의 서쪽, 중국의 동쪽

해안에는 약150기의 원전이 자리 잡고 있다. 이 위험은 어찌하지? 우리 원전만 해체하면 문제가 해결되나? 매년 북서풍이 우리나라로 불어오는데, 탈 원전의 주장에 갑자기 힘이 빠진다.

"신재생에너지의 최대 투자국은 중동 산유국"이라 한다. 두 차례의 오일쇼크로 전 세계를 흔들어 놓았던 오일파워의 국가들이 신재생에너지에 투자하고 있는 아이러니가 벌어지고 있다. 에너지 주도권 싸움의 장이 서서히 바뀌고 있다, 석유에너지에서 신재생에너지로. 신재생에너지는 석유와 달리 의지만 있다면 어느 국가든 개발할 수 있다. 신재생에너지로 지구 온난화에서 벗어날 수만 있다면 우리도 해볼 만하다. 다행히 신재생에너지원은 모든 국가가 가지고 있기 때문이다. 우리도 진력한다면 중동 산유국의 횡포에서 벗어날 수 있고, 과거와 같은 오일쇼크를 걱정할 필요가 없다. 우리의 의지에 달려있다.

정부에서 2010년부터 추진하는 서해안 해상풍력을 시도한 지 10년이 지났는데 여전히 걸음마 수준이다. 풍력발전소 개발은 100% 지역 민원으로 지연되거나 중지되고 있다. 그나마 순탄해 보이던 태양발전도 최근 민원이 급증하고 있다. 자연환경이 훼손되고, 소음이 크고, 폐기물이 발생 한다는 등등의 문제로. 여기서 한 번 반문해보자. 그렇다면 우리는 무엇을 해야 하나? 이대로 지구가 온난화로 파괴되어가는 환경을 보고만 있어야 하나? 우리 아들, 딸, 손주들은 어떻게 살아가나? 그들이 우리를 원망할 때쯤이면 더 이상 돌이킬 수 없는 상태일텐데 말이다.

세상에 공평한 것이 있다. 하나를 얻으려면 하나를 내어 주어야 한다는 것이다. 공부로 성공하려면 시간을 내어주어야 하고 사업에 성공하려면 물리적, 정신적 희생을 감수해야 한다. 삶의 터전을 살리는데 있어서 되돌릴 수 없는 더 큰 대가를 치루기 전에 오랫동안 우리의 무지로 죽어가는 지구의 환경을 살리려면 반드시 그 대가를 치뤄야 한다. 당장은 조금 불편하더라도 국가 차원의 환경 프로젝트에 협조하는 선진 국민의식이 그것을 가능하게 한다. 우리가 내 욕심만 챙

기며 싸우는 동안에 선진국은 그 분야에서 또 앞서 가고 있다.

환경과 에너지, 이제 그 숙제를 풀자

수년전, 풍력발전 사업을 한참 추진 중일 때 일이다. 개발 사업인 풍력발전은 각종 협의와 인허가에만 3년이 소요되었다. 모든 사업이 그러했지만 특히 신재생에너지 사업 중 풍력발전의 인허가 절차가 까다롭기로 소문이 나 있었다. 정부의 권장사업이지만 또 다른 정부부처에서의 인허가는 정말 어려운 절차이고 탈락하기도 다반사였다. 인허가의 백미는 환경영향평가 절차이다. 환경영향평가를 위해 정부 관련부처의 전문가가 현장 실사를 나올 때였다. 모든 준비를 마치고 현장을 답사하면서 질문을 하였다. 당시 모 국립연구소의 연구보고서에 의하면 "풍력발전기를 설치하면서 훼손한 산림의 영향보다 풍력발전기를 설치하지 않고 그대로 화력발전을 이용했을 때의 환경파괴가 훨씬 크다는 보고서를 사전에 보았다"는 이야기를, 따라서 "풍력발전의 환경파괴로 인한 인허가 불허는 이치에 맞지 않다"는 의견을 피력하였다. 동행한 환경전문가는 잠시 생각하고는 "그것이 우리의 딜레마입니다."라고 답하였다. 그리고 얼마 지나지 않아 우리가 신청한 인허가는 정부 권장사업임에도 불구하고 이러저러한 이유로 반려되었다. ―이치에 맞지 않음을 알면서도― 이후 수차례에 걸쳐 재신청하고 심사를 받고 하면서 3년 만에 인허가를 완료할 수 있었다. 대의가 옳다면 서로 도와주어야 하지 않을까! 우리나라 인허가 절차의 어려움을 절실하게 느끼면서, 그래도 사업은 진행되었으니 다행이라 생각하지만 지금 돌이켜 보아도 심히 답답한 경험으로 기억되고 있다.

올해도 어김없이 들려오는 소식, 어느 나라가 폭염으로 고생하고 있고 어느 나라는 유래 없는 홍수로 수만 명의 이재민이 발생하고 등등. 기상청은 올해에도 역사 이래 가장 많은 면적의 북극빙하가 사라지고 기상 이변이 세계 곳곳에서 나타날 수 있다고 한다. 빙하에서 사는 북극곰이 사라지고 이대로 가면 머지않아 우리나라 기후가 열대기후가 되어 서울에서 열대과일을 키울 수 있다고 한다.

환경문제, 이제 그 숙제를 풀어보자. 환경문제는 이미 언급한 바와 같이 에너지문제와 직결된다.

[후손들을 위한 우리의 다짐]

- 나무를 심자, 많이 심자, 자르거나 태우지 말고.

- 화석연료 사용을 줄이자. 에너지절약으로 사용을 줄이자.

- 신재생에너지로 화석연료 발전을 대체하자. 작지만 차근차근 대체하자.

- 우리는 선진국민의 의식으로 대의를 위해 협조하자.

- 친환경 에너지를 사용하고 폐기물도 줄여 나가자.

- 우리 모두 환경보호와 에너지절약에 관심을 갖자.

- 우리 아이들에게도 가르쳐주자, 환경보호와 에너지절약을.

- 후손들에게 부끄럽지 않도록 최선을 다하는 모습을 보여주자.

- 미지의 우주행성으로 쫓기듯 이주하지 않아도 되도록 …

꿈을 꾸고 실현하자

글_ 신기철

1958년 서울생으로 서울 성남고와 한양대 경영학과를
졸업하였고 안양대에서 경영학 박사를 취득하였다.
SK건설에 신입사원으로 입사하여 경리, 금융, 인력, 경영분석
등에서 근무를 하였으며, 업무를 전산화하는 경영혁신업무를
담당하였고 임원으로 홍보실장과 감사실장을 역임하였다.
용마터널 대표이사로 재직하면서 동부 서울과 구리시 및
중부고속도로를 터널로 연결하는 SOC건설에 기여를 하였다.
현재는 경기대학교 산학협력교수로 근무 중이며, 학생의 취직과
현장실습 및 인생설계 조언과 경영컨설팅을 하고 있다.

사람들이 추구하는 좋은 가치 중 "행복"의 비중이 높아 행복에 대하여 살펴보려 한다. 연세가 많으신 어른들께서 가족들 건강하고 화목하게 생활하는 것을 행복이라고 말씀하시는 것을 많이 들을 수 있다. 행복은 사람마다 본인이 가지고 있는 생각이나 기준이 다양하다. 필자도 행복에 관련된 여러 책을 읽은 적이 있었는데, "행복교과서"라는 서울대학교 행복연구센터에서 청소년들의 행복 수업을 위한 첫걸음으로 만든 책이 내용도 간결하고 명확하게 행복에 대하여 설명하고 있다고 생각하여 이를 인용한다. 행복은 바로 마음이 즐거움과 의미, 그리고 몰입으로 가득 찬 상태이다. 따라서 인생이 행복하려면 즐거움, 의미, 몰입을 위하여 각자 노력을 하여야 한다.

세상에서 가장 어려운 일은 가장 쉬운 일을 지속적으로 하는 것이다. 누구나 할 수 있지만 또 아무나 할 수 없는 일이다. 지속적으로 무엇인가를 한다는 것은 한 순간에 이루어지지 않는 위대한 일이다. 오늘날 우리가 돌아볼 수 있는 모든 성공자들이 걸어온 길은 한 때의 어려운 일을 해낸 것이 아니라, 오랫동안 쉬운 일의 반복이었다. 헛수고 같은 수고가 큰 대가를 만든다.

지금의 청춘은 미래와 관련하여 매우 힘든 시기를 슬기롭게 이겨 나가야 한다. 부모 세대의 청춘시기와 처해 있는 상황이 다르기 때문에 부모세대와 같은 방법으로 미래를 준비할 수 는 없다. 그런데 역사의 큰 흐름으로 보았을 때 항상 청춘 세대는 부모의 세대와는 비교할 수 없는 급변의 세대를 살고 있고, 특히 지금은 4차 산업혁명으로 혁명적인 변화의 시기여서 더욱 청춘에 부담을 주고 있다. 그렇지만 청춘세대는 큰 기회를 가질 수 있는 것이다.

꿈을 꾸자

현실을 실현 시키는 꿈

대학생들과 만나 이야기를 하다보면 적지 않은 학생들이 자신의 미래에 대하여 명확하게 이야기를 하지 못하는 경우를 보게된다. 미래를 달리 말하면 꿈이라고 할 수 있다. 어려서부터 어른이 되면 무엇이 되겠다, 또는 어떤 사람이 되겠다는 꿈을 갖고 살아간다. 대부분 학교에 들어가기 전의 꿈은 학교라는 사회 속에서 현실화 된다. 그런 과정 속에서 꿈은 여러 번 바뀌다 고등학교 또는 대학교 시절에 구체화되는 것이 일반적인 현상이다.

뿐만 아니라 사회생활을 하면서, 디딘 첫 발을 수정하는 경우도 보게된다. 아직 도래하지 않은 내일의 선택을 아름다운 유혹이라고 표현하기도 한다. 이러한 견해로 보면 나이가 들고 자신의 인간상 또는 미래 직업을 정하는 행위는 아름다운 유혹에 방점을 찍는 신중하고 중요한 선택일 것이다.

대학에서 강의하고, 특강하고, 면담하고, 현장실습을 지도하며 학생들에게 왜 지금의 전공학과를 선택하였는지를 물어보면 그 물음에 명확하게 전공을 선택한 이유를 설명하는 학생도 있지만, 적지 않은 학생들이 성적에 맞추어 선택을 하거나 부모님 또는 분위기에 따라 전공을 선택했다고 말한다.

대학의 전공은 자신의 꿈을 실현하는 중요한 기초단계인데, 의외로 이를 고려하지 않고 전공을 선택한 학생들을 자주 만날 수 있었다. 그리고 "꿈이 무엇인가?"라고 물으면 자신이 추구하는 가치가 무엇이고 그것을 실현하기 위해 어떤 직업을 선택하겠고, 그 직업에서 정년 후 제2의 인생은 어떻게 준비하여 나아가겠다고 이야기하는 당찬 학생도 있지만, 자신이 추구하는 가치가 무엇인지 어떤 직업을 갖고 싶은지 명확하게 이야기하지 못하는 학생이 생각보다 많았다.

꿈의 사전적 의미는 잠자는 동안 일어나는 심리적 현상의 연속, 실현시키고 싶은 희망이나 이상理想, 실현될 가능성이 아주 적거나 전혀 없는 허무한 기대나 생각[1], 현실을 떠난 듯한 즐거운 상태나 분위기를 비유적으로 이르는 말이다.

여기서 필자가 말하는 꿈은 실현될 가능성이 적지만 실현시키고 싶은 희망이나 이상理想으로 정의하고 이글을 시작하려 한다. 사전의 정의에서 보듯이 꿈은 많은 사람들이 실현시키고 싶은 희망이나 이상이지만 그 꿈을 실현하여 현실적으로 성공하기는 매우 힘든 일이다.

하지만 매년 연말이 되면 수능시험에서 좋은 성적을 받은 학생, 각종 고시 합격생, 창업하여 성공한 사람의 이야기, 어렵게 생활하였지만 자신의 어려운 시기에 받은 도움을 갚기 위한 기부소식, 취직하기 희망하는 회사에 성공적으로 취업한 이야기 등, 모두가 동경하는 꿈을 실현시킨 사람들의 이야기가 회자되고는 한다.

일반적으로 인생의 꿈을 꿀 때, 다른 표현으로 인생의 계획을 수립할 때, 어떤 가치 있는 인생을 살 것인가의 문제와 이를 실현하기 위해 어떤 직업을 선택할 것인가로 나누어 생각해 볼 수 있다. 가치란 "특정한 형태의 행동이나 존재양식이 다른 형태의 행동이나 존재양식 보다 더 좋을 것"이라는 기본적인 믿음이나 신념을 나타낸다.[2] 인생의 계획을 고민하면서 좀 더 좋은 의미를 가질 수 있는, 다른 말로 가치를 가질 수 있는 목표를 수립하는 것을 적극 추천한다.

조직행동론에서는 개인이 일생을 통하여 달성하고 싶어 하는 목적goals을 최종가치라고 한다.[3] 그런데 살면서 사람들의 최종가치는 무

---

1) 다음 한국어 사전
2) 황규대, 박상진, 이광희, 이철기 (2015) 『조직행동의 이해』 박영사, p37
3) 『전게서』 p39

언가 심오하면서도 변화하는 경향이 있어, 여기서는 최종가치 중 큰 비중을 차지하는 직업 선택에 초점을 두고 이야기를 하고자 하며, 행복에 대하여 주요내용을 뒤에서 설명할 예정이다.

이 글에서 "꿈을 꾸자"라고 하는 말은 청춘들이 어떤 좋은 가치를 추구하는 사람이 될지, 그 좋은 가치를 실현하기 위하여 어떤 직업을 가질지를 고민하고 연구하여 자신이 주관하여 결정하는 것을 의미한다.

나의 꿈은?

나의 꿈을 "나는 어떤 좋은 가치를 추구하는 사람이 될까?"와 "나는 내가 추구하는 좋은 가치를 실현하기 위해 어떤 직업을 선택할까?"라고 설정 하기로 하자. 그러면 자연스럽게 가치와 직업의 이야기가 이글의 본격적인 내용이 될 것이다. 본격적인 이야기에 앞서 이해를 돕기 위해 몇 가지 이야기를 먼저 하고자 한다.

무슨 일을 시작하면서 어떤 방향으로 어느 수준까지 어떻게 일을 할지 생각하고 계획을 세워 실천했을 때와 특별한 생각 없이 발생하는 대로 일을 하는 경우는 성과에서 많은 차이가 나는 것을 살아가면서 여러 번 느끼게 된다.

농부는 봄에 일을 시작하기 전에 과거의 경험, 신기술과 장기 일기 예보를 바탕으로 작물을 재배할 수 있는 터에 올해는 어떤 작물을 재배할 것인지를 결정하고 그 작물에 맞는 씨앗, 비료 등의 계획을 세우고 봄을 기다린다.

여행을 할 때도 출발하기 전에 여행지에 대한 역사, 풍물, 볼거리, 맛거리, 숙소, 교통 등을 조사하고 여정을 수립하면 여행가서 우왕좌왕하지 않고 계획대로 즐거운 여행을 즐길 수 있다. 경우에 따라 돌발

상황이 발생하여 계획이 변경되는 경우도 있지만, 사전에 여행계획을 수립한 경우에는 그런 돌발상황이 발생하더라도 적절하고 신속하게 대처 할 수 있다.

교통, 숙소, 식당 등 대부분의 사항을 정해주고 현지에서 설명까지 해주는 패키지여행은 비용만 지불하면 별다른 준비를 하지 않아도 국내 및 해외여행을 즐길 수 있다. 하지만 삶을 살아가면서 이런 패키지여행과 같이 예측한 대로 일이 실행되는 가능성은 거의 없다.

인생을 마라톤이나 긴 여행 또는 산행과 비유를 한다. 내가 어려서 마라톤 경주를 처음 본 것은 지금의 부천역(당시 소사역) 앞에서 본 경인마라톤이다. 당시 세계 최고 수준의 선수인 에티오피아의 아베베가 1등으로 달려오고 있었는데, 내가 보기에 아베베는 주위를 구경하면서 여유롭게 뛰고 있었고, 한참 뒤쳐져 뛰어오는 다른 선수들은 아베베에 비하여 매우 힘이 들어 보였다. 어린 생각에도 저 선수들은 서울까지 갈 수 있을까하는 걱정을 한 것 같다.

최근에는 마라톤 붐이 일어 전국 여러 곳에서 봄부터 가을까지 크고 작은 마라톤대회가 열린다. 대형 언론사에서 주최하는 마라톤대회에는 참가인원이 일만 명을 넘는 경우도 있다. 전문적인 선수, 일반인 중 마라톤을 잘 하는 사람, 건강 목적이나 마라톤 초보자 등 여러 구분으로 자기의 실력이나 목표에 맞게 대회에 참가하여 마라톤을 뛴다. 그리고 출발선에서 풀코스를 뛰는 사람과 하프 또는 10km를 뛰는 사람을 구별하고, 풀코스를 뛰는 사람은 선수, 일반인 중 기록을 보유한 사람, 그리고 일반 풀코스 도전자 순으로 출발을 시키는 것이 일반적이다. 풀코스를 출발 시키고 하프 참가자와 10km 참가자 순으로 출발을 시킨다. 대부분의 참가자들은 즐거운 마음으로 자기의 상황에 맞게 마라톤을 즐기고 있다.

나는 어려서부터 달리기에는 재능이 별로 없었다. 40대가 되어 건강을 생각하여 달리기를 시작하였고, 오랜 연습을 통하여 단축마라

톤을 여러 번 뛰었다. 풀코스를 뛰는 사람의 입장에서는 단축마라톤
이 별 일이 아닐 수 있지만, 나의 형편에서는 큰일이었다. 단축마라톤
을 신청하고 대회에 나갈 때까지 나름 계획을 세우고 연습을 하였고,
목표한 시간에 들어오려고 열심히 뛰었다.

나의 대표적인 여행 경험은 30여 년간 SK건설과 용마터널의 근무
를 마치고 집사람과 세계여행을 72일간 한 것이다. 처음 세계여행에
대한 꿈을 꾸었을 때는 환갑을 지내고 하려했는데, 몇 년을 당겨서 실
행을 하였다.

이 세계여행의 첫 준비는 1990년 대 초에 항공사 마일리지 카드를
만들면서 비롯되었다. 당시 마일리지 카드를 신청하면서 안내문을
자세히 읽다가 마일리지로 세계일주를 할 수 있다는 것을 알게 되었
고, 그 때부터 마일리지를 적립하여 SK건설을 퇴직하고 환갑이 지나
면 집사람과 세계일주를 하겠다는 큰 꿈을 세웠다. 그 후 20여년을
마일리지가 적립되는 개인 신용카드와 항공기 탑승 등으로 마일리지
를 꾸준히 적립하여 부부동반 세계일주를 할 수 있었다.

이처럼 사전에 준비를 한다는 것은 불확실한 내일을 안전하게 완주
하게하는 담보와도 같은 것이 아닌가 한다. 산행의 경우도 크게 다르
지 않다. 동네 앞산이나 서울 근교 산은 전문적인 산행을 준비하지 않
아도 가능할 수 있지만, 설악산, 지리산, 한라산 등 고봉의 등산은 산
행 전 체력의 준비뿐만 아니라 장비 및 먹을 것 등을 준비하여야 한
다. 특히 히말라야의 고봉을 등반하는 경우에는 철저한 사전 준비와
실행 그리고 하늘의 도움이 있어야 등정이 가능하다.

베이비붐 세대와 그 이전의 세대는 유년기나 학창시절에 꿈꾸었던
미래의 직업이 비슷한 경우가 많다. 그 시절 상황은 경제적으로 매우
어렵고 정치적으로는 민주적이지 않아 이를 극복하기 위한 직업의
선택이 많았다. 예를 들면 유년기에는 대통령, 국회의원, 군인, 과학
자, 사업가 등의 경우가 많았고, 학창시절에는 정치가, 사업가, 과학

자, 의사, 경영자 등이 대부분이다. 현재 청춘들이 꿈꾸는 미래 직업은 과거와는 비교할 수 없게 변화되었으며, 그 종류 또한 매우 다양하다. 그래서 현재의 청춘들이 자신의 미래 직업을 더 결정하기 어려운 점도 있는 듯하다.

인생의 목표를 산행과 비교하여 보자. 우리 주위에는 크고 작은 산이 많이 있다. 인생이라는 길고 험난한 산행도 자신의 결정에 따라 많은 산 중에 하나 만 선택해서 등정을 하거나, 여러 산의 등정을 결정할 수도 있다.

<<< [표1]국립공원 최근 5년간 방문객 현황 >>>

단위 : 천명

산이름	2013	2014	2015	2016	2017	계
지리산	2,803	2,933	2,929	2,876	3,067	14,608
설악산	3,355	3,628	2,821	3,654	3,698	17,156
속리산	1,241	1,195	1,115	1,223	1,349	6,123
한라산	1,207	1,166	1,255	1,065	1,001	5,694
내장산	1,879	1,884	1,688	1,641	2,102	9,194
덕유산	1,740	1,799	1,759	1,710	1,731	8,739
오대산	1,533	1,556	1,695	1,247	1,510	7,541
주왕산	1,246	1,139	904	1,009	1,312	5,610
월악산	1,082	977	995	1,052	1,055	5,161
북한산	7,146	7,282	6,371	6,087	5,955	32,841
소백산	1,376	1,454	1,351	1,288	1,224	6,693
무등산	3,968	3,818	3,609	3,571	3,513	18,479
계	28,576	28,831	26,492	26,423	27,517	137,839
비 율	60.89	62.13	58.44	59.57	65.09	61.18
전체탐방객	46,931	46,406	45,332	44,357	42,277	225,303

출처 : 국립공원관리공단 홈페이지

실제 산행의 경우를 보면, 우리나라의 대부분 큰 산 또는 유명한 산은 국립공원으로 지정되어 국립공원관리공단에서 관리를 하고 있다. 국립공원관리공단의 홈페이지에는 매년 국립공원을 방문한 방문객의 숫자를 집계하여 그 통계를 게시하고 있다. 그 중에서 바다와 관련한 방문객을 제외하고 산을 방문한 방문객의 통계를 위의 표와 같이 정리를 하였다. 최근 5년 간 국립공원을 방문한 사람은 225백만 명이고, 그 중 61.18%인 약 138백만 명이 산을 방문하였다. 매년 평균 약 28백만 명이 국립공원의 산을 방문하였다.

사람들은 각자 자신의 취향에 따라 방문할 산을 정하고, 산의 정상까지 갈지, 산 입구에서 산의 경치를 구경할지, 최근에 많이 개발된 둘레길을 걸을지, 체력이나 사정에 적합하게 산의 일정 구간까지 산행을 할지 등을 정하여 국립공원의 산을 방문한다. 정확하게 몇 %의 사람이 산의 정상에 오르는가에 대한 통계는 없지만, 일 년에 평균 28백만 명이 국립공원의 12개 산을 찾아가지만 정상까지 오르는 사람은 비율적으로는 낮은 것으로 알려지고 있다.

최근 5년간 연인원 약 138백만 명이 국립공원의 산을 탐방하였고, 그렇게 많은 사람이 국립공원의 높은 산을 방문하면서 각자의 역량이나 계획에 따라 방문 경로를 결정하지만 반드시 정상에 오르는 것은 아니라는 것을 경험적으로 알 수 있다. 장래 목표 직업의 계획 또는 결정도 산행과 비슷한 면이 있다. 어느 직업을 선택할지, 그 직업에서 어느 수준까지 도달할지 등은 자신의 계획, 노력, 그리고 운에 따라 결정될 수도 있고, 경우에 따라 도중에 목표 직업이 변경되는 경우도 있다.

다음은 전문적인 산행으로 예를 들어 보고자 한다. 다음의 표는 대한산악연맹에 신고를 하고 히말라야 8,000m 이상을 등정한 자료를 정리한 자료이다.

등산전문가들이 체력을 기르고 많은 등산 물자, 급식, 의료, 지원, 현지기후 및 지형, 과거 산행자료 등 다양한 준비와 분석 등 만반의 계획을 세우고 연습하고 실행하는 히말라야 등정 특히 8,000m 이상의 고봉 등정은 더욱 철저한 준비와 연습을 필요로 하고, 정상을 밟기 위해서는 하늘의 도움을 받아야 가능하다는 것을 알 수 있다.

<<< [표2] 8,000m 이상 히말라야 고봉 등정 현황 >>>

단위 : 건수

구 분	2014	2015	2016	2017	2018	계
봄	7	4	3	2	6	22
가을	3	1	1	2	1	8
계	10	5	4	4	7	30
등정	4	0	3	2	4	13
등정율	40%	0%	75%	50%	57%	43%

출처 : 대한산악연맹에서 자료를 받아 정리

2014년에서 2018년까지 5년 동안 히말라야 8,000m 이상의 고산에 30건의 등정시도가 있었는데 그 중 43%인 13건 만이 완등으로 나타났다. 미등정의 원인 중 2015년 봄은 현지에 지진이 발생하여 등정을 할 수 없는 경우였다. 고산 산행 영화나 다큐멘터리에 많이 나오는 정상 부근 도전 시의 날씨도 정상 정복의 큰 변수 중 하나이고 이러한 것들이 하늘의 도움인 것이다. 직업을 선택하고 자신이 최선의 노력을 다하고 하늘의 도움, 운이 따라주어야 성공할 확률은 높아진다.

앞에서 꿈은 실현될 가능성이 희박하지만 실현시키고 싶은 희망이나 이상理想으로 정의하였다. 산행을 할 때 자신의 뜻에 따라 산을 결정하고 어떻게 산행할 지는 스스로의 결정에 따라 다양한 방법이 있다. 그리고 산행을 하다보면 피치 못할 사정으로 계획한 산을 등정하지 못하고 중단하거나 다른 산을 등정하는 경우도 있다.

행복은 무엇인가?

사람들이 추구하는 좋은 가치 중 "행복"의 비중이 높아 행복에 대하여 살펴보려 한다. 연세가 많으신 어른들께서 가족들이 건강하고 화목하게 생활하는 것을 행복이라고 말씀하시는 것을 들을 수 있다. 행복은 사람마다 가지고 있는 생각이나 기준이 다양하다. 필자도 행복에 관련된 여러 책을 읽고 있는데, "행복교과서" 라는 서울대학교

행복연구센터에서 청소년들의 행복 수업을 위한 첫걸음으로 만든 책이 내용도 간결하고 명확하게 행복에 대하여 설명하고 있다고 생각하여 이를 인용한다. "행복은 바로 마음이 즐거움과 의미, 그리고 몰입으로 가득 찬 상태이다."[4] 따라서 인생이 행복하려면 즐거움, 의미, 몰입을 위하여 각자 노력을 하여야 한다.

나의 인생

이소離巢

"동물의 왕국"이나 자연 다큐멘터리에는 조류 또는 포유류의 짝짓기, 출산 및 육아의 장면을 빈번하게 방영한다. 육아의 마지막 장면은 자라난 새끼들이 부모의 슬하에서 벗어나는 이소이다. 자연에서 새끼가 태어나서 부모의 도움으로 어느 정도 자라면 부모와 분리되어 독립적으로 생활하는 것이 자연의 법칙인 것이다. 인간도 자연의 일부이기에 태어나서 부모의 도움을 받고 자라 어느 시점이 되면 부모로부터 독립을 하는 것이 자연의 법칙에 순응하는 것이다.

어떤 사람은 부모의 도움을 적정하게 받지 못하는 경우도 있지만, 대부분의 사람은 태어나서 부모의 도움으로 생활을 하고 학교를 다닌다. 학교를 다니면서 청춘들은 자신의 미래의 직업을 준비하고 결정하여, 학교를 졸업하고 부모로부터 독립적인 생활을 하는 것이 자연스러운 인생과정이다.

최근의 언론에서 현재의 젊은 세대가 유사 이래 부모 세대보다 잘 살지 못할 세대로 예상하는 보도를 종종 보게 된다. 인류의 역사 이래 지진, 해일, 태풍 등 자연의 대 재앙, 전쟁, 인종차별 정책 및 세계적 경

---

4) 『행복교과서』(2011), 서울대학교 행복연구센터, 월드김영사, p14

제공황 등의 인간 재앙, 페스트, 천연두, 콜레라 등 대규모 전염병으로 부모세대 보다 잘 살지 못한 세대가 여러 번 있었다.

지금의 부모세대인 베이비부머 및 그 앞 세대는 일제 강점기 및 한국 전쟁의 영향으로 너무 못 살던 시기에 태어나 경제성장기의 젊은 시절을 국가의 발전과 같이 함으로써 혜택을 받은 점은 있지만, 어렸을 때와 학교 다닐 때는 지금의 젊은 세대와는 비교할 수 없는 열악한 상황에서 생활을 하였다.

나의 경우 초등학교 2학년 때 미국의 원조를 받은 옥수수로 만든 옥수수 죽을, 3학년 때는 옥수수 빵을 무상으로 배급하는 것을 먹은 기억이 또렷하다. 또한 오늘을 살아가는 중년이거나 중년이 될 무렵의 연령층은 IMF경제위기를 겪으면서 매우 어려운 시기를 이겨내기도 하였다.

조선일보에 보도된 대한민국 20대 보고서를 보면 현재의 20대는 "아버지만큼 될 자신이 없어요."라는 인식을 많이 가지고 있다고 한다.[5] 청춘들의 입장에서는 시기적으로 매우 어려운 때 살고 있다고 느낄 수 있다. 그러한 위기감을 모든 세대가 극복하였듯이 오늘을 살아가는 20대도 어려움을 이겨내는 용기와 실천으로 부모의 슬하에서 벗어나는 이소離巢는 선택이 아닌 필수임을 인지하여야 할 것이다.

무엇을 하고 싶은가?

4차 산업혁명시대를 맞아 새로운 직업이 생겨나고, 기존의 직업군이 사라지거나 필요성이 점차 감소하고 있다. 현재의 직업으로 보면 존립에 큰 위기일 수 있으나 미래에 직업을 선택할 수 있는 청춘들에게는 이 위기가 큰 기회일 수 있다.

---

5)조선일보(2019. 2. 26) 20대, "아버지만큼 될 자신이 없어요" P1

현재 기성세대가 일반적으로 생각하는 개별직업에 대한 생각은 청춘들의 개별직업에 대한 생각과 일치하는 경우도 있지만, 같은 경우가 별로 없다. 4차 산업혁명을 주도하는 빅데이터, 인공지능, 사물인터넷 IoT, 로봇 등과 같은 산업의 발달로 인해 산업환경 및 취업시장에도 큰 변화가 이루어지고 있다. 이에 따라 사회에서 요구하는 인재상도 바뀌고 있다.

　요즘에는 초등학교 또는 중학교 시절에 미래 직업체험이나 인성적성 검사를 통하여 나에게 적합한 직업이 무엇인가를 알게 해주고 직·간접적인 체험을 통하여 직업선택의 의사결정에 도움을 주고 있다.

　자신의 목표 직업은 자신의 생각, 과학적인 적성 검사, 직업체험경험, 학교생활과 사회활동, 미래세계의 전망 등을 종합하여 스스로 결정하는 것이 바람직하다. 그 결정과정에 부모님, 교수님, 선생님, 전문가, 선배, 친구, 후배 등에게 조언을 구하기도 하지만 최종결정은 자신이 모든 것을 종합하여 결정하여야 한다.

　내 경험으로는 청춘들이 미래를 고민할 때에는 자신의 주위에 있는 친구, 선후배 보다는 부모님, 교수님, 선생님, 전문가와의 상담을 추천한다. 일반적으로 친구, 선후배들은 같은 세대의 어려운 느낌을 같이 느끼면서 이야기하기 좋은 점은 있으나, 다양한 시각에서 객관적인 접근을 하기에는 편협함을 벗어나지 못하는 한계에 노출된다. 따라서 경험이 풍부하고 미래에 대한 식견이 있는 사람하고 청춘들의 미래를 같이 이야기하는 것을 추천한다.

　앞의 산행의 예에서도 이야기했지만 미래의 직업은 불변인 경우도 있지만 많은 사람들이 직업을 선택하고 생활을 하다가 진로를 변경하는 경우도 많다. 특히 4차 산업혁명 시대에는 과거 세대와 달리 한평생 여러 개의 직업을 가질 확률이 매우 높다.

현재의 인기에 연연하지 마라

직업을 선택할 때 과거에 내 주위에서 발생했던 경험을 이야기하고
자 한다. 공과대학의 인기학과는 입학 당시의 우리나라를 포함하는
세계적인 경제 또는 과학계의 인기를 반영한 결과로 생각한다.

일제 강점기와 우리나라 수출에서 광산물이 차지하는 비중이 높았
을 때는 광산학과가, 섬유류가 수출의 주 종목일 때는 섬유공학과가,
중동 건설특수일 때는 토목공학과와 건축(공)학과의 인기가 제일 좋
았었다.

내가 대학에 입학할 때는 1977년이었는데 중동 건설특수로 토목
공학과와 건축(공)학과의 인기가 높아 입학성적이 매우 높은 편
이었다.

그런데 77학번이 군복무를 마치고 대학을 졸업하는 1984년에는
중동 건설경기의 위축으로 두 학과의 졸업생들이 취직하기 곤란한
경우가 발생하기도 하였다. 지금 유행하는 말로 '전화기'라고 하여 전
기전자계열, 화공계열, 기계계열의 학과는 다른 학과에 비하여 취업
에 큰 어려움이 없는 것으로 알려지고 있는데 이러한 현상도 언제까
지 지속될지 주의 깊게 살펴볼 필요가 있다.

화공계열 전공자가 많이 취직하고자 하는 화학산업 또는 석유산업
은 기본적으로 장치산업이어서 매출규모에 비하여 직원을 생각보다
적게 채용하는 특성이 있다. 최근에는 IT화가 가속되어 더욱 직원의
채용을 늘리지 않고 있다. 그래서 현재는 화공계열을 전공한 학생 중
상당수가 화학산업이나 석유산업을 건설 또는 지원하는 분야로 진출
하고 있다.

기계계열 전공자의 경우 자동차산업에 많은 취직을 한다. 완성차
제조사, 부품업체, 정비업체 등 자동차산업과 관련된 많은 일자리에
서 기계계열 전공자를 필요로 하고 있다. 그런데 자동차의 IT화와 전

기자동차의 개발이 가속화되면서 자동차가 기계공업에서 전기공업으로 전환하는 현상이 발생하고 있다.

　최근에는 자율주행차의 개발이 상용화 단계에 이르면서 완성차 회사보다는 구글 등 소프트웨어 회사가 자율자동차의 개발을 주도하고 운영체계도 선점하는 현상이 나오고 있다. 이러한 현상이 소프트웨어 회사의 주도로 계속 이어진다면, 기계계열 전공자들의 자동차 산업에 취직이 감소할 것으로 예상 된다.

　자율주행차가 발전하여 무인자동차 시대가 되면서 전 세계 자동차의 숫자가 크게 감소할 것으로 예상이 되고 있다. 자동차가 소유가 아닌 공유의 개념으로 바뀔게 분명하다.[6] 이렇게 세상이 바뀌면 기계계열 전공자의 취업시장은 크게 변화가 될 것이다.

　현재 많은 사람들이 취업을 희망하는 업종이나 회사가 약 20년 후 미래에도 계속 인기가 있을 수 있지만, 확률적으로는 변경될 가능성이 더 높다. 현재 우리나라의 최대, 최고 기업은 삼성전자이지만, 내가 입사 서류를 들고 다니던 1980년대 초에는 삼성전자가 당시에도 대기업이긴 했지만 지금과 같이 독보적인 우위를 차지하고 있지는 않았다.

　70년대 80년대에는 종합무역상사와 종합건설업이 최고의 인기 취업 업종이었다. 하지만 불과 30~40년이 지난 지금 그 인기는 상당한 폭으로 하락하였다. 건설과 무역이 여전히 우리나라 경제에서 차지하는 비중이 크지만, 과거에 비하여 그 비중은 많이 줄었고, 그 업에 종사하는 사람의 비중도 계속 줄고 있다.

　상경계 졸업생의 경우 과거부터 지금까지 금융산업에 취직을 희망하는 사람이 많다. 과거에는 5대 시중은행이라고 제일은행, 한일은행, 서울은행, 상업은행, 조흥은행이 있었다. 베이비붐 세대가 이 5대

---

6)손현덕(2018), 손현덕의 구석구석 4차 산업혁명 탐구, 매일경제신문사, p165

시중은행에 입행할 때는 재직 중 큰 사고만 없으면 정년퇴직하고 퇴직금을 받아 안정된 노후를 설계할 수 있었다. 그러나 IMF경제위기에 5대 시중은행은 모두 문을 닫게 되었다. 그리고 70년대 말과 80년대에 급여와 복리후생이 매우 좋은 단자사에 입사하기를 원하는 사람이 많았고, 각사별로 신입사원의 채용이 적었기 때문에 입사하기가 매우 힘들었다. 그러나 단자사도 5대 시중은행과 마찬가지로 IMF 시절에 모두 망하거나 합병되어 역사의 뒤안길로 사라졌다. 그래서 당시 5대 시중은행과 단자사에 근무하던 사람들은 정년의 근처에도 가기 전에 다니던 직장을 퇴직하게 되었고, 큰 어려움을 겪었다.

IMF경제위기의 다른 경우를 이야기하고자 한다. IMF경제위기 전에 우리나라의 30대 그룹으로 분류되었던 그룹회사 중에 IMF경제위기를 지나 20년 후에 보니 30대 그룹 중 해체된 곳이 11개, 생존은 하고 있기는 하지만 30대 그룹에서 탈락한 곳이 8개이다. 그리고 30대 그룹에 계속 남아있는 곳은 11곳이었다. 특히 10대 그룹 안에 있었던 대우, 쌍용, 동아그룹이 해체되었다. 청춘들이 입사를 원하는 오늘의 대기업도 20년, 30년 이상을 두고 보면 계속 안전하지 않은 곳일 수도 있다.

청춘의 일반적인 현상

미래에 대한 불안감

미래는 기본적으로 잘 알지 못하고 불확실하다. 누구나 미래에 대하여 불안감을 가지는 것은 당연한 감정이다. 유사 이래 오늘을 살아가는 세대는 지난 세대에 비하여 급격히 변화하였기 때문에 더욱 더 미래에 대하여 불안감을 가질 수 밖에 없다. 앞에서도 언급했지만 오늘의 청춘들은 부모세대에 비하여 경제적으로는 유복한 생활을 하고 있지만, 극심한 취업난과 4차 산업혁명 등 급격한 상황의 변경으로 미래에 대한 불안감이 매우 높은 상태로 알려지고 있다.

먼저 취업과 관련한 [표 3]의 통계를 보면 2019년 대학 졸업예정자 10명 중 1명만 정규직으로 취업하고 있음을 알 수 있다. 그리고 [표 4]의 청년층 기업규모별 취업자 현황을 보면 2017년 말 현재 많은 사람들이 입사하고자 하는 300인 이상의 대기업에 전체 청년층 직장인의 10.5%가 근무하고 있다. 따라서 절대적으로 많은 인원인 89.5%가 중소·중견기업에서 직장생활을 하고 있음을 알 수 있다. 청년이 300인 이상의 대기업에 취직하려면 단순한 비율로 따지기에는 다소 무리가 있기는 하지만, 전체 비율로 보았을 때 상위 10.5%에 드는 실력을 갖추어야 가능하지 않나 하는 생각이 든다.

<<< [표3] 4년제 대학 졸업 예정자 취업현황 >>>

각 연도 1월 기준

구 분	2016	2019	비고
정규직 취업	16.9%	11%	
비정규직 취업	22.2%	10%	
미 취 업	60.9%	79%	

자료 : 잡코리아, 조선일보(2019. 1. 22) p A14

<<< [표4] 청년층 기업규모별 취업자 현황 >>>

단위 : 천명, %

구 분	2015		2016		2017	
1 ~ 4인	940	24.3	920	23.6	915	23.4
5 ~ 299인	2,502	64.8	2,565	65.6	2,582	66.1
300인 이상	422	10.9	423	10.8	410	10.5
15~29세 계	3,864	100.0	3,908	100.0	3,907	100.0

자료 : 고용노동부, 2018 통계로 보는 우리나라 노동시장의 모습, p247

근거 없는 자신감

청춘들이 용기 있게 또는 패기 있게 자신이 하고 싶은 일이나 목표를 달성하기 위해 이야기하고 노력하는 것은 가상한 일이다. 그런데 일부 청춘들은 하고 싶은 일이나 목표를 달성하기 위해 구체적이고 지속적인 노력이 없이 "나는 할 것이다." 또는 "나는 할 수 있다."라는 말만 하는 경우를 볼 수 있다. 그러나 어떤 일을 하는 데는 준비가 필요한 것이 있거나 기본자격이 필요한 경우가 있다. 외교관이 되겠다고 목표를 세운 사람은 최소한 영어 등 하나 이상의 외국어로 외국인과 대화가 가능해야하고, 의사가 되어 환자를 돌보겠다고 마음을 먹은 사람은 우선 색맹이 아니면서, 의과대학에 입학할 성적이 되어야 한다. 히말라야 등 고산의 등산가가 되려는 사람은 체력이 튼튼하고 강한 의지를 가지고 있어야 하며, 고산에서 심한 고산증이 없어야 가능하다.

자신의 꿈이나 이상을 이야기할 때에는 자신이 희망하는 최고 수준의 경지를 밝히고 이를 달성할 수 있는 과정을 이해하고 노력을 분명히 하여야 한다. 그래야 현재의 수준을 지속적으로 향상 시키고 나아가 자신이 목표로 하는 최고 수준의 경지를 달성할 수 있는 자신감을 가질 수 있는 근거가 마련된다. 이러한 과정을 통한 근거 있는 자신감을 가져야한다.

공정公正한가?

사전의 정의에 따른다면 '공정'은 '공평하고 올바름'[7]을 뜻하고, '공평'은 '어느 쪽으로도 치우치지 않고 고름'을 뜻하는 것으로 공정이 공평을 포괄하는 개념으로 되어 있다.

---

[7] 네이버 어학사전

법률적으로는 어떻게 해석을 하고 있는지 정확히 알 수는 없으나, '공정'은 '공평'과는 달리 옳고 그름에 관한 관념 즉 윤리적 판단이 이루어지고 있는 것으로 판단된다.[8] 따라서 공정은 공평하고 올바른 윤리적 판단으로 이해할 수 있다.

세상은 공정한가라는 생각을 하면서 기본적으로 "세상은 불공정하다."라는 생각이 많이 든다. 우선 내가 세상에 나오는 것이 내가 선택할 수 있는 것이 아니고, 어느 집에, 어느 나라에 태어나는 것도 역시 내가 선택할 수 없는 사항이다. 따라서 부모의 재력, 사회적 지위, 지역적 특색, 선천적 능력 등 많은 것이 나의 의지와 관계없이 결정이 되기에 생각하기에 따라 또는 자신의 위치에 따라 세상이 공정하지 못한 경우를 많이 느낄 수 있다.

청춘들은 이 세상이 공정한가에 대하여 회의적인 생각을 많이 가지고 이야기를 한다. 금수저, 은수저, 흙수저 등 수저론이 자주 등장하기도 하면서 청춘들을 중심으로 무언가 공정하지 않게 세상이 돌아가는 이야기들이 많다. 특히 청춘들의 입장에서 보면 기성세대, 권력이나 재력이 튼튼한 구세대에 대하여 세상이 공정하지 않다고 이야기를 많이 하고 있다.

최근에 발표된 "아버지 학력 및 경제적 형편에 따른 청년세대의 임금 차이"[9]라는 연구논문에 의하면 대졸 이상 학력의 아버지를 둔 자녀의 임금이 고졸 이하 아버지의 자녀보다 20대 30대 모두 현저히 높은 것으로 나타났다.

청춘들의 입장에서 보면 대학 입학과 졸업, 대기업이나 공기업 등의 입사에 부정이나 특혜가 언론에 보도될 때마다 세상이 공정하지 못하다는 생각이 들 것이다. 대학 입학과 관련해서는 특히 체육계에서 심심치 않게 발생하고 있으며, 몇 년 전에는 승마로 유명대학에 부

---

8) 네이버 사전 https://ko.dict.naver.com/#/correct/korean/info?seq=520

9) 이지은(2018), 아버지 학력 및 경제적 형편에 따른 청년세대의 임금 차이,
   패널브리프 제14호, 한국노동연구원

정입학하여 해당대학의 총장까지 구속되기도 한 일이 있었다.

최근 미국에서도 50명이 넘는 학생이 미국의 유명대학에 체육지도자와 결탁하여 부정입학한 사례가 보도 되었다. 그리고 한국의 대학에서 수업에 참석하지도 않았던 연예인에게 학위를 수여하여 취소되는 경우도 있었고, 높은 자리의 인사를 대상으로 하는 인사청문회에서 학위논문의 표절시비가 지속적으로 제기되고 있다.

여기서 나는 다른 각도에서 청춘들은 공정한가를 생각해 보았다. 얼마 전 공기업, 은행 등에서 불공정 신입사원 채용이 문제가 된 적이 있다. 권력층의 자제가 공정하지 못한 방법으로 채용이 되어 여러 명의 앞길을 막는 일이 있었다. 그런데 그 권력층의 자제는 자기가 특혜를 받는지 전혀 모르면서 입사 절차를 거쳐 공기업이나 은행에 입사를 하였을까? 하는 생각이 들기도 하였다. 그리고 앞에서 이야기한 승마로 유명대학교에 입학하여 문제가 되었던 사람은 자신이 특혜를 받으면서 입학했다는 것을 몰랐을까 하는 생각 역시 든다.

대학에서 성적을 게시하고 학생들의 성적에 대한 이의제기를 받을 때, 교수님들은 거의 매학기 일부 학생들로부터 성적을 조금만 올려주시면 장학금을 받을 수 있으니 성적을 올려달라는 부탁을 받게 된다. 세상이 공정하지 못하다고 이야기를 하던 학생이 자신의 성적과 장학금이 걸린 문제에서 공정하게 일을 하는 것인지 생각해 볼 여지가 있다. 대부분의 청춘들은 공정하게 생각하고 행동하지만 같은 청춘들이라도 일부는 자신의 일에 공정하지 못하게 일처리를 하는 경우도 있다는 생각이 든다.

세상은 매우 다양하다. 능력 면에서 보아도 매우 다양하다. 각 개인이 특별한 노력을 해서 능력이 향상되기도 하지만 선천적으로 남 보다 탁월한 능력을 가진 사람이 있다.

내가 경험한 경우지만 고등학교 1학년 음악시간에 음악선생님의 피아노 반주에 맞추어 한명씩 노래시험을 본 적이 있다. 그런데 한 학생이 첫 소절 노래를 하는데 음악선생님의 반주가 중지되었다. 음악 선생님은 그 친구가 노래를 너무 잘하여 놀라셔서 반주를 멈추신 것이었다. 그 친구는 선천적으로 탁월한 노래에 소질을 가지고 있었고, 그 후 성악을 열심히 공부하여 음대교수가 되었다.

고등학교 체육시간이나 체력장 검사 때 나하고 100M를 여러 번 같이 뛴 친구는 별명이 고속버스였다. 같이 출발선에서 대기하다 출발신호를 듣고 뛰면, 뛰자마자 그 친구는 벌써 50M쯤 앞에 가고 있는 것 같은 느낌을 나는 항상 받았다. 그 친구는 선천적으로 탁월한 달리기 능력이 있었다.

대학 입학철이 되면 항상 수학능력고사의 전국 1등 기사가 신문을 장식한다. 요즘은 그 내용이 조금 변화가 있지만 과거에는 "교과서 중심으로 학교 공부만 열심히 했다."라는 천편일률적인 기사가 대부분이다.

전국 1등은 교과서 중심으로 공부를 해도 일반 학생들보다 한 번이라도 더 교과서를 공부하고, 공부하는 과정에도 일반학생과 무엇인가 다른 집중력, 이해력, 기억력 등이 차이가 있었겠지 하는 생각을 했고, 전국 1등을 하는 수준의 학생이 학원에 갈 필요가 없었겠지 하는 생각을 했던 기억이 있다. 그리고 언젠가는 전국 1등의 인터뷰 기사의 제목이 "공부가 제일 쉬웠어요"라는 기사를 읽어 보니 그 때 1등한 사람은 생활이 너무 어려웠고 공부가 삶을 헤쳐나가기 위해 했던 다른 어떤 일보다 쉬웠다고 느낀 것이었다.

일반인도 참여하는 마라톤대회의 출발선에서 참가자를 능력별로 구별하지 않고 모두 같은 출발선에서 출발하면 많은 참가자들이 빨리 앞으로 뛸 수 없고 서로 충돌하여 사고가 날 수 있다. 따라서 마라톤 대회의 원활한 운영과 기록 향상을 위하여 참가자의 뛰는 능력에 따라 구별하여 출발을 시키는 것이 일반적이다. 이렇게 달리는 능력에 따른 출발은 마라톤 기록의 향상과 대회의 원활한 진행을 위하여 필요하고 능력에 따른 공정한 조치로 생각할 수 있다.

세상은 공정하지 못한 일이 역사에 많이 기록되어 있고, 소설이나 영화 등으로도 공정하지 못한 이야기를 많이 접할 수 있다. 그리고 현재에도 주위에서 공정하지 못하다고 느낄 수 있는 일을 경험할 수 있다. 그런데 일반인이 전반적으로 느끼는 세상은 옛날 보다는 점차 공정해지려고 노력한다는 점이 느껴진다는 것이다. 신은 모든 사람에게 능력을 골고루 주셨다는 말이 있다. 어느 능력은 내가 다른 사람보다 떨어져도, 다른 능력은 뛰어날 수 있다.

자신이 타인과 비교하여 세상은 공정하지 못하다고 불평하면서 너무 스트레스를 받지 말고 어느 정도 있는 그대로 받아들이고 공정하지 못한 것에 대한 내성을 키우고, 자신이 타인보다 좋은 능력을 이용하여 생활하는 것이 자신의 발전을 위하여 좋을 것 같다.

꿈의 실현방안

미래에 대한 불안감 해소_ 인생설계

나침반은 옛날부터 모르는 곳으로 여행을 하거나, 망망대해를 항해할 때 방향을 알려주는 매우 중요한 역할을 하였다. 미래에 대한 불안감을 해소하기 위해서도 나침반과 같이 방향을 알려주는 도구가 필요하다. 그것이 바로 인생설계이다.

자신이 진정으로 하고 싶은 일이 무엇인가를 고민하고, 부모님, 교수님, 전문가, 친구, 선후배 등과 상의하고 인터넷, 유튜브 등 조회를 하고, 종합하여 최종결정을 하고, 이를 실현하기 위하여 최선의 노력을 하여야 한다.

앞에서 산행을 예로 설명하였는데 이를 다시 이용하면, 우리 주위에는 산이 매우 많다. 그리고 눈을 외국으로 돌리면 더욱 많은 산이 있고, 높은 산 역시 더 많이 있다. 히말라야산맥으로 가면 해발 5,000m가 넘는 산도 매우 많고, 8,000m가 넘는 산도 14좌나 된다. 주위에 산이 많듯이, 청춘들의 나이가 어릴수록 하고 싶은 일은 다양하다. 하지만 살아가면서 차차 하고 싶은 일의 수가 줄어든다. 자신이 하고 싶은 일을 산에 오르는 것으로 생각하면, 산의 높이나 전체적인 난이도에 따라 그 준비 작업에는 많은 차이가 있다.

살고 있는 동네의 주위에 있는 그리 높지 않은 산을 등정할 때는 간단한 계획이나 준비만 하면 등정을 할 수 있다. 국립공원에 속해 있는 1,000m 이상의 산에 갈 때는 사람에 따라 차이가 있지만, 동네 산을 등정할 때와는 다르게 계획을 세우고 준비를 하여야 한다. 특히 8,000m 이상의 고봉을 등정하고자 할 때는 사전에 기본적인 신체조건을 점검하고, 체력 및 실전훈련, 장비, 식료품, 지원인력, 과거의 산행일지, 등반 시기의 현지 날씨 등 수많은 사항을 점검하고 적절한 대비를 하여야 한다.

인생의 설계도 산행과 유사한 면이 있다. 자신이 하고 싶은 일의 목표를 주위의 산 정도로 할지, 1,000m 이상의 산으로 할지, 8,000m 이상의 고봉으로 할지를 자신의 의지로 결정하여야 한다. 산의 아래서 산을 보는 것도 멋있지만, 보다 높은 산 위에 올라 아래를 내려 보는 것은 더욱 멋있는 경험이 될 수 있다.

인생의 목표를 높게 설정하고 열심히 노력하여 이를 달성하였을 때 큰 즐거움을 얻을 수 있지만 많은 노력이 필요하다. 그리고 낮은 목표를 설정하고 이를 달성하면서 평범한 소시민으로 살 수도 있다. 인생에서 하고 싶은 일을 도전적으로 할지, 소시민으로 확실한 행복을 추구하는 목표를 할지는 자신이 결정하면 된다.

부모님, 친구, 선후배, 주위의 시선 등을 의식해 자신의 의사와 거리가 먼 목표를 정하고 살면서 계속 불만족한 인생을 살 필요는 없다.

미국 시인 에머슨은 그의 시에서 다음과 같이 이야기를 하였다.

나는 나 자신이 되어야 한다.
당신을 위해서 나 자신을 바꿀 수 없고
당신도 마찬가지다.
당신이 있는 그대로의 나를 사랑한다면
우리는 서로 더 행복해질 수 있다.
　　　　　—랠프 월도 에머슨 "나는 나 자신이 되어야 한다" 중에서

 옛 속담에 "천리길도 첫 걸음부터"라는 말이 있다. 청춘들의 긴 여정의 인생을 시작하면서 자신의 막연한 목표를 글로 또는 그림으로 표현하면 막연했던 목표가 점점 구체화 된다. 그리고 글로 또는 그림으로 형상화한 계획을 실천해 나가면, 청춘들의 막연한 미래의 불안감은 대부분 해소될 수 있다.

자신의 객관적인 평가

 청춘들은 자신의 미래를 설계하면서 자신에 대한 객관적인 평가를 하여야 한다.

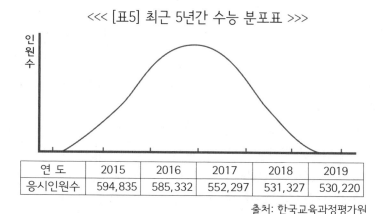

<<< [표5] 최근 5년간 수능 분포표 >>>

연 도	2015	2016	2017	2018	2019
응시인원수	594,835	585,332	552,297	531,327	530,220

출처: 한국교육과정평가원

자신을 객관적으로 평가하기 위한 요소는 매우 다양하다. 예를 들어 신체적인 요소, 정신적인 요소, 지식 및 기능에 관련된 요소, 사회적 요소 등 다양한 요소가 있고 이를 각각 기준으로 이용할 수 있다. 청춘들이 자신의 객관적인 위치를 알 수 있는 지표가 무엇이 있을까 생각을 하였다.

맨 먼저 떠오르는 것이 수능성적과 토익성적이었다. 수능은 매년 50만명 이상이 응시하여 정규분포를 형성하고 있다. 자신의 성적이 [표 5] 수능분포표의 어디에 있는지 살펴보면 나의 위치를 객관적으로 알 수 있다. 그리고 토익 시험의 경우 YBM홈페이지의 시험일자별 성적 분석 자료를 보면 자신의 전체적인 위치를 어느 정도 객관적으로 알 수 있다.

<<< [표6] 일반 / 학생별 토익 성적 >>>

구분	LISTENING			READING			TOTAL		
	최저점	최고점	평균	최저점	최고점	평균	최저점	최고점	평균
학생	5	495	371.48	5	495	298.35	10	990	669.79
일반	5	495	375.30	5	495	204.64	10	990	679.94
전체	2	495	374.15	5	495	302.75	10	990	676.89

출처 : 2019년 3월 31일 시행 토익성적, YBM 홈페이지

나의 목표 직업을 달성할 수 있는 성공요인Key Factors for Success을 구별하여 각 요인 별로 최고의 수준은 어느 정도이고, 현재 나의 수준은 어느 정도인지 냉정하고 객관적으로 평가를 하여야 한다. 이를 근거로 최고 수준과 현재 수준의 격차를 줄여나가려는 방안을 찾아 적극적인 실행을 하여야 한다.

일례를 들면 의약계의 직업을 원하는 사람이 색맹인 경우 기본적인 의약계 업무를 처리하기 힘들기 때문에 미래의 목표에서 의약계를 과감하게 제외하여 근본적으로 불가능한 것에 한눈을 팔지 않는 것도 자신이 성공요인을 냉정하고 객관적으로 평가하는 것이다.

성공요인의 가장 기본적인 것은 건강이며, 건강을 기본으로 하는 체력이다. 체력은 자신이 업무 또는 일상생활을 유지하는데 문제가 없어야 한다. 청춘들은 젊다고 너무 건강과 체력을 과신하는 경우가 있는데, 금연과 절주 등 절제된 생활과 규칙적인 운동을 통하여 꾸준히 건강과 체력을 관리하고 향상시키는 노력을 하여야 한다.

성공요인의 다른 예를 들면 무역이나 외교 업무를 하고 싶은 사람은 기본적으로 외국인과의 커뮤니케이션 수단으로 영어나 제2 외국어를 잘해야 한다. 외국인과의 커뮤니케이션을 할 때 해당 외국어를 점수로만 환산하여 이야기하기 어려운 점도 있지만 해당 외국어의 평가 성적을 높이고 실전 대화 연습을 철저히 하여 외국인과의 커뮤니케이션에 애로사항이 없어야 한다.

인생설계표 작성

자신이 진정으로 하고 싶은 일을 결정하고, 이를 달성하기 위하여 자신에 대한 객관적인 평가를 성공요인 별로 나누어 별첨 1의 양식을 이용하여 인생설계표를 작성해본다. 작성방법은 우선 나의 목표 직업을 결정하고, 그 직업에서 성공하기 위해서는 어떤 성공요인KFS이 있는지를 규명하고, 각 요인별로 목표수준과 나의 현 수준을 기재하고 요인KFS별로 양자의 차이를 규명한다. 그리고 "하여야 할 일"로 성공요인의 목표수준과 현 수준의 차이를 어떻게 해결 할지에 대한 계획을 기술한다. 그리고 그 실행계획을 5년 단위로 나누어 20년 인생계획을 세운다.

이 인생설계표를 중장기적인 인생계획에 적용하기 어려운 사람은 우선 취업을 하고 싶은 회사를 결정하고, 그 회사에 입사하기 위해 필요한 성공요인을 규명하여 성공요인별 목표 수준과 현 수준의 차이를 좁혀나가는 실행계획을 세울 것을 추천한다.

미래의 변화 트렌드

요즘 경기대학으로 출퇴근을 하면서 신분당선을 자주 이용한다. 신분당선은 기관사가 운전하지 않고, 시스템에 의하여 운행되고 있어 기관사는 없고, 운전하지 않는 승무원이 한명 타고 있는 것을 보고 있다. 증기기관차가 발명되고 여러 형태의 기관차가 개발되고 운영되면서 그동안 항상 기관사가 기관차를 운전하였었는데, 이제는 한국에서도 여러 전철 노선에서 무인기관차가 운행되고 있다.

기관차의 사례에서 보듯이 기술의 발전은 필연적으로 직업에 영향을 미친다. 청춘들이 미래를 고민할 때 반드시 고려하여야 하는 사항이 미래의 변화 예측이다.

인류는 태어나서 지금까지 지속적으로 변화하면서 발전하여 왔다. 지금은 제4차 산업혁명이 가속화 되고 있는 시점이어서 기성세대는 그 적응이 어렵지만 상대적으로 청춘들에게는 매우 좋은 기회의 시기이다. 4차 산업혁명을 주도하는 빅데이터, 인공지능, 사물인터넷^{IoT}, 로봇 등과 같은 산업의 발달로 인해 산업 환경 및 취업시장에도 큰 변화가 이루어지고 있다. 이에 따라 사회에서 요구하는 인재상도 바뀌고 있으며 청춘들은 시대의 변화를 선도하거나 최소한의 적응을 하면서 살아야 한다.

미국의 서부개척을 촉진하는 데는 서부지역에서 금광의 발견이 큰 역할을 하였다. 많은 사람들이 서부로 금광을 발견하기 위해서 이동을 하는데, 나중에 살펴보니 금광을 발견하여 큰돈을 번 사람도 있었지만, 금광을 발견하기 위하여 이동하는 사람들을 위한 마차를 제작하는 사람, 이동 경로의 숙박업, 생필품과 식료품을 제공하는 유통업과 음식점, 정보를 전달하는 신문업 등에 종사하는 사람들도 많은 돈을 번 것으로 나타났다. 마찬가지로 현재도 4차 산업과 관련된 직접적인 일을 직업으로 하는 사람도 있지만, 그 사람들을 지원하는 일을 직업으로 하는 사람도 많이 있다. 특히 의식주衣食住와 관련된 일은 시대에 따라 그 역할에 변화는 있지만 근본적으로 사람이 살아가는데 필수적인 일이기 때문에 청춘들의 미래 직업을 선택하는데 중요하게 고려해 볼 필요가 있다.

사회의 한 구성원

다음의 사진은 필자가 남미를 여행할 때 촬영한 사진이다. 사진 중 위의 좌측 사진은 자연석에 약간의 인공적인 작업을 한 상태이고, 우측 사진은 자연석을 기계로 깎은 듯이 반듯한 모양으로 작업을 한 상태이다.

아래의 좌우 사진은 돌을 쌓으면서 지진에 대비하기 위하여 지금의 볼베어링과 같은 부품을 넣는 동그란 공간이 있는 것을 볼 수 있다. 어떤 경우든 사진의 돌들은 하나하나 모여 전체적인 조화를 이루어 완벽한 구조물이 되었다. 청춘들도 미래를 설계하면서 사회의 한 구성원으로서 사회에 기여하고 전체적으로 조화를 이룰 수 있어야 한다.

현실을 인식

사람은 살면서 본인이 속한 세상의 환경에따라 생각과 행동에 영향을 받는다. "세상의 과학은 어떻게 시작되었는가The Genesis of Science, 스티븐버트만"라는 책을 읽으면서 인류의 고대문명이 발생했던 이집트와 메소포타미아에서 자연환경이 고대인들에게 어떻게 생각과 문화에 영향을 주는 지를 생각했던 적이 있었다.

이집트는 매년 7월 새벽녘, 시리우스 별이 지평선에 나타날 즈음 나일강은 수천 킬로미터 떨어진 남쪽에서부터 눈이 녹은 물로 서서히 차오르기 시작한다. 8월이 되면 수위가 최고조에 달해 범람이 시작되고 농토가 침수된다. 9월이 되면 물이 빠졌다, 범람으로 밀려들어온 새로운 토사 층은 기존에 있던 토지를 덮어 농지는 비옥해진다.10)

계절에 따라 규칙적으로 변하는 나일강과 달리 항상 변치 않는 모습으로 사람을 보호해주는 사막은 이집트인의 의식에 영혼과 의존의 관념을 불어 넣었다. 이집트인들의 안전에 대한 관념은 강과 사막 이외에도 생명의 씨앗인 햇빛을 끝없이 쏟아내는 태양을 보면서 한층 굳세졌다.11) 그런데 메소포타미아의 티그리스강과 유프라테스강은 봄철에 갑작스레 범람해 예측이 불가능했다. 막대한 범람은 둑을 따라 늘어선 마을과 도시 전체를 쓸어 버렸다. 예측이 불가능 하고 일시적이라는 메소포타미아의 환경의 근본적인 두 가지 특징은 사람들의 의식에 비관주의를 불어넣었고, 이 비관주의는 계속되는 외세의 침략으로 날로 심해졌다. 평평한 땅이라는 또 다른 환경적인 요소 탓에 제국주의의 야욕에 쉽게 노출되었기 때문이다.12)

청춘들에게 현실적인 문제인 취업을 살펴보았다. 기업에 취직을 원하

---

10)『The Genesis of Science』스티븐버트만(2012),『세상의 과학은 어떻게 시작되었는가』박지훈 역
　　㈜도서출판예문, p32
11)『전게서』p34
12)『전게서』p46~47

는 대다수의 취업생은 대기업이나 공기업의 정규직에 취직하기를 원하고, 가급적이면 재벌사 또는 큰 공기업에 취직하기를 원하는 경향이 있다. 앞에서 이야기했지만 [표 3] 4년제 대학 졸업 예정자 취업현황에 의하면 11%가 정규직으로 취직을 하고, [표 4] 청년층 기업규모별 취업자 현황에 의하면 15~29세 취업자 중 2017년 말 현재 10.5%만이 300인 이상의 기업에 취직을 하고 있다. 따라서 300인 이상의 대기업에 취직을 원하는 사람은 간단히 생각해서 10대 1의 경쟁을 이겨내야 한다.

일반적으로 시장이나 마트에 가서 물건을 살 때, 우리는 내가 사고자 하는 물품 중에서 가격, 품질, 브랜드 등 여러 가지를 고려하고 구입을 결정한다. 한 예를 들면, 사과를 고를 때도 모양, 색상, 가격, 시식코너의 맛, 구입목적 등을 고려하고 결정한다.

기업도 사원을 채용할 때 지원자의 능력, 경력, 건강상태, 미래의 잠재력, 학력, 급여 등을 종합하여 결정한다. 기업에 지원하는 청춘들은 지원하는 기업에서 나를 채용하게 할 수 있는 좋은 점을 준비하고 알려서 지원하는 기업에서 나를 채용하게 만들어야 한다.

역지사지라고 내가 기업체라면 "이런 나를 채용 하겠는가"라고 생각되는 필요한 사항을 준비하여야 한다. 따라서 청춘들의 목표와 객관적인 평가, 현실을 인식한 상황 등을 고려하여야 한다.

강한 실천력

KBS의 개그콘서트에 김샘이라는 프로그램이 있었다. 그 중 공부를 못하는 학생의 이야기를 소재로 한 것이 생각난다. 온 힘을 다하여 공부계획표를 작성하고 나서 스스로 공부계획표를 작성한 것에 대하여 큰 만족감을 표시하고, 수고했다고 하고는 자는 내용이었다.

계획은 수립하는 것도 의미가 있지만 노력을 통하여 계획을 달성하는 과정이 중요하다. 4년에 한 번씩 열리는 올림픽을 보면 전 세계의 우수한 선수들이 각자의 종목에 출전하여 최고의 기량을 겨루고 우리는 박수를 치면서 경기를 관람하고 경기결과에 환호하거나 아쉬워한다. 대한민국의 대표선수로 선발되는 것 자체가 엄청 힘든 일이다. 양궁 같은 경우는 올림픽 본선에서 메달을 따는 것보다 대한민국의 국가대표가 되는 것이 더 어렵다는 이야기를 할 정도 이다. 그런데 이렇게 힘든 과정을 거쳐 올림픽에 나온 선수들도 일부만 메달을 따게 된다.

<<< [표7] 프로야구 순위표 >>>

순위	2013	2014	2015	2016	2017	2018
1	삼성	삼성	두산	두산	KIA	SK
2	두산	넥센	삼성	NC	두산	두산
3	LG	NC	NC	넥센	롯데	한화
4	넥센	LG	넥센	LG	NC	넥센
5	롯데	SK	SK	KIA	SK	KIA
6	SK	두산	한화	SK	LG	삼성
7	NC	롯데	KIA	한화	넥센	롯데
8	KIA	KIA	롯데	롯데	한화	LG
9	한화	한화	LG	삼성	삼성	KT
10			KT	KT	KT	NC

강한 실천력은 본인의 굳은 의지가 기본적으로 필요하며, 긴 기간 동안 지속적으로 목표를 달성하고자 하는 동기를 유발할 수 있도록, 중장기 목표와 조화를 이루는 단기적 목표를 지속적으로 성공하여 작은 성공을 경험을 할 수 있어야 한다.

어느 분야이든 위대한 성공을 거두기 위해서는 일만一萬 시간의 노력이 필요하다는 경험칙을 '일만 시간의 법칙' 이라고 한다. 예를 들어, 하루에 세 시간씩 십 년이면 일만 시간이 되는데, 이 시간 동안 한 가지 일에 관하여 노력하면 그 분야에서 최고가 된다는 것이다.[13] 이것은 목표를 달성하기 위하여 지속적인 노력을 하여야 목표를 달성할 수 있다는 이야기이다. 목표를 달성하기 위하여 1만 시간이 넘는 노력을 하여도 누구나 목표를 달성을 하는 것은 아니다. 노력하는 과정의 방법과 효율성을 생각하여야 목표는 달성이 된다.

경쟁이 치열한 프로야구를 살펴보자. 위의 표는 2013년부터 2018년까지 프로야구 순위표이다. 순위표에서 보듯이 특정 팀이 계속해서 3년을 우승하지 못하는 것을 알 수 있다. 그리고 창단 후 계속 꼴찌였던 팀도 2018년에는 꼴지를 벗어났다. 중위권의 팀도 순위가 계속 요동치듯 변화하는 것을 볼 수 있다. 각 팀이 모두 우승을 위하여 열심히 운동하고 투자를 하여 치열한 경쟁을 하기 때문이라고 분석된다. 청춘들도 자신의 목표를 달성하기 위하여 치열한 노력을 하여야 하며, 현재의 상황은 프로야구의 순위변동처럼 자신의 노력으로 변화될 수 있다.

강한 실천력은 명확한 목표의 설정, 강한 실천의지, 목표를 체계적으로 달성하게 하는 과정의 작은 목표 설정 및 달성, 지속적인 목표와 결과의 점검을 통한 피드백을 하면서 생길 수 있다.

인생을 당당하게

자동차로 여행을 하다 보면, 내 옆을 지나가거나 마주 오는 다양한 차를 볼 수 있다. 어떤 사람은 소형차 또는 경차를 타고 가고, 누구는 멋있는 스포츠카를 타고, 어떤 사람은 기사가 운전하는 대형 외제차를 타고 가기도 한다.

내가 타고 가는 차가 경차이건 중형차이건 내가 여행을 하는데 큰

---

13) 다음 사전

불편 없이 여행을 할 수 있으면 되고, 더욱이 타인의 운행에 방해를 주지 않으면 당당하게 내 차를 운전하면서 여행을 하면 된다. 마찬가지로 인생도 어느 누구를 존경하거나 부러워할 수는 있지만, 누구에게 신세를 지지 않고 살아갈 수 있다면 내 인생을 당당하게 살아가게 되는 것이다.

자기관리

자기관리는 '자기 몸을 통제하여 건전한 심신의 유지나 성장을 꾀하는 것'을 의미한다.[14] 따라서 자기관리는 정신적 건강과 육체적 건강을 종합하여 유지 발전시킬 수 있는 방법으로 하여야 한다.

먼저 정신적인 면을 살펴보자. 인간은 살아가면서 다양한 경험과 고민을 통하여 정신적으로 성숙해지는 과정을 겪는다. 청춘들은 정신적으로 성숙해가는 중간 단계에 있다고 볼 수 있다. 행복한 인생, 이타적 삶, 인류에 기여 등 나름의 고상한 목표를 설정하고 생활하면 자기관리를 잘 할 수 있다. 또한 자신감 있는 생각으로 적극적으로 생활을 하면서 항상 언행이 겸손하면 주위로부터 호감을 만들 수 있어 좋은 인간관계를 형성할 수 있다. 건전한 생각을 통하여 행동이 건전해져서 자신의 인생이 주위에 모범이 되어 주위롤부터 존경을 받을 수도 있다.

육체적인 면에서 보면 청춘들은 현재의 건강상태가 앞으로의 남은 인생에서 거의 최고 수준의 건강상태라고 볼 수 있다. 만약 현재의 건강상태를 즐기기만 하고 관리를 하지 않으면 100세 인생의 시대에 오랜 기간 건강하게 살기 어려울 수 있다. 꿈의 직장에 입사한 청춘들 중에는 건강이 좋지 않아 입사한지 얼마 되지 않아 퇴사하는 경우를 쉽게 볼 수 있다. 그러니 건강을 유지하고 체력을 기르는 노력을 하여

---

14) 교육심리학용어사전(2000. 1. 10), 한국교육심리학회

야 한다. 꾸준히 체계적인 운동을 매일 하는 것이 제일 좋지만, 그것이 어렵다면 매일 만보 걷기, 팔굽혀펴기 100회 등 한 두가지 운동을 생활화하여 건강, 다른 말로 체력을 유지 발전 시켜야 한다. 그리고 몸에 좋지 않은 흡연은 바로 중단하고 음주는 즐거운 대화를 하는 수준의 적당양을 권한다.

1992년 1월 1일 나는 금연에 성공하였다. 여러 번의 금연 시도가 번번히 실패한 경험이 있던 나는 당시 같은 부서에서 근무하는 사람들과 같이 금연을 시도하였다. 집사람에게 "내년 1월 1일부터 금연을 다시 한다"고 말을 하니 집사람은 "또 신년이 되니 금연을 한다고 하는 군"하는 시쿤둥한 반응이었다. 집사람의 이런 반응에 금연을 하겠다는 굳은 오기가 생겼고, 같이 일하는 사람들과 동반하여 금연을 하니 긴 업무시간 동안에도 금연을 할 수 있었다. 잇몸에 피가 나고 치아가 흔들리는 금단현상을 이겨내고 현재까지 금연을 하고 있다. 나의 경우 금연에 성공할 수 있었던 것은 금연을 하여 건강을 유지해야겠다는 나 자신의 정신적 결단과 그 결단력을 집사람이나 회사에 알리고 추진한 실행력의 결합으로 생각한다.

자기관리를 위하여 하고자 하는 목표를 정하고 주위에 알리거나 도움을 얻으면 스스로 목표를 달성하기 위해 가열찬 노력을 하게 될 것이다.

맺음말

호리지차毫釐之差 천리현격千里懸隔

호리지차毫釐之差 천리현격千里懸隔는 처음에는 대수롭지 않은 것 같은데, 나중에는 큰 차이가 생긴다는 말이다. 세상에서 가장 어려운 일은 가장 쉬운 일을 지속적으로 하는 것이다. 누구나 할 수 있지만 또 아무나 할 수 없는 일이기도 하다. 지속적으로 무엇인가를 한다는 것은 한 순간에 이루어지지 않는 위대한 일이다. 오늘날 우리가 돌아볼 수 있는 모든 성공자들이 걸어온 길은 한 때의 어려운 일을 해낸 것이 아니라, 오랫동안 쉬운 일의 반복이었다. 헛수고 같은 수고가 큰 대가를 만든다.[15)]

오늘의 청춘들은 미래와 관련하여 매우 힘든 시기를 슬기롭게 이겨 나가야 한다. 부모 세대의 청춘시기와 처해 있는 상황이 다르기 때문에 부모 세대와 같은 방법으로 미래를 준비할 수는 없다. 그런데 역사의 큰 흐름으로 보았을 때 항상 청춘 세대는 부모의 세대와는 비교할수 없는 급변의 세대를 살아가고 있다. 특히 지금은 4차 산업혁명으로 혁명적인 변화의 시기여서 더욱 청춘들에 부담을 주고 있다. 그렇지만 청춘 세대는 큰 기회를 가질 수 있는 것이다.

청춘들은 하고 싶은 일을 부모님, 교수님 또는 선생님, 전문가, 선후배 및 친구와 상의하고 관련 책, 인터넷, 유튜브 등을 조회하여 스스로 결정하여야 한다. 누가 무어라 이야기해도 스스로 하나 밖에 없는 인생이기에 자신이 책임지고 결정하고 그 꿈을 부단한 노력으로 달성하여야 한다. 지구에는 크고 작은 많은 산이 있듯이 세상에 수많은 일이 있고 그 중에서 자신이 하고 싶은 일을 하면서 행복을 찾고 가족과 사회에 크고 작은 기여를 하면 된다.

마지막으로 오늘도 수고를 하는 청춘 여러분들에게 응원의 박수를 보냅니다.

---

15) 최석윤 외(2018), 메리츠증권 인턴쉽 강의자료

인 생 설 계 표

(직업을 중심으로)

이 름:

나의 목표 직업

KFS (Key Factors for Success) 규명, 수준 및 차이 규명

K F S	정 의	목표수준	현 수 준	차 이

하여야 할 일

K F S	하여야 할 일	비 고

20년 인생계획

K F S	기 간	하여야 할 일	비 고
	5년		
	10년		
	15년		
	20년		

고객만족경영에서
고객행복경영으로 진화

글_ 신재천

신재천 교수는 삼성전자에서 31년 근무하면서
고객만족 활동 임원으로 활동하였다.
기업 활동이 고객만족경영에서 고객행복경영으로
강화되어 고객의 잠재적 욕구까지 충족시키는 제품과
서비스가 필요함을 강조하고 있다.

기업은 고객만족경영CSM을 뛰어 넘어 고객행복경영CHM을 추구하여야 한다.

현재의 고객만족경영CSM은 A/S 센터, 콜 센터 및 기업 사이트를 통해 직접적으로 접수되는 고객 불만 정보를 분석하여 개선하는 활동이다. 그러나 제한된 고객 정보로 인해 불만 고객의 일부에 대해서만 고객만족 활동을 추진하고 있을 뿐, 고객의 잠재적 기대를 포함한 총체적인 고객의 요구를 해결하는 활동에는 한계가 있다.

고객행복경영CHM은 노출하는 않는 고객 불만을 찾아내어 해결하고, 또한 잠재적 기대까지 충족시키는 활동으로 기존 고객만족경영에 비해 영역을 확대한다. 인터넷과 정보통신 환경의 발달에 따라 고객은 상품에 대한 기대와 사용 후 불만을 인터넷을 통해 노출하고 있다. 빅 데이터 분석 기법이 발전하면서 간접적으로 노출되는 고객의 정보를 활용할 수 있는 시대가 되었다.

이제는 기업이 보유한 직접적인 고객 노출 정보에서 벗어나 인터넷을 통해 간접적으로 노출되는 고객 정보를 포함한 통합적인 고객 분석을 통해 고객의 욕구를 찾아내고 이를 충족하게 만드는 새로운 가치 창출의 시대가 된 것이다.

고객 중심의 시대이다

[고객의 최종 목적지는 고객 행복]

전라도 광주에 가기 위해 K고속버스를 타면 운전석 옆에 <K고속의 최종 목적지는 고객 행복입니다>라는 문구가 눈에 들어온다. 버스의 목적지가 광주인 것을 확인하려는데 고객 행복이 목적지라고 한다. 그 순간 가슴에는 잔잔한 감동의 물결이 몰려온다. 타고 있던 버스가 고객 행복을 배달하는 버스로 느껴지는 것이다.

30년 이상 기업에서 고객만족 활동을 추진한 필자로서는 K회사가 남다르게 느껴진다. '고객 행복'을 슬로건으로 제정하기까지 고객을 위해 많은 노력을 기울였음을 짐작할 수 있다. 인터넷을 통해 K회사를 탐색하니 최고 경영자의 고객 배려하는 마음이 가득하다. 버스를 타는 승객에게 행복감을 주기 위해 기사의 친절한 말씨와 미소, 짐 도움, 차량 청결 상태에 대한 매뉴얼을 만들고 체계적으로 직원들에게 교육하고 있다.

[기업의 고객만족 활동의 변화]

현대 기업 경영에서 고객만족 활동은 더 이상 새로운 경영 활동이 아니다. 과거 제조자 중심의 품질경영 활동이 고객 중심의 고객만족 활동으로 발전하여 운영되고 있다. K회사 사례와 같이 고객만족경영을 추진하는 기업은 고객을 중시하는 경영방침을 제정하고 고객만족 슬로건을 만들어 운영한다. 자사의 고객을 정의하고 고객의 요구와 기대에 맞는 제품과 서비스를 제공하는 활동을 전개하는 것이다.

고객은 제품을 구입하거나 서비스를 이용할 때 지불한 가격에 대한 가치를 기대한다. 기대 대비 가치가 높을 경우 만족하고, 기대보다 낮을 경우 실망한다. 기대 이상의 편리함이나 자부심을 주는 경우 고객은 감동하고 재구매로 연결된다. 기업이 고객만족을 달성하기 위해서는 고객의 요구와 기대를 알아야 한다. 고객의 요구와 기대는 연령별, 직업별, 소득별로 다양할 뿐만 아니라, 기술의 발전 및 라이프 스타일의 변화에 따라 빠르게 변화하고 있다. 기업은 변화하는 고객의 니즈를 파악하기 위해 제품 판매 후 고객만족도를 조사하고, 고객의 의견을 경청한다. 신제품을 시장에 출시하기 전에는 고객 평가단을 구성하여 사전 평가하고 불편한 점은 개선한다. 이런 활동을 추진하는 것이 고객만족경영이다.

그러나 고객의 요구와 기대를 알아내는 방법은 제한적이다. 고객은 불만이 있더라도 쉽게 노출하지 않기 때문이다. 고객은 제품 구매 후 중대한 결함이 아니면 콜 센터에 전화하지 않고, A/S 센터에 방문도 하지 않는다. 불편하더라도 참고 사용하는 것이다. 또한 4차 산업의 발전과 정보통신의 발달로 인해 고객 자신도 모르는 막연한 기대가 발생하고 있다. 고객도 구체적으로 표현하기 어려운 욕구, 즉 막연하게 삶의 편리함과 안락함에 대한 기대를 요구하고 있다. 이것을 고객의 잠재적 기대Potential Expectation로 볼 수 있다. 잠재적 기대는 지속적으로 증가하고 있다.

이제 고객만족 활동은 진화되어야 한다. 제품을 경험한 고객에게 발생하는 불만을 해결해야 하고, 표출하지 않는 고객 불만까지 해결해야 한다. 그리고 아직 제품을 경험하지 않은 고객의 잠재적 기대도 충족시켜야 한다. 고객의 총체적인 욕구를 충족하는 상품을 만들어 고객에게 편리함과 안락함을 제공해야 한다. 성공하는 기업이 되기 위해서는 고객만족 활동에서 고객행복 활동으로 진화되어야 한다.

품질경영에서 고객만족경영으로 발전되었다

[품질경영의 발전사]

품질관리 역사를 살펴보면 무척 흥미로운 부분이 있다. 인류 역사가 전쟁을 겪으면서 전환점을 맞게 되었던 것처럼, 품질관리도 20세기 초에 발생한 두 차례 세계대전을 통해 시작되었다. 세계대전에서 사용된 무기에서 불량이 많이 발생하여 검사를 시작한 것이 품질관리의 시작으로 본다. 전쟁 중이니 군수 물자에 대한 납기 단축이 요구되었고, 무기를 공급하는 기업은 납기를 준수하기 위해 품질관리를 소홀히 하였을 것이다. 전쟁에서 폭탄이나 총알이 터지지 않으면 적에게 패하게 되니 무기의 불량은 승패를 좌지우지하는 결정적 요인이 된다. 이에 따라 납품된 무기에 대한 검사가 도입되고 합격한 물품만 구매하는 활동이 시작된 것이다.

기업은 납품되는 제품의 품질을 확보하기 위하여 제조 단계 및 출하 단계에서 검사 제도를 도입하였고, 대량 생산 체제로 인하여 샘플링 검사 방식을 채택하여 시행하였다. 샘플링 방법은 샘플링 표준인 MIL-STD-105D^{Military Standard, 미국 국방성 규격}를 채택하여 운영하였다. 또한 제품 판매 후 발생하는 불량을 분석하고 개선하는 시장 품질관리 활동을 전개하였다. 고객 데이터를 효과적으로 분석하고 관리하기 위해 전산 시스템이 개발되고, 데이터가 축적되면서 QC ^{Quality Control} 분석 도구들이 개발되어 활용되었다.

검사 활동과 시장 품질관리 활동은 제품의 품질 개선에 많은 성과를 가져왔으나, 완벽한 품질 확보에는 한계가 있었다. 근본적인 품질 개선을 위해서는 제품의 기획 단계부터 설계, 구매, 제조, 고객 서비스에 이르기까지 모든 단계에서 품질을 중시해야 한다. 그래서 기업은 전 프로세스에서 품질 검증 활동을 전개하였다. 이것이 전사적全社的 품질경영 활동이다. 전사적 품질경영 활동은 미국 및 일본의 품질 대가인 데밍, 파이겐 바움, 쥬란, 이시가와 등에 의해 강조되었고, 미국은 TQM Total Quality Management 활동, 일본은 TQC Total Quality Control 활동으로 명명하고 있다. 기존 검사 중심의 품질관리 시대에서 전 부서가 품질 중심으로 일하는 품질경영 시대로 발전된 것이다.

1990년대 초반, 품질경영 활동은 ISO 9000 품질 시스템이 대두되면서 전환기를 맞이한다. 영국에서 만들어진 품질 시스템 규격인 BS 5750이 국제 표준인 ISO 9000으로 채택되면서 유럽 바이어들은 제품 구매조건으로 ISO 9000 인증을 요구하였다. ISO 9000은 기업의 품질경영 체제를 표준화된 품질 시스템으로 규격화하고 품질 프로세스에 따른 철저한 실행을 요구하는 제도이다.

ISO 9000 규격은 한국 기업의 품질 활동에 많은 영향을 주었다. 최고 경영자에게 품질 중시 의식을 불어넣고, 각 부서의 책임과 역할을 분명하게 하였으며, 기업의 품질보증체제를 체계화하는데 기여하였다. 특히 업무 프로세스의 표준화 및 문서화의 중요성을 인식하게 하였다. 그러나 시간이 흐르면서 인증기관의 난립으로 다수의 기업이 인증서 획득에만 초점을 두고 실제 기업의 품질경영 활동의 도구로 발전하지 못한 아쉬움이 있다. 기업의 품질경영체제 구축으로 고객에게 품질이 우수한 제품을 제공하자는 ISO 9000 규격의 근본 취지에서 벗어나 버린 것이다.

1990년대 중반부터 품질경영은 고객만족경영으로 발전한다. 고객만족경영 활동은 아래 부분에서 언급한다.

[제조 영역별 품질 개선 활동: 시장, 공정, 부품, 개발 품질]

기업 경영에서는 품질, 원가, 납기QCD: Quality, Cost, Delivery의 3요소를 고려하여 의사결정을 하게 된다. 주택을 건축할 경우, 고객은 좋은 집을 짓기를 원하면서 최소의 비용으로 빠른 기간 내 완공하기를 원한다. 여기에 품질과 납기와 원가의 3가지 요소가 모두 있다. 좋은 집을 짓는 것이 품질의 요구사항이다. 좋은 집을 짓는 것을 전제로 하여 납기와 가격을 결정해야 한다. 가격만을 고려하여 저가 자재를 사용하거나, 납기 때문에 허술한 공사가 되어서는 좋은 집을 건축할 수 없을 것이다. 기업의 경쟁력은 보다 좋게, 보다 싸게, 보다 빠르게 제품을 공급하는 것인데, 품질경영은 <보다 좋게>에 초점을 맞추는 활동이다.

기업은 설립 초기에는 생산 중심의 경영을 시작한다. 적정한 판매 물량의 확보를 목표로 생산이 안정되게 가동된 후 품질 중심의 경영으로 도약하는 과정을 거친다. 그러나 생산 중심의 경영에서 품질 중심의 경영으로 전환은 단기간에 완성되지 않는다. 기업의 전 부문이 품질 혁신을 외치면서 품질 개선 활동을 진행하지만, 전 부문이 동시에 개선되지 않는다. 품질 개선은 부문별로 순차적으로 개선되는 경향이 있다. S전자 경우 동시에 전 부서가 개선 활동을 전개하였으나 생산부문의 공정품질이 먼저 개선되고, 이어서 협력업체의 부품 품질이 개선되었다. 마지막으로 R&D 부문의 설계 결함이 개선되었다. 설계 단계에서 고품질을 확보하는 원류적原流的 품질 활동은 중점적으로 관리해야 할 중요한 영역이다.

기업의 품질 개선 활동을 단계별로 구분하면 1단계는 시장품질 개선 활동이다. 시장품질 개선 활동은 고객으로부터 접수되는 불량 및 불만 건에 대해 A/S 처리한 후, 제품 불량 혹은 고객 불만 발생의 근본 원인을 파악하고 재발 방지 대책을 수립하는 활동이다. 전자 제품의 고객 불만은 고장성 불량과 비고장성 불량으로 분류할 수 있다. 고장성 불량은 제품 자체가 불량인 경우이고, 비고장성 불량은 제품 자체 불량은 아니지만 고객 관점에서 사용하기 어렵거나 불편한 항목이다. 때로는 고객의 기능 미숙지 및 고객 과실로 인한 A/S 요청이 발생하는데 기업에서는 이것도 개선 항목에 포함하여 불편함을 제거하기 위한 관점에서 개선한다. 비고장성 불량은 과거 제조 관점의 품질관리에서는 무시되었으나, 고객만족 활동으로 전환되면서 개선 활동의 범주에 포함한다.

접수된 제품 불량 건은 증상별 혹은 부품별로 분류하여 불량이 많이 발생하는 Worst 항목 위주로 개선 활동을 전개한다. 시장품질을 혁신하는 활동 중 가장 효과적인 방법은 <Worst 불량 개선 T/F 활동>이다. 전 부서에서 우수 요원을 차출하여 불량에 대한 원인을 분석하고 개선 대책을 수립하여 집중적으로 실행하는 활동이다. 원인을 분석할 때에는 <3 Why 기법>이 필요하다. 발생 원인에 대해 왜 발생하였는지 3번 이상 질문하고 대답을 찾아보면 근본 원인을 파악할 수가 있다. 품질 결함은 원인을 찾으면 대책 수립은 비교적 간단하게 해결되는 경우가 많다.

2단계는 공정품질 개선 활동이다. 생산 부서는 생산 수량을 목표로 하는 조직이다. 많은 물량을 생산해야 하기 때문에 품질을 강조하면 부정적 반응을 보이는 조직이기도 하다. 그래서 검사 인력이 생산 부서 소속이 되면 생산량을 달성하기 위해 품질 검사를 소홀히 하여 불량을 검출하지 못하는 경우가 종종 발생한다. 때로는 작업자가 이만하면 되겠지 라고 생각하며 불량과 타협한다. 이런 프로세스에서는 좋은 품질의 제품을 생산할 수 없다. 따라서 공정의 검사 인력은 품질 부서 소속으로 두어야 한다. 셀 방식으로 제조할 경우 작업자가 직접 품질을 책임지게 하고, 검사 실명제를 운영하는 것도 필요하다. S전자는 TV를 생산하는 작업자의 업무 목표 중 50% 비중을 품질 개선 활동으로 부여하여 작업 불량을 획기적으로 개선한 바 있다.

공정 품질의 핵심은 균일 품질이다. 작업 표준에 따라 작업하여 누가 언제 어디서 생산하더라도 동일한 품질의 제품이 생산되어야 한다. 작업 표준은 명확하게Clear, 간단하게Simple 그리고 노하우Knowhow가 포함되게 작성되어야 수월하게 활용될 수 있다. 작업 표준은 CSK 방식Clear, Simple, Knowhow으로 작성되지 않고 복잡하거나 불명확하게 작성되거나, 작업에 필요한 노하우 및 과거 실패사례가 없으면 작업자가 활용하지 않게 된다. 공정에서 표준 작업을 통한 균일 품질 체제가 안정된 후에 통계적 기법을 활용한 공정관리가 가능하다.

공정 품질 개선 사례는 S전자의 라인스톱 제도Line Stop System를 들 수 있다. 라인 스톱 제도는 생산 공정에서 문제가 발생하면 중간 중간에 설치된 벨을 울려 즉시 생산을 중단하고 개선 활동을 전개한다. 라인 스톱은 작업자가 관리자에게 보고하지 않고 스스로 벨을 울릴 수 있어 신속하게 문제를 해결할 수 있다. 또한 작업자가 불량품은 생산하지 않는다는 품질 의식을 높이는 효과가 있다. 라인 스톱이 발생하면 개발, 구매 및 품질 담당자가 즉시 현장에 투입되어 개선 대책을 협의하고 해결한다.

인건비가 저렴한 동남아, 중국, 중남미 등 해외공장으로 제조 중심지가 이동할 경우 한국 공장과 동일한 품질을 만들어야 하는 과제가 대두된다. 이럴 경우 한국 공장의 품질보증체제를 해외공장에도 그대로 적용하여 동일 품질의 제품을 생산해야 한다. '선 시스템 후 오퍼레이션'의 개념을 적용하여 해외공장에서 먼저 품질 시스템을 구축한 후 생산을 시작해야 한다.

S전자는 해외공장이 설립되면 품질, 제조, 재무 등 경영 전반에 대

해 사전 점검 후 공장 가동을 승인한다. 또한 해외공장에서 지속적으로 품질 시스템을 유지하도록 SQA^{S전자Quality Award} 제도를 운영한다. 매년 해외공장의 품질 시스템을 평가하고 점수화하여 최우수 해외공장은 대표이사가 창립기념식에서 수상하는 제도이다. 평가항목은 품질보증체제 70%, 품질 지표 30%로 구성되며 품질 전문가가 현장을 방문하여 평가한다.

3단계는 부품품질 개선 활동이다. 제품 생산에 투입되는 각종 부품의 품질이 확보되지 않으면 우수한 품질의 제품을 생산할 수 없다. 생산에 투입되는 부품은 철저하게 검사하여 입고되어야 한다. 납품되는 부품에서 불량이 연속 발생하면 협력업체에 방문하여 출하 전 방문 검사를 시행한다. 근본적인 개선을 위해 협력업체 품질보증체제를 점검하고 프로세스를 개선한다. 품질보증체제를 확립하는 업무는 한약을 먹는 것에 비유할 수 있다. 감기 환자가 양약을 먹고 회복하지만 허약한 몸을 보강하기 위해서 별도로 한약을 복용하는 것과 유사한 활동이다.

부품품질 개선 사례로는 S전자의 SQCI^{Supplier Quality Control Innovation} 제도가 있다. 품질보증 체제와 요소 기술로 구분된 체크리스트를 활용하여 업체를 사전 평가한 후 협력업체를 선정하고, 정기적으로 방문하여 품질 보증체제의 유지 상태를 확인한다. 또한 <새벽시장 제도>를 운영한다. 시장에서 발생한 불량품을 전시한 후 협력업체 CEO가 새벽에 와서 확인한다. 협력업체 CEO가 낮에는 바쁜 점을 배려하고 또한 새벽에 참석하여 불량 현물을 직접 확인함으로써 경각심을 올리는 효과를 노린다.

마지막으로 4단계는 개발품질 개선 활동이다. 전자 제품의 고객 불량을 분석하면 설계 요인이 70%의 비중을 차지하고 부품 요인, 제조 요인 순으로 분석된다. 제품의 품질을 근본적으로 개선하기 위해서는 원류 단계인 설계 단계에서 철저하게 품질 검증을 실시해야 한다. 신제품 개발은 초기 목합 단계에서 양산 및 출하 단계까지 4~5단계를 거치게 되는데 각 단계별 검증 항목을 선정하고 품질 검증을 시행한다. 품질 검증 결과는 품질 책임자의 합의를 득한 후 다음 단계로 진행한다. 장시간 검증하는 신뢰성 시험은 개발 초기 단계에서부터 검증하여 개발 납기에 지장을 초래하지 않도록 한다.

[품질 검사의 3단계 발전]

품질 검사는 전사적 품질경영 활동을 전개하면서 사라지는 것이 아니라 더욱 발전한다. 품질 검사의 발전 단계를 구분하면,

1단계는 검사 제도를 구축한다. 부품 입고, 공정, 제품 출하 단계에서 검사 프로세스를 만들고 조직과 인력을 갖춘다. 시료 샘플링 기준, 합부 판정 등 검사 기준을 수립하고, 검사용 장비를 구비하고 검사 인력을 육성한다.

2단계는 검출력을 올리는 활동이다. 검사에서 검출력을 올리는 활동은 물고기를 잡기 위해 설치하는 그물에 비유할 수 있다. 그물을 느슨하게 하면 큰 물고기를 잡고, 그물을 촘촘하게 하면 작은 물고기도 잡을 수 있다. 미세한 결함까지 찾아내기 위해서는 그물을 촘촘하게 만들어야 한다. 이것이 검출력 향상 활동이다. 새로운 검사 기법을 개발하고 검사 스펙을 강화하고, 검사 장비를 고도화하고, 우수 검사 인력을 육성한다. 공정의 불량과 시장의 불량을 연계하여 분석하고 검사 스펙의 적정성을 검토하고 보강하는 것도 필요이다.

검출력 개선 사례로는 바이어 검사 IBI Internal Buyer Inspection 제도가 있다. 대형 바이어인 경우 그들만의 특정 요구사항이 있다. 바이어별 요

구사항을 체크 리스트로 만들어 출하 전에 바이어 관점에서 검사를 실시하고, 검출된 문제를 개선하여 납품하는 제도이다.

마지막 3단계는 검사의 자동화이다. 센서, AI, 로봇 기능을 활용한 자동화기기를 통해 검사 자동화가 도입되고 있다. TV 화질 등 아직 사람의 점성적 평가가 필요한 항목도 있으나, 이것마저도 자동화 영역에 포함될 것이다.

품질관리의 시작인 검사 제도는 초기 단순 검사에서 검출력 향상을 위한 검사의 고도화로 발전하고, 또한 검사 자동화로 이어진다. 그리고 궁극적으로 검사 후 불합격율이 제로가 될 때 검사 제도는 사라질 것이다.

[품질 지표_ 긍정적 지표와 부정적 지표]

품질 지표는 불량 건수 및 실패 비용을 관리하는 부정적 관리지표와 상품의 품질 우수성을 나타내는 긍정적 관리지표로 구분된다.

부정적 관리지표는 고객 불량률(혹은 시장 불량률)이 있다. 판매량 대비 불량 발생 건을 집계하여 증가 혹은 감소 추이를 관리한다. 고객 불량률은 원자재, 조립 산업, 장비 산업 등 업종별로 산출 방식의 차이가 있다. 고객 불량률은 고장성 불량과 비고장성 불량으로 구분한다. 고객 불량률은 고장성 불량만 포함하는 지표와 비고장성 불량을 모두 포함하는 지표로 구분하여 관리한다. 기능 및 성능 불량인 고장성 불량 외 고객 사용상의 불편한 항목인 비고장성 불량까지 모두 개선하는 활동이 필요하다. 고객 관점의 불량률은 비고장성 불량을 포함한 전체 불량을 지표에 포함하여 관리하여야 한다.

품질 비용Q-Cost 지표가 있다. 품질 비용은 제품의 품질 확보를 위해 사용되는 비용으로서 예방비용, 평가비용 및 실패 비용으로 구분한다. 예방 및 평가 비용은 제품을 출하하기 전에 품질 기획, 교육 및 품질 평가에 소요되는 비용으로서 인건비 및 장비 구입비 등이 있다. 실패 비용은 제품 출하 후 고객 클레임, 고객 A/S 및 반품에 소요되는 비용이 해당 된다. 품질 비용은 기업의 손익과 직접적으로 연계되는 지표이므로 경영자의 관심이 크다. 특히 전체 품질 비용 중 70% 이상을 차지하는 실패 비용F-Cost은 세부 항목별로 분석하여 과대 발생한 항목은 절감 활동을 전개하여야 한다. 클레임 비용, 반품 비용, A/S 비용은 원인을 찾아서 개선하여야 한다. 품질 비용은 재무 시스템과 연결하여 경영 전반의 낭비 비용을 줄이는 COPQ Cost of Poor Quality 활동과 병행하여 운영하면 더욱 큰 효과를 만들 수 있다.

긍정적인 품질 지표로는 매거진 어워드Magazine Award가 있다. 유럽 및 미국 소비자는 상품을 구매할 때 잡지사 평가 결과를 중시한다. 잡지사는 유사 가격의 제품을 선정하여 품질 경쟁력을 비교하고, 5단계 등급으로 구분하여 고객에게 공개한다. 최우수 평가를 받기 위해 해당 국가의 평가항목에 맞게 제품을 설계하고 평가 기관을 정기적으로 방문하여 제품의 신규 기능을 설명한다. 기업은 전략적으로 신 모델에 대해 잡지사 평가에서 최우수 등급인 5스타★★★★★를 획득하여 고객에게 적극적으로 홍보하는 것은 판매 확대 전략 중 하나이다.

또한 상품력을 평가하여 점수화하여 관리한다. 최고 경쟁사의 유사 제품과 비교하여 평가 대상 제품의 수준을 점수화하여 관리한다. 기능, 성능, 디자인, A/S 대책 등 항목별로 구분하여 최고 수준을 100점으로 두고 평가 제품의 수준을 점수화하여 관리한다. 경쟁사가 없는 신규 제품일 경우 고객이 지향하는 최고 수준을 100으로 두어 점수로 산정한다.

기업의 품질 목표는 최고 경영자의 목표에 반드시 포함되어야 한다. 최고 경영자의 목표에 포함되면 개발, 제조, 구매 등 전 부서에 품질 목표가 부여되고, 각 부서가 협력하여 우수 품질의 상품을 만들 수 있다. 품질 부서는 주간 실무회의 및 월간 임원회의를 통해 품질 지표의 증감 혹은 목표 달성도를 최고 경영자에게 보고한다. 기업이 고객만족경영으로 발전함에 따라 고객만족도^{CSI} 지표를 추가로 경영 지표로 활용되어야 할 것이다.

[고객 관점의 CS경영으로 발전]

ISO 9000 품질 시스템은 한국 기업이 고객 중심의 경영 활동을 전개하는데 크게 기여하였다. 제조자 관점의 경영 활동에서 벗어나 고객 중심의 경영 활동으로 전환하게 된 것이다.

기업이 고객 중심의 CS경영으로 전환하기 위해서는 먼저 전 직원의 CS의식이 필요하다. 직원의 의식을 고객 관점으로 전환하기 위해 기업은 슬로건을 제정한다. 델은 <고객과 함께 승리를>, 노키아는 <고객이 최우선이다>, 피엔지는 <고객이 보스다>를 내세웠다. <고객은 왕이다>, <고객이 우리의 월급을 준다Customer pays our salary>는 등의 문구를 많은 기업에서 사용하고 있다.

CS의식으로 전환함과 동시에 업무 프로세스를 고객 관점으로 운영한다. 고객을 정의하고 고객이 기대하는 기능, 성능 및 디자인으로 상품을 기획하고 개발, 구매 및 생산 단계별 고객 요구사항을 검증한다. 검사의 판정 기준도 고객 관점으로 변경하고 관리한다. 고객 중심의 경영이 되기 위해서는 개발에서 출하에 이르는 전 조직이 고객 관점에서 업무를 시행한다.

품질관리의 영역도 고객 관점에서 재정의하고 관리 범위가 확대된다. 기본 기능을 관리하는 고장 품질 외에 신뢰성, 내구성이 포함되는 성능 품질, 디자인을 고려한 매력 품질이 추가되어 총 3가지 영역으로 관리 범위를 확대한다.

<<< 품질관리 범위 확대 >>>

고장 품질	성능 품질	매력 품질
기능 불량, 안전성	사용 편리성, 호환성, 신뢰성, 내구성	디자인, 외관 마무리

 CS경영 지표로 고객만족도CSI, Customer Satisfaction Index를 사용한다. 고객만족도는 자사 제품을 경험한 고객을 대상으로 연 1~2회 정기적으로 조사하며, 전체 만족도가 85점 이상을 획득하는 것을 목표로 추진한다. 또한 업계 최고 경쟁사와 비교하여 자사의 우세 혹은 열세를 나타내는 고객만족 경쟁지수를 경영 지표로 사용할 수 있다. 경쟁 지수는 경쟁사를 100으로 간주하여 105 이상 달성할 경우 절대 우위로 본다. 제품 품질, 사용 편리성, 디자인, 매장 친절도, 고객 서비스 등 각 차원별 만족도를 종합하여 점수화하고, 열세로 나타나는 영역은 집중 개선 활동을 전개한다.

 CS경영은 고객의 소리VOC, Voice of customer 를 접수하고 개선하는 활동을 강화한다. 콜 센터, A/S 센터 및 온라인 등 고객 불만 접수 채널을 다양화하여 불만 사항을 접수하고 또한 인터넷에 간접적으로 노출된 고객 불만도 그 파장을 고려하여 관리한다. 접수된 VOC는 제품의 고장, 성능, 사용 불편 등을 유형별로 나누어 개선 활동에 활용한다. VOC 접수 시점에서 고객이 선택하는 용어, 격양된 목소리 및 불만 제기 횟수 등 고객 불만 요소를 등급화하여 고객의 불만 정도를 센싱하고 맞춤식으로 응대하는 클레임 시스템을 운영한다. 최근 음성 인식 기능 등 AI 기술과 빅데이터 기법을 활용하여 더욱 효과적인 클레임

시스템을 개발할 수 있게 되었다.

CS경영을 강화하기 위해서는 CS 인력을 양성해야 한다. CS 조직은 CEO 직속으로 운영하고, CS 책임자는 개발, 제조 및 구매 부문 책임자와 최소한 동일 직급으로 해야 한다. 기업의 중요 사안 결정 시 제품의 품질이 원가나 납기 항목에 의해 타협되는 일이 일어나지 않도록 해야 한다. 원가 때문에 저급 부품을 구매하거나, 납기 때문에 검사를 생략하거나, 생산 과정을 줄여서는 안 된다. CS 인력은 경영 프로세스 전반을 이해하고 제품 기술을 보유한 인력이 유용하다. 원칙에 충실하고 불량에 타협하지 않는 소신 있는 직원이 품질 요원으로 적합하다. CS 회의체는 최고 경영자가 참석하는 월간 CS경영회의를 운영한다. 신제품 품질 과제, 고객의 불만 과제 및 품질 시스템 혁신 등을 회의 안건으로 다룬다.

그리고 변경점 관리가 중요하다. 제품의 설계 혹은 제조 사양에 대한 변경 항목이 발생하면 반드시 품질부서에 신고하여 유관 부서가 검증 후 변경해야 한다. 개발 단계에서 검증된 사양을 양산 시점에서 특정 부서가 변경할 경우 불량이 발생할 수 있기 때문이다. 변경점 검증은 각 부서 책임자가 참여하는 정기적인 <변경점 검증 회의>를 실시하는 것이 효과적이다. 제품의 품질 불량은 변경점 발생 시 다수 발생하기 때문이다.

[S전자 품질경영 혁신 사례]

S전자의 품질경영은 글로벌 품질 변천사와 맥을 같이 한다. 1960년대 생산을 시작하면서 검사 위주의 품질관리가 시작되었다. 그리고 A/S 센터로 접수되는 불량을 집계하여 시장불량률 지표를 관리하고 시장품질 개선 활동을 전개하였다.

1980년대에도 여전히 물량 중심의 경영이었다. 수출 물량이 증가하여 제조 현장은 생산량 목표 달성에 집중하고 있었기에 납품 후 해외 바이어의 클레임이 많이 발생하였다. 그 후 최고 경영자로부터 질 위주 경영이 선언되면서 품질혁신 활동이 가속화 되었다. 1985년 TQC^Total Quality Control 사무국이 설립되면서 품질 중시 경영이 시작되었고, 1988년 품질경영본부로 개칭하면서 전사적 품질경영 활동이 전개되었다. 전 사원에 대한 품질 의식 교육이 시행되고 제품의 안전을 강조하는 PL^Product Liliability 예방 교육도 시행되었다.

1990년에는 유럽 바이어가 모니터 제품에 대한 ISO 9000의 인증을 요구함에 따라 품질 시스템을 정비하고, 업무 프로세스를 개선하였다. 자체 T/F팀을 구성하여 영국 BSI^British Standard Institution로부터 인증을 획득하였고, 이후 전 품목에 대해 ISO 9001 인증을 획득하였다. ISO 9001 품질 시스템이 구축된 후 이를 기반으로 자체 고유의 품질 시스템인 SQA^S전자 Quality Award 제도를 만들어 운영하였다. SQA 제도는 ISO 9001 품질보증체제를 기반으로 하여 S전자의 품질 혁신 활동을 추가하여 S전자 고유의 품질 시스템을 구축한 것이다.

제조 현장에서는 균일 품질 확보를 위한 표준 작업 정착 활동이 추진되었다. 작업 지도서에 따라 작업하고 작업자가 자신의 경험을 토대로 임의로 작업을 할 수 없도록 감시하였다. 품질을 중시하는 교육을 지속적으로 실시하고 룰^Rule과 프로세스를 중시하는 기업문화를 조성하였다. '표준이 없으면 일을 하지 말자^No spec, No work'는 구호가 전 사업장에 부착되었고, 생산 라인별로 표준의 완전율과 준수율을 평가하였다. 부진 생산 라인에는 품질 임원과 직·반장의 간담회가 시행되고, 작업을 감시하는 오디터가 투입되었다. 표준 작업 활동은 작업자의 습관을 바꾸는 활동이기에 장시간이 소요되었으며, 약 2년이 경과 되어서야 정착되었다. 표준 작업이 정착된 후 통계적 공정관리체제가 생산 라인에 적용되고 공정 자동화도 추진할 수 있게 된 것이다.

예방적 품질관리를 위해 부품 품질 개선 활동을 전개하였다. 부품을 납품하는 협력업체를 방문하여 품질 혁신을 독려하고, 부품 사업에 맞는 품질 보증체제 구축 활동을 지원하였다. 또한 부품의 신뢰성 확보를 위해 장비와 측정기기를 설치하고, 석박사급 전문 인력을 채용하여 검증 활동을 강화하였다.

개발품질 확보를 위하여 신제품 개발 단계별 품질 검증 항목을 설정하고 각 단계에서 검증 항목이 합격된 후 다음 단계로 진행하였다. 장기간 사용 후 발생하는 내구성 불량과 외관 품질을 혁신하는 활동이 전개되었다. 품질을 보이는 품질과 보이지 않는 품질로 구분하고 보이지 않는 품질, 즉 장기간 사용 후 발생하는 항목에 대해서도 집중적으로 개선 활동을 전개하였다.

1994년 전사 품질 조직의 명칭을 품질경영센터에서 CS경영센터로 변경하면서 S전자의 품질 활동은 대전환기를 맞이한다. 제조 사업부의 품질팀의 명칭을 CS팀으로 개칭하고 프로세스를 고객 중심으로 조정하였다. 구미공장에서는 불량이 발생한 무선전화기를 모두 불태워 버리는 화형식을 거행하여 전 사원의 CS의식을 재무장하였다. 고객 중심의 CS경영 활동을 전개하기 시작한 것이다. 최고 경영자 주관의 CS경영회의를 매월 실시하여 핸드폰, TV, 냉장고를 생산하는 전 사업장이 고객 중심의 경영을 가속화 하였다. 주요 활동으로는 고객만족도 조사, VOC 개선 활동 및 상품력 개선 활동을 강화하였다. CS 활동의 내용에 대해서는, <고객 관점의 CS 경영으로 발전> 부문을 참고하면 된다.

이제는 고품격 서비스 시대이다

[클레임과 컴플레인]

고객 서비스는 고객의 불만족에서 비롯된다. 제조 과정에서 철저하게 품질 검증을 하지만 판매 후 고객이 사용하면서 불만은 발생한다. 고객의 불만에 대한 요구는 두 가지 유형으로 구분할 수 있다. 첫째는 제조사가 보장한 기능과 성능 미달로 인한 요구가 발생하는 경우로서 클레임Claim으로 분류한다. 둘째는 고객의 불편함이나 사용법 미숙지로 인한 불만을 제기하는 경우로서 컴플레인complain으로 분류한다. 고객의 객관적 불만을 클레임으로 분류하고, 주관적 불만을 컴플레인으로 분류하는 경우도 있다.

고객 불만은 대형, 중형, 소형으로 구분하여 관리한다. 대형 불만은 회사 이미지에 중대한 영향을 주거나, 비용 손실이 큰 경우이다. 제품 요인으로 인한 인체의 상해, 재산의 손실 문제가 발생하는 PL 사고도 대형 불만으로 분류하고 특별 대응한다. 중형 불만은 장기간 처리 지연, 세 번 이상 불만 발생, 개인 소송 제기가 포함된다. 소형 불만은 단발성 고객 불만에 해당한다.

기업은 고객의 어떤 불만이라도 고객에게 책임을 돌리지 않고 불만을 해소하도록 적극적으로 응대하여야 한다. 해외로 수출되는 제품의 경우, 그 나라의 사용 환경이나 문화적 특성에 의해 불만이 발생하는 경우도 있다.

독일인은 화질에 아주 민감하여 화면에 작은 점이라도 보이면 개선을 요구하고, 중국인은 소음에 민감하다. 특정 국가에 한정된 문제라도 고객에게 불편함을 주었다면 해결해야 한다. 때로는 고객 개인의 성향으로 특정 요구를 하는 경우가 있다. 넌센스 불량으로 분류되는데, 이 경우에도 고객 불만이 해소되도록 적극적으로 대응한다. 그러나 습관적으로 불만을 제기하는 악성 고객의 경우에는 법적 대응 등 특별 프로세스를 진행한다.

[신속, 정확, 공감 서비스]

고객은 제품을 구매할 때 기대치를 가지고 비용을 지불한다. 기대치를 충족하지 못해 불만족이 발생하는 경우 고품격 서비스를 제공해야 한다. 연구 결과에 따르면 고객 한 사람이 불만족할 경우 평균 9~10명의 이웃이나 친구에게 불만을 전달한다. 불만을 전달받은 2차 고객은 평균 80%가 재전달하고, 또한 3차 고객에게도 평균 80%가 추가 전달한다. 고객 한 명의 불만이 3차례에 걸쳐 전달되므로 파급되는 영향은 적지 않다. 그러므로 기업은 고객 한 사람의 불만이라도 철저히 응대해야 한다.

고객 불만이 A/S를 통해 만족스럽게 해결될 경우 고객 충성도 Customer Loyalty는 더욱 높아진다. 불만이 해소된 고객의 재구매 비율이 54%가 된다는 조사 결과가 있다. 불만이 있으나 표현하지 않은 고객의 재구매할 확률이 9%인 것에 비하면 6배나 높은 수치이다.(자동차 전문 조사기관, J.D Power 조사 결과)

불만을 가진 고객을 충성 고객으로 전환시키기 위해서는 고품격 서비스가 필요하다. 고품격 서비스를 제공하는 방법은 신속, 정확 그리고 공감 서비스 이다.

고품격 서비스의 첫 번째는 신속 서비스이다. 신속 서비스는 접수된 불만을 현장에서 즉시 해결하거나, 당일 내 해결하는 것이다. 당일 서비스Same Day Service를 위해서는 고객 불만을 예측하고 해결법을 준비해 두어야 한다. 콜센터는 상담 스크립트를 만들어 상담원에게 사전에 고객 응대법을 숙지하도록 한다. A/S 센터에서는 수리에 필요한 자재를 구비하여 기사가 당일 내 해결하도록 준비한다. 간이 약한 사람, 위가 약한 사람이 있듯이 전자 제품도 모델별 취약 부위가 다르다. 모델별 취약 부위를 파악하고 서비스용 자재를 사전에 비축하는 것이 당일 서비스를 위한 중요한 과제이다.

서비스용 자재 비축은 수요예측 시스템을 만들어 활용한다. 제품의 사용 기간별 불량 발생률을 활용하여 서비스 자재를 수요 예측할 수 있다. 수출되는 국가별 사용 환경의 차이로 인한 고객 불량률의 차이가 있으므로 지역별로 별도 예측해야 한다. 그러나 정교하게 수요예측을 하더라도 비축하지 못한 자재가 발생하므로 긴급 자재를 배송하는 운송 시스템이 필요하다. 교통 체증이 심각한 도시인 이스탄불, 모스크바, 마닐라, 카이로 등은 오토바이를 활용하여 운송하는 방법이 유용한 전략이다. 국가 면적이 작은 두바이, 싱가포르, 네덜란드, 덴마크는 도시 전체에 차별화된 서비스 체제를 구축하는 전략이 필요하며 이를 위해 긴급 A/S 자재 배송 체제를 갖출 필요가 있다.

신속 서비스를 관리하는 지표는 수리 TAT Turn Around Time가 있다. 수리 접수에서 해결까지 소요되는 시간을 관리하여 당일 서비스, D+1일 서비스 혹은 2시간 내 서비스(휴대폰 간단 수리의 경우)를 목표로 한다. S전자는 유럽에서 타 기업이 평균 일주일의 수리 기간이 소요될 때, D+1일 스피드 서비스 활동을 전개하여 고객만족도를 혁신한 바 있다.

신속한 스피드 서비스를 전개하는 방법으로 매장 서비스가 있다. 휴대폰인 경우 고객의 사용법 문의가 많아서 판매 매장에서 곧바로 해결한다. 매장에 소규모 수리 센터를 설치하거나, 수리 가능한 기술 인력을 배치하여 현장에서 해결한다. A/S 센터에서도 간단 수리와 중 수리에 대한 접수대를 분리하여, 간단 수리는 즉시 해결한다. 은행이나 보험회사에서 고객이 대기하는 공간으로 상담사가 찾아가서 간단 문제를 현장에서 해결하는 경우와 유사하다. 또한 대형마트에서 소량을 구매한 고객은 별도 계산대를 운영하여 빠르게 처리하는 경우와 유사한 사례인 것이다.

무엇보다도 가장 빠른 서비스를 제공하는 방법은 고객이 찾아오기 전에 해결하는 것이다. 아파트 단지를 찾아가는 순회 서비스, 오지와 낙도를 찾아가는 오지 서비스, 휴가지를 찾아가는 서비스 캠페인 등 고객을 찾아가는 서비스를 적극적으로 시행해야 한다.

둘째는 정확한 서비스이다. 고객의 요구사항을 한 번에 해결하여 두 번 문의가 발생하지 않도록 한다. 정확도를 관리하는 지표로는 재콜율, 재수리율 혹은 한 번에 해결율First Time Fix Rate이 있다. 콜 센터는 정확하게 상담하여 두 번 문의가 없도록 하고, 수리 기사는 완벽한 수리로 두 번 수리가 발생하지 않도록 해야 한다. 한 번에 해결하기 위해서는 기술력이 우수한 수리 기사를 양성해야 한다. 제품의 신기능에 대한 교육을 강화하고 수리 가이드를 만들어 고장 증상별 정확한 불량 진단 및 해결 방법을 제공한다. 의사가 환자의 증상을 보고 치료가 필요한 부위를 찾아내어 수술 여부를 결정하는 과정과 유사하다. 그리고 수리 결과는 반드시 고객에게 설명하여 이해하도록 한다. 고객만족도를 향상하기 위해 플러스 원Plus one 서비스를 시행한다. 제품 사용상의 추가 문의가 있는지 확인하고 해결토록 도움을 준다. 제품의 청소 방법 혹은 타사 품목에 대한 문의에 대해서도 상담하여 고객의 불편을 해결하는 것이 필요하다.

셋째는 공감하는 서비스Empathy Service이다. 고객에게 친절하게 응대하고 고객의 불편 사항을 경청하고 공감하는 자세가 중요하다. 고객은 공감만 표현해 주어도 편안함을 느낀다. 상담원과 수리 기사는 항상 고객의 눈높이에 맞추어 겸손해야 하고, 고객의 의견을 경청하고 공감하는 연습을 해야 한다.

S전자는 공감 서비스 매뉴얼을 만들어 적극 활용하고 있다. 매뉴얼에는 고객에게 신뢰를 주는 복장, 매너, 고객 대화법 등이 포함된다. 가정 방문 서비스In Home Service에 필요한 절차와 A/S센터 내방 서비스 Carry In Service에 대한 대응 절차를 구분한다. 콜 센터의 상담원용 매뉴얼도 별도로 만들어 활용한다.

[서비스 마케팅 활동]

고객에게 행복을 주는 서비스 이미지를 구축하는 활동이 기업의 서비스 마케팅 활동이다. 기업은 고객 서비스를 통해 기업 이미지를 개선하고 브랜드의 가치를 높이는 서비스 마케팅 활동을 적극적으로 전개하여야 한다.

서비스 마케팅의 첫 번째는 서비스 브랜딩이다. A/S 센터, 콜 센터, 온라인 사이트 등에서 사용되는 간판, 접수대, 내부 공간 등을 표준화한다. 간판은 문구, 색깔, 모양, 크기 등을 표준화하여 전 세계에 통일성 있게 적용한다. 간판은 따뜻한 느낌으로 고객에게 사랑받는 이미지를 구현할 필요가 있다. 서비스 기사의 복장과 공구 박스도 통일하는 것이 효과적이다. 유니폼은 최고급 재질로 제작하여 서비스 기사의 품격을 유지한다. 후진국일수록 질이 좋은 잠바와 티셔츠를 제공하여야 한다.

A/S 센터는 오감을 자극하는 공간으로 꾸밀 필요가 있다. A/S 센터에 들어서면 비발디의 사계가 흐르고, 향긋한 커피 향기가 나고, 캔디와 비스켓이 있으며 자연을 느낄 수 있는 녹색의 벽과 미소 짓는 접수 요원이 있는 모습은 어떠한가? 오감을 모두 자극하는 공간으로 만들어 고객이 편안하도록 배려하는 것이다. 메리어트 호텔에 가면 로

비에는 클래식 음악이 흘러나오고 엘리베이터 안에서는 향수 냄새가 풍긴다. 고급스러운 인테리어 장식이 고객을 품위를 높여주고, 직원들의 웃는 미소가 고객을 편안하게 한다. 모스크바에 있는 S전자 A/S 센터를 방문하면 오감 서비스를 경험할 수 있다. 클래식 음악과 은은한 향수 냄새가 있고, 캔디와 비스킷이 제공되고, S전자의 휴대폰 역사를 볼 수 있는 전시관이 있으며, 깔끔한 복장의 러시아 직원이 웃으며 고객을 맞이한다.

S전자 러시아 서비스 센터: 오감 서비스 공간

두 번째는 서비스 캠페인이다. 서비스 캠페인은 스포츠 이벤트, 문화 행사 혹은 휴가 시즌 및 계절이나 절기를 활용하여 실시한다. 특별히 지진, 홍수 등의 재난이 발생할 때에도 필요하다.

필자는 유럽 근무 시 비치 서비스Beach Service를 실시하였다. 비치 서비스는 해변에 휴가를 즐기는 고객에게 제공하는 서비스이다. 전자제품 불량을 수리하고, 모래 및 먼지가 있는 경우 청소해주고, 각 기능을 업그레이드 한다. 더불어 신제품을 전시하여 제품을 체험하는 기회를 제공하였다. 휴가 온 고객들은 마음의 여유가 있기에 기업이 제공하는 부가 서비스에 만족하고 오랫동안 기억한다. 스페인, 포르투갈, 이탈리아, 프랑스에서 실시하여 좋은 반응을 얻었다. 겨울 스키 시즌에는 스위스와 오스트리아에서 동일한 서비스를 시행하였다.

2006년 독일 월드컵 기간에는 TV 당일 서비스 캠페인을 전개하였고, 독일 뮌헨 맥주 페스티벌 및 오스트리아 뮤직 페스티벌에 찾아가서 부스를 설치하고 휴대용 오디오 및 핸드폰에 대한 서비스 캠페인을 실행하였다.

유럽 비치 서비스 캠페인

	연간 서비스 캠페인 사례		
1월	동계 올림픽 서비스 신년 서비스	7월	공항 서비스 하계 올림픽 서비스
2월	발렌타인 데이 서비스 설날 서비스	8월	뮤직 페스티발 서비스 비치(Beach) 서비스
3월	낙도 서비스 신학기 서비스	9월	유럽 농구축제 서비스 아파트 서비스
4월	마라톤 서비스 부활절 서비스	10월	단풍 축제 서비스 추수 감사절 서비스
5월	월드컵 서비스 유로컵 서비스	11월	VIP 서비스 프리미엄 서비스
6월	에어컨 점검 서비스	12월	스키 서비스, 성탄절 서비스

기업은 서비스 캠페인 활동을 통해 고객에게 가까이 다가가고 고객을 행복하게 하는 서비스를 제공하여 기업의 브랜드 가치를 높여야 한다. 서비스 캠페인 활동은 최소 3년 이상 연속 실시하여야 한다.

한 번의 행사로 끝내서는 기업의 이미지를 개선할 수 없다. 연간 서비스 캠페인 계획을 수립하여 연속적으로 실시하여야 한다. 서비스 캠페인 활동은 적은 비용으로 기업의 이미지를 향상하는 최고의 활동이다.

[레전드 서비스 전략Legend Service]

고객 서비스 혁신 활동은 그 나라의 문화까지도 바꾼다. 느린 문화에 적응된 국가에서 빠른 고객 서비스를 경험하게 되면, 다른 업종에서도 빠른 서비스를 요구하게 된다. 전자 제품은 일주일 정도의 수리 기간이 필요하다고 생각하는 영국 사람이 D+1일 서비스를 경험함으로써 세탁 서비스 등에서도 D+1일 서비스를 추구하게 되었다.

카페트 문화인 영국에서 고객의 가정을 방문하여 전자 제품을 수리하는 경우 덧신을 신고 가정을 방문하는 <덧신 서비스>를 실시하였다. 영국은 카페트 문화이기에 신발을 신은 채로 가정집을 방문한다. 그러나 집 주인은 카페트가 더러워지는 것을 달가워하지 않는다. 필자가 영국에서 거주할 집을 빌리기 위해 사전 방문할 때 집주인들이 방문자의 신발을 본다는 것을 느꼈기 때문이다. 전자 제품에서 방문 서비스In Home Service 시 덧신 서비스가 시행된 후 CCTV 설치 업종을 비롯한 타 업종에서도 덧신 신는 서비스가 실시 되었다.

고품격 서비스를 경험한 고객은 그 기업에 대하여 좋은 이미지를 기억하게 되고 지속적으로 요구하게 된다. 그리고 장기간 고품격 서비스가 유지되면 그 지역의 문화로 뿌리내릴 것이다. 기업의 서비스는 국가의 문화를 바꾸는 역할까지 한다.

고객 서비스의 전략은 전설적인 서비스Legend Service를 구현하는 방향이 되어야 한다. 그 국가에서 최고의 고객 서비스를 시행하는 회사를 문의하면 그 나라 사람들이 주저없이 대답하는 회사가 되는 것이 레전드 서비스 전략이다.

레전드 서비스 전략은 우선 특정 도시를 대상으로 시행하고 추가로 확대하는 것이 실행 방법이다. 런던, 뉴욕, 파리, 싱가포르, 두바이 등 영향력이 큰 도시에서 먼저 시행하는 것이 필요하다. 자사 제품의 판매 비중이 높은 도시를 선정하여 추진하는 것도 전략적인 방법이다. 레전드 서비스를 추진하는 도시는 A/S 센터의 간판, 사인 보드 등 브랜딩을 통한 홍보를 강화하고, 당일 서비스 등 차별화 서비스를 시행해야 한다. 수리용 자재를 확대 비축하고, 비축을 하지 못한 자재는 자재 창고로부터 즉시 배송 받는 체제를 갖추어야 한다. 레전드 서비스는 한 번에 완성되는 과제가 아니므로 중장기적으로 계획하고 추진해 나가야 한다.

미래의 고객행복경영

[현대 고객의 특징]

AI, IoT, 빅데이터, 플랫폼 등 4차 산업이 발전하고, 정보통신의 혁명으로 인터넷 환경이 좋아짐에 따라 여러 분야에서 변화의 속도가 빨라지고 있다. 변화의 시대 속에서 라이프 스타일에 변화가 나타나고 고객의 요구와 기대도 다양해지고 있다.

최근 나타나는 고객의 특성은 첫째, 자신의 불만을 직접적으로 노출하지 않는다. 제품 경험 후 불만이 있더라도 중대한 결함이 아니면 A/S를 요구하지 않는다. 불편하더라도 참고 사용하는 것이다. 하버드 경영대학원 제럴드 잘트먼 교수는 고객이 말로 표현하는 니즈는 5%에 불과하다고 주장한다. 또한 전자 제품에 대해 불만을 가진 고객이 A/S 센터나 콜 센터로 연락하는 비율은 10% 이하로 추정된다. 제품 고장 외 고객 불편 사항을 포함한 수치임을 고려하면 매우 낮은 비율이다.

제품을 구매한 고객 중 제품 불만에 대한 요구가 점차적으로 증가하는 추세이지만, 여전히 다수의 고객은 불만을 노출하지 않고 있다. 불만을 직접 표현하지 않더라도 개선을 기대하는 마음을 갖고 있으므로, 노출되지 않은 고객의 불편 사항을 적극적으로 찾아내어 개선하는 활동이 필요하다.

둘째, 고객은 잠재적인 기대Potential Expectation를 가지고 있다. 제품을 경험하지 않은 고객도 제품에 대한 기대를 가지고 있다. 그 기대는 고객 스스로 인지하지 못할 정도로 구체적이지 않고 막연하지만, 기술의 발전과 라이프 스타일의 변화로 인해 더욱 편리함과 안락함을 기대하는 것이다. 고객의 막연한 기대 즉, 고객의 잠재적 기대를 찾아내어 충족시키는 활동이 필요하다.

셋째, 고객은 인간답게 대접받기를 원한다. 매장이나 A/S 센터를 방문할 경우 고객은 가족처럼 따뜻하고 인간다운 대접을 원한다. 자신의 의견이 존중되고, 불편 사항에 대해서는 공감받기를 원한다. 그러므로 고객을 배려하고 존중하며, 고객의 마음에 공감하는 고품격 서비스를 실현하여야 한다.

넷째, 고객은 리스크를 두려워한다. 바이오 산업, 로봇 산업의 발전으로 새로운 제품들이 속속 탄생하고 있다. 고객은 신규 제품으로 인해 재산과 인체의 상해가 발생하는 PL 사고 및 환경 사고가 발생하지 않기를 바란다. 사람이 살아가는 환경을 파괴하거나 인체에 유해한 제품을 만들어서는 안 된다. 기업은 환경과 건강과 안전을 고려하여 예상되는 모든 위험을 제거해야 한다. 사람과 환경을 생각하는 기업이 되어야 한다.

[고객의 잠재적 욕구까지 충족]

기업은 고객만족경영CSM, Customer Satisfaction Management을 뛰어 넘어 고객행복경영CHM, Customer Happiness Management을 추구해야 한다.

현재의 고객만족경영CSM은 A/S 센터, 콜 센터 및 기업 사이트를 통해 직접적으로 접수되는 고객 불만 정보를 분석하여 개선하는 활동이다. 그러나 제한된 고객 정보로 인해 불만 고객의 일부에 대해서만 고객만족 활동을 추진하고 있을 뿐, 고객의 잠재적 기대를 포함한 총체적인 고객의 요구를 해결하는 활동에는 한계가 있다.

고객행복경영CHM은 노출되지 않는 고객 불만을 찾아내어 해결하고, 또한 잠재적 기대까지 충족시키는 활동으로 기존 고객만족경영보다 영역을 확대한다. 인터넷과 정보통신 환경의 발달에 따라 고객은 상품에 대한 기대와 사용 후 불만을 인터넷을 통해 노출하고 있다. 빅데이터 분석 기법이 발전하면서 간접적으로 노출되는 고객의 정보를 활용할 수 있는 시대가 되었다.

이제는 기업이 보유한 직접적인 고객 노출 정보에서 나아가 인터넷을 통해 간접적으로 노출되는 고객 정보를 포함한 통합적인 고객 분석을 통해 고객의 욕구를 찾아내고 이를 충족시키는 새로운 가치 창출의 시대가 된 것이다.

고객행복경영은 고객에게 인간다운 대접을 해주는 고품격 서비스가 필수적으로 요구된다. 서비스를 실행하는 공간은 오감을 자극하여 불만 고객이 편안함과 안락함을 느끼게 하고, 고객 접점 요원인 상담사와 접수 요원은 고객의 의견에 공감하고 경청하는 자세를 갖추어야 한다. 온라인을 통한 문의에도 즉각 응답하고 해결책을 제시하는 서비스가 이루어져야 한다. 고객은 인간다운 대접을 받을 때 행복감과 감동을 받게 되는 것이다.

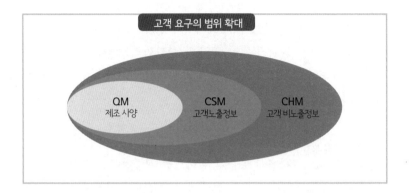

서울에 있는 S호텔에 가면 입구에서부터 친절하게 고객을 맞이한다. 호텔에 도착하면 짐을 받아주고, 프런트에서 환한 미소로 방을 배정하고, 식당에서도 친절하게 자리를 안내하고 주문을 받는다. 이 호텔에 머무는 동안 인간답게 대우받는 것 같아 행복해진다. 고객을 인간답게 대접하는 서비스가 바로 고품격 서비스이다. 고객은 고품격 서비스를 제공 받을 때 행복을 느끼고, 기꺼이 비용을 지불하게 된다.

고객행복경영은 제품 및 서비스로 인한 고객 리스크를 제거하는 활동이 포함되어야 한다. 제품으로 인해 인체의 상해, 재산상의 피해, 환경 파괴가 일어나서는 안 되며, 비윤리적 문화를 조장해서도 안 된다. 기업은 리스크를 철저히 관리하여야 한다.

	CSM(고객만족경영)	CHM(고객행복경영)
고객 욕구 대상	노출 정보(고객 불만)	비노출 정보(고객 잠재적 욕구)
고객서비스	신속, 정확, 친절	인간다움, 고품격 서비스
리스크	PL 사고	인체 유해, 환경 문제

CSM과 CHM 비교표

성공하는 기업은 고객의 마음 깊숙이 존재하는 욕구를 찾아서 새로운 가치를 창출하는 기업이다. 고객행복경영은 고객의 잠재적 욕구를 충족시키고 노출되지 않은 고객의 불만까지도 해결하는 활동이다. 또한 고품격 서비스를 제공하여 고객을 인간답게 응대하는 활동이기도 하다.

기업은 고객행복경영을 통하여 고객의 기대를 충족하는 신 가치 제품을 창출하고, 고객에게 고품격 서비스를 제공하여 고객의 삶을 보다 편리하고 윤택하게 만들어 고객에게 행복이 넘치는 삶을 제공하여야 한다.

미래의 건설산업, 어떻게 변화할 것인가

글_ 조대호

조대호 교수는 대학교를 졸업 후
산·학·연의 건설분야에서 30년간의 경력을 쌓았으며,
그 중 14년 간 중동, 동남아 국가들의
해외 건설공사 현장에서 시공 및 품질관리 업무를 수행하였다.
제4차 산업혁명 시대에서 건설 산업이 어떻게 변화하고
혁신될 것인가를 이야기하고 있다.

우리 사회의 화두로 등장한 4차 산업혁명으로 하루가 다르게 변해가는 건설 분야는 향후 어떻게 변화할 것인가? 4차 산업혁명으로 인한 건설 산업의 미래가 어떻게 변할 것인지 건설업에 종사하는 사람들은 누구나 궁금할 것이다. 건설의 역사는 인류의 역사가 계속되는 한 계속될 것이며, 인류의 삶이 지속적으로 변화하는 만큼 건설도 변화해야 할 것이다. 빛의 속도로 다가오고 있는 4차 산업혁명이라는 기술 시대의 변화에 발 맞추어 건설 산업도 새로운 변화가 필요하다.

4차 산업혁명은 우리 사회를 빠르게 변화시키고 있으며, 건설 분야에도 새로운 정보통신기술ICT 등이 적용되어 혁신적인 기술의 변화가 기대되고 있다. 최근에는 산업계의 산업구조, 생산방식, 사회 환경 및 근로 형태 등에서 많은 변화가 일어나고 있다. 이러한 변화와 관련하여 미래 건설업에 관심이 많은 젊은 세대들에게 우리 건설기술의 현재와 미래를 건설공사 단계별로 소개하고, 요즘 모든 산업분야에 핫이슈로 떠오른 '제4차 산업혁명'을 염두에 두고 건설 산업 전체가 지향해야 할 목표와 모습, 건설 산업의 일자리, 인재 양성, 그리고 건설 산업이 다가올 미래에 어떻게 변화하고 혁신될 것인가를 이야기하고자 한다.

건설 산업 발전의 역사

건설회사 종사자들은 근무하다 보면 이곳저곳으로 옮겨 다니다 보니 바다의 사나이들처럼 처지가 비슷하다하여 흔히들 '육지의 마도로스'라고 칭하며, 특히 토목 기술자들은 스스로 '지구를 수술하는 외과의사'라고도 부른다. 필자는 육지의 마도로스로서, 지구를 수술하는 외과의사로서 지난 30년 동안 국내외 건설현장, 정부출연연구원의 연구원, 사립대학교 초빙교수 등 건설 분야의 産·學·硏을 경험하였다. 지나고 보니 남다른 경험을 많이 한 토목기술자라고 생각한다. 특히 열사의 나라 중동국가, 무덥고 습한 동남아 국가에서 근무했던 과거를 생각하면 사계절이 있는 한국은 참으로 복 받은 나라라고 새삼 느끼며 살아가고 있다.

80년대 북아프리카 리비아 건설현장에서는 한국으로 휴가를 간 직원들 편으로 편지나 신문을 전달받았다. 한국에 있는 가족들에게 전화를 하기 위해서 쉬는 날 숙소에서 1시간 이상 차를 타고 사막 오아시스에 있는 우체국으로 달려가서 교환원들에게 스타킹이나 껌 등을 주고 다른 한국인들 보다 먼저 통화할 수 있게 해달라고 부탁하던 시절도 있었다. 그러나 40년이 지난 지금은 대부분의 사람들이 스마트폰과 함께 생활하고 있다. 언제 어디서나 정보를 검색하고, SNS로 실시간 대화를 나누고, 모르는 길을 찾고, 음악과 영상을 즐기며 손안의 인터넷을 쉽게 즐기고 있다. 은행에 갈 필요도 없고 지도를 들고 다닐 필요도 없다. 10년 전에는 상상도 할 수 없었던 모습이다. 앞으로 10년 뒤에는 또 어떻게 변할까? 아마도 지금과는 다른 차원에서의 새로운 미래가 전개될 전망이다.

그렇다면 우리 사회의 화두로 등장한 4차 산업혁명으로 하루가 다르게 변해 가는 건설 분야는 향후 어떻게 변할 것인지 건설업에 종사하는 사람들은 누구나 궁금할 것이다. 건설의 역사는 인류의 역사가 계속되는 한 계속될 것이며, 인류의 삶이 지속적으로 변화하는 만큼 건설도 변화해야 할 것이다. 우리에게 빠른 속도로 다가오고 있는 4차 산업혁

미래의 건설 현장

출처: https://connect.bim360.autodesk.com/top-5-reasons-connect-and-construct-2016

명이라는 기술의 시대가 가져올 변화에서, 건설 산업도 새로운 변화의 시작이 필요하다. 여기서 4차 산업혁명은 2016년 세계경제포럼에서 언급되었으며, 정보통신기술ICT과 각종 산업분야가 융합으로 이루어 낸 혁명 시대를 말한다. 이러한 패러다임의 변화에 건설 산업이 4차 산업혁명이라는 시대의 변화에 적절히 대응하여 생산성의 혁신을 이루어낼 수 있다면, 국내 건설 산업은 새로운 성장 동력을 바탕으로 지속적인 가치를 창출할 수 있을 것이다. 이제는 과거의 건설을 끝내고 새로운 건설의 시작을 준비할 때다. 국내에서 4차 산업혁명은 단순히 첨단 산업의 일환으로 인식된다. 그러나 4차 산업혁명은 과거의 산업혁명처럼 자연스럽게 삶 속에 들어올 수밖에 없으며, 우리의 두뇌를 대신하는 새로운 역할을 수행하게 된다. 건설업에 우리나라가 갖고 있는 풍부한 IT인프라를 적극적으로 활용하면 한국의 경제발전에 견인차 역할을 했던 건설업은 다시 한 번 과거의 영광을 누릴 수 있다고 생각한다. 건설 분야에도 새로운 정보통신기술ICT 등이 적용되어 혁신적인 기술의 변화가 기대되고 있다. 최근에는 산업계의 산업구조, 생산방식, 사회 환경 및 근로 형태 등에서 많은 변화가 일어나고 있다. 이러한 변화와 관련하여 미래 건설업에 관심이 많은 젊은 세대들에게 우리 건설

기술의 현재와 미래를 건설공사 단계별로 알아보고, 요즘 모든 산업분야에 핫이슈로 떠오른 '제4차 산업혁명'을 염두에 두고 건설 산업 전체가 지향해야 할 목표와 모습, 건설 산업의 일자리, 인재 양성, 그리고 건설 산업이 다가올 미래에 어떻게 변화하고 혁신될 것인가를 예견해 본다.

건설 산업의 역사와 현황

국어사전에서 건설建設은 '건물이나 구조물 따위를 지어 세움'으로 정의되어 있다. 인류의 역사와 같이하는 건설의 역사를 고려할 때, 여기서 말하는 건물이나 구조물은 인류의 삶에 필요한 환경을 구성하는데 있어서 중요한 요인이다. 이는 건설과 우리의 삶이 서로 분리될 수 없는 관계를 맺고 있다는 것을 보여주는 것이다. 건설기술은 인류의 탄생과 함께 해온 가장 오랜 역사를 가진 기술이며, 인류가 생존하는 한 영원히 지속되어야 하는 기술이다. 건설기술의 역사적 흔적은 기원전 2500년대의 이집트 피라미드에 나타난 유물에서부터 비롯하여 기원전 200년 전 중국 만리장성 등의 사례에서 그 역사성은 쉽사리 검증된다. 우리나라의 경우에도 백제시대의 백제골로 불리었던 수리시설, 고

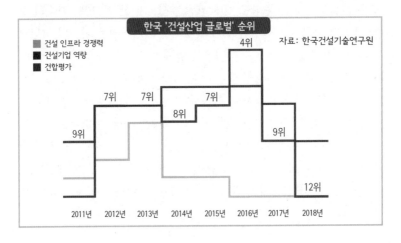

려시대의 천리장성, 조선시대의 한양수도와 수원화성 건설 등이 모두 건설기술의 역사적 업적으로 불리고 있다. 건설 산업은 이러한 건설기술의 축적을 바탕으로 엄청난 잠재력을 지닌 산업이다. 그런데 건설 산업에도 4차 산업혁명이라는 물결 속에서 다양한 융복합 기술들이 빠르게 개발되면서 그런 흐름에 따라 우리 삶의 모습이 바뀌고 있다. 건설 산업의 경제적 가치와 사회적 가치는 매우 높으며 각국에서 건설 산업의 경쟁력을 확보하기 위한 많은 노력이 이루어지고 있다. 고대에서 근대로 또한 근대에서 현대로 넘어오는 과정에서 기술개발과 융복합을 거쳐 건설 산업이 변모했던 것처럼 4차 산업혁명으로 대변되는 지금 시대에도 내용은 다를지언정 유사한 변화가 일어나고 있다. 따라서 지금이 현재의 건설 산업의 현황을 짚어보고 전반적인 기술발전의 방향을 생각해 볼 좋은 시점이 아닌가 생각된다.

동아건설산업(주)이 1980년대 북아프리카 리비아 대수로 공사 수주 이후 성장을 거듭해오던 한국 건설 산업이 최근 가파르게 후퇴하고 있다. 언론을 통하여 살펴보면 최근 건설 산업의 여건이 좋지 않다는 것을 알 수 있다. 한국건설기술연구원의 '건설 산업의 글로벌 경쟁력 평가를 통한 해외건설 빅 이슈 개발Ⅲ' 보고서에 의하면 우리나라 건설 인프라 경쟁력은 2018년 기준 20개 국가 중 12위를 기록했다.(2016년 6위, 2017년 9위) 이처럼 건설 산업은 사양 산업으로 인식되어 전반적으로 투자가 감소하고 있고, 대외적으로는 기술경쟁력의 비교열위로 인하여 수주 및 수익성 개선에 어려움을 겪고

리비아 대수로공사

있다. 사회적으로는 재래 산업 혹은 불공정 산업이라는 부정정인 인식으로 인해 새로운 기술자 및 기능 인력의 유입이 부족하여 산업의 지속 가능성이 위협받고 있다. 최저 임금제 및 52시간 근무제 등의 환경 변화에 취약해 이러한 상황은 더욱 악화될 것으로 예상된다. 실제로 필자가 얼마 전 쿠웨이트 건설현장을 방문한 적이 있었는데, 주 52시간 근무제로 직원들의 정기 휴가기간이 당초 4개월에서 3개월의 주기로 당겨져서 공사 기간을 맞추는데 애로 사항이 많다는 이야기를 들었다. 당면한 위기를 극복하기 위해 건설 산업을 단기간에 혁신하는 것은 그리 쉬운 것은 아니다. 건설 산업은 대규모의 목적물을 분산된 전문적 참여자들의 협업에 의해 생산하는 방식에 기반하고 있으며, 법과 제도 내에서 생산 활동이 이루어지게 된다. 이러한 특성으로 인해 상대적으로 기술개발을 통한 변화의 속도가 더디고, 생산시스템의 혁신 또한 어렵다. 그 결과 지난 25년간 전 세계적으로 제조업의 생산성은 40% 이상 향상되었으나, 건설 산업의 생산성은 현상유지 혹은 감소한 것으로 나타났다. 건설업계가 프로젝트 수주산업이라는 제한적인 한계를 극복하지 못한다면 앞으로도 지속적인 발전이 어려운 현실에 직면하게 될 것이다. 하지만 건설 산업계가 전략적인 사업계획을 수정하여 4차 산업혁명의 흐름에 보다 적극적으로 대응한다면 미래의 많은 불확실성을 제거할 수 있을 것이다.

4차 산업혁명 시대의 건설 산업

한국의 전체적인 상황은 일본의 상황과 상당히 비슷하다. 일본은 2010년 1억 2,806만 명을 정점으로 저 출산으로 인한 인구 감소가 시작되어 최근에는 고령화 문제가 심각하다. 여기에 연애를 포기하는 세대의 등장은 그 심각성을 심화시키고 있다. 일본은 건설시장의 고령화 등에 대한 문제를 완전히 해결하지 못했지만 경제성장이 지속될 것으로 보고 이에 대한 대처를 실시하고 있다. 지금 우리나라가 겪는 건설

업 문제도 마찬가지라고 생각한다. 우리 건설업이 처한 위기를 일본은
어떻게 해결했는지 살펴보면 우리 건설업이 나가야할 길이 보인다. 그
러나 우리는 일본의 경우를 타산지석으로 삼아 타당성이 검증되지 않
은 각종 건설 사업에 돈을 쏟아 붓다 오히려 '잃어버린 10년'을 만든
일본의 실패를 되풀이하지 않아야 한다. 일본의 건설업은 꾸준히 투
자를 늘려가며 맞은 호황을 인력 부족이라는 덜미에 잡히지 않으려 4
차 산업혁명을 건설업에 접목하여 약 20개의 프로젝트를 추진하고 있
다. 이를 통해 측량, 시공 및 검사 부분에서 정보통신기술ICT을 활용하
고 건설자동화와 관련해 수많은 자본을 투입하였다. 또한 공공은 물론
이고 민간에도 투자를 독려했고 1년간 약 2조 1000억 원의 연구개발
비를 투입하였다. 그 결과 민간에서는 산업용 로봇 분야의 획기적인 건
설장비들이 개발되어 건설현장에 투입되기 시작하였다. 생산성 향상
에 따른 안전사고에 대한 위험이 줄고 공사비용은 획기적으로 감소하
니 자연스럽게 건설현장 근무시간이 정확하게 지켜지게 되었다. 그리
고 젊은 세대에게 익숙한 기술이 건설업에 융합되어 최근에는 젊은 세
대들이 건설 분야에 관심을 가지고 참여하기 시작하였으며 여성 인력
도 등장하였다. 그러나 동일본 대지진의 복구사업과 2020년 도쿄올림
픽에 따른 인프라 시설물의 정비 등의 일시적인 건설경기의 활황이 끝
나면 일본의 건설 시장은 다시 점차 하락할 것으로 예상된다.

최근 건설 분야에서는 세계 각국에서 경쟁적으로 4차 산업혁명 관
련 기술을 도입하고 이를 적용하기 위해 노력하고 있다. 세계경제포럼

World Economic Forum 5에서는 사전조립 및 모듈공법, 고성능 건설자재, 3D 프린팅 및 제작기술, 건설자동화, VR 및 AR 적용 기술, 빅데이터 및 예측기술, 무선통신장비, 클라우드 및 실시간 협업기술, 3D스캐닝 및 사진측량법, BIM 기술 등을 미래 건설 산업을 이끌 기술로 선정하였다. 또한, 해당 기술들은 점차적으로 건설 산업에 도입되어 인프라, 건축물 등의 설계, 시공, 운영 및 유지되는 방식을 변경할 것으로 전망하였으며, 10년 이내에 본격적인 디지털화로 연간 1조~1조 7천만 달러를 절약할 수 있을 것으로 예상했다. 여기서 BIM[Building Information Modeling, 빌딩 정보 모델링]은 초기 개념설계에서 유지관리단계에 까지 건물(프로젝트)의 전 수명주기 동안 다양한 분야에서 적용되는 모든 정보를 생산하고 관리하는 기술이라 할 수 있다.

국내에서도 4차 산업혁명에 대한 관심이 높다. 기업들은 BIM, 드론, IoT 등의 기술을 도입하고자 적극적으로 노력하고 있으며, 정부에서도 6차 건설기술진흥 기본계획의 주요전략 중 하나로 '4차 산업혁명에 대응하는 기술개발'을 발표하였다. 그 내용을 들여다 보면 분야 간 융복합을 통한 경쟁력 강화, 스마트 건설기술을 통한 생산성 향상, 건설 빅데이터 유통을 통한 신사업 육성, 해외 수요 대응형 건설기술 개발, 건설의 안전·환경 관리를 중점 추진과제로 제시하고 있다. 4차 산업혁명이라는 명분이 아니더라도 현재 건설 산업의 어려움을 극복하기 위한 전방위적인 노력은 필요하리라 생각된다. 한국건설기술연구원의 건설기술경쟁력 보고서에서 "우리나라가 해외 건설 산업 수주에서 후발주자들의 저가공세에 따른 가격 경쟁과 선진국들과의 기술 경쟁 사이에서 이중고를 겪고 있다고 진단하고 있다. 이를 해결하기 위해서는 차별화된 전략과 품질, 안전, 건설사업 관리역량 강화가 필요하다. 4차 산업혁명 시대에 대응하기 위해 스마트건설 기술을 개발하고 단순 시공을 탈피해 투자개발형 사업으로 전환함으로써 새로운 먹거리 창출에 나서야 한다."라는 지적을 하였다. 건설 산업에서도 애플과 아마존의 사례와 같은 기술의 융복합을 통한 혁신이 필요하다.

　기업에서는 스스로의 경쟁력을 높이기 위한 기술 개발이 전제되어야 한다. 4차 산업혁명 관련 기술들을 적극적으로 도입하여 융합적 기술을 개발하고 새로운 비즈니스 모델을 창출하여야 한다. 아쉽게도 국내의 건설관련 기업 중 4차 산업혁명의 성공 사례는 아직 없다. 최근에 국내 S건설회사의 경우에는 미국의 실리콘 벨리의 빅데이터 개발 업체들과 업무협약을 하여 전사 차원에서 분야별 데이터관리에서 인공지능 개발 및 업무 적용을 목표로 진행 중에 있다. 4차 산업혁명을 성공적으로 이루기 위한 필수조건은 우수한 핵심인력의 보유일 것이다. 기존의 값싼 노동력을 바탕으로 제조분야를 유치하여 자본을 축적하고 기술을 모방하여 발전하던 성장 모델은 더 이상 작동하지 않을 것이다. 기업들은 대학 및 연구기관 등과 연계하여 4차 산업혁명을 이끌 수 있는 핵심인력 양성을 위한 노력이 필요하다.

　정부와 공공기관에서는 급속하게 변화하는 사회와 산업에 대처할 수 있는 정책과 제도의 생태계를 조성하는 것이 필요하다. 새로운 기술과 제품이 등장하면 이에 대해 정책과 제도를 마련하던 기존의 방식으로는 4차 산업혁명 시대의 발전 속도와 다양성을 감당하기 어렵다. 사회와 산업의 변화에 민첩하게 대처할 수 있는 생태계 및 시스템을 마련하여 유연하고 효과적으로 대응할 수 있어야 한다.

　한국 건설 산업의 법과 제도는 4차 산업혁명을 맞이하였지만 산업화 초창기 때와 달라진 게 별로 없으며 국제 기준과도 거리가 멀다. 건설의 생산성도 오랫동안 정체되었고 국가적 또는 산업적 차원에서 생산성 혁신을 추진한 적도 없다. 그리고 건설업체는 오랫동안 공사 수주를 위한 입찰과정에서의 담합과 덤핑의 굴레를 벗어나지 못하고 있다. 또한 건설인력과 문화는 새로운 변화에 대한 적응을 하지 못하고 있는 실정이다. 그렇다면 새로운 시대로 나아가기 위한 국내 건설 산업의 방향은 무엇일까? 한발 앞선 글로벌 건설 산업의 변화는 혁신적인 창업 기업이 급증하고, 건설 산업의 디지털 전환이 이루어지고 있다. 그리고 스마트 디지털 기술은 이미 건설 프로세스를 바꾸고 있으며 건설현장의 자동화를 급속하게 진전시키고 있다. 또한 건설현장에서 시공보다는 공장 제작이나 조립 방식이 점점 더 확산되고 있다. 모든 건설 결과물은 스마트 시티나 스마트 인프라처럼 스마트 상품으로 바뀌고 있으며, 새로운 시공과정의 변화와 기술의 도입은 구매조달이나 계약제도의 혁신으로 건설사업 참여자의 협력 문화가 확산되고 있다. 더 나아가 새로운 사업과 비즈니스 모델이 확산되고 있으며, 공통의 플랫폼BIM이 널리 활용되고 있다. 여기서 플랫폼은 본래 기차 정거장을 의미하는데 현재는 많은 이용자가 이용하는 컴퓨터 프로그램이나 모바일 앱, 웹사이트 등을 통칭한다. 또한 인공지능이나 자동화 및 건설로봇 활용으로 단순하고 반복된 작업의 건설 일자리는 줄어들 것이지만, 전체적으로는 급속한 기술발전과 경제성장으로 인하여 더 많은 건설투자와 건설 일자리의 창출이 이루어질 것이다.

건설 산업의 현재와 미래

건설 산업의 변화와 혁신에서 계획·설계단계, 시공단계, 유지관리 단계에 대한 우리 건설기술의 현재와 미래를 살펴보자. 첫 번째로 현재 계획단계에서 정보 취득은 측량장비로 사람이 측정하고, 측정 자료를 바탕으로 2D 지형도를 작성한다. 따라서 인력과 시간이 많이 소요되며 토공사의 정확한 물량산정이 어렵다. 필자가 80년대 초반에 학교를 졸업하고 신규 건설 현장에 부임하였을 때는 가설 현장 사무실이 없어서 여관방에서 숙박을 하며 업무를 수행하였다. 밥상 위에 실시설계 도면을 올려놓고 콘크리트 물량 산출, 철근 물량 산출 등 내업을 하면서 현장에 나가서는 수준점bench mark으로부터 임시수준점臨時水準點을 끌어오는 측량 작업의 보조 업무를 하였다. 그러나 최근에는 카메라를 탑재한 드론으로 지형을 촬영한 후에 3차원 지형데이터를 도출하여 넓은 현장의 지형정보를 신속하고 정확하게 구축하여 설계의 생산성이 향상되

인력중심 현장측량   2D 지형도   드론 활용 자동측량   3차원 지형 모델링

었다. 또한 이 기술을 극한지, 재난지역 등 사람이 접근하기 어려운 지역에 대한 현장 조사에 적용하고 있다.

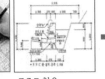

2D 도면설계   표준도 활용   3차원 BIM 설계   AI기반 설계자동화

현재 설계분야에 있어서는 설계자가 컴퓨터를 사용해 설계하는 시스템을 이용하여 대량의 2D CAD^Computer Aided Design 도면을 작성하는데, 결과의 직관적인 확인이 어려워 설계오류 및 변경이 빈번하고 작업이 과다하다. 그리고 시설물의 형태만 나타나 있어 유지관리 단계에서의 활용이 제한적이다. 그러나 미래의 설계는 인공지능^AI을 이용한 설계자동화를 통하여 설계오류로 인한 시공 시행착오가 줄어들고, 목적물과 같은 3차원 모델^BIM의 구축이 가능하고, 공사비 절감 및 품질 향상이 될 것이다. 그리고 설계의 자동화로 설계 생산성이 향상될 것이며, 다양한 정보들을 형상에 입력하여 건설과정 전 단계의 플랫폼으로 활용할 것이다.

두 번째로 시공단계의 건설기계 운용분야이다. 현재는 건설장비의 운전자가 육안으로 판단하고 수동으로 조작함에 따라서 운전자의 숙련도 부족 또는 장비간의 연계 미흡으로 인해 장비의 과다투입이나 안전사고가 발생된다. 최근에는 중국 상하이에서 약 880km 떨어진 두산인프라코어 인천공장에 있는 28t 대형 굴착기가 원격으로 작동되었다.

운전자 수동 조작·시공　　　운전 자동화　　　AI 기반 건설기계 관제

실제 장비로 국가 간의 초장거리 건설기계의 원격 제어가 이루어진 사례이다. 미래에는 자동화 건설기계가 인공지능의 관제에 따라 자율 주행, 시공의 작업 최적화로 생산성을 향상시키고, 인적 위험요인의 최소화로 안정성을 향상시킬 것이다.

　현재 시설 구축분야에서는 건설현장에서 거푸집, 동바리, 철근 등을 설치하고 콘크리트를 타설한 후 양생하는데, 미래에는 공장에서 모듈을 생산하여 현장에서 조립하고, 비정형 모듈은 3D프린터 출력으로 공사기간 및 비용을 획기적으로 감축할 수 있을 것이며, 현장주변 교통 혼합, 환경피해를 최소화할 수 있을 것이다.

현장 콘크리트 타설　　　공장 모듈 제작　　　현장 조립시공 자동화　　　3D 프린팅

　현재 국내에서는 미래의 달 신도시 건설을 위한 미국 항공우주국 NASA 프로젝트에 한국건설기술연구원이 참여하여 원격으로 제어되는 3D 프린터를 이용하여 달 기지건설 프로젝트가 수행 중에 있다. 현장 작업 위주의 건설은 가까운 미래에 3D 프린터와 로봇을 이용한 자동화된 건설작업으로 이루어질 것으로 기대가 되며, 건설업의 생산성, 품질 및 안전 등 여러 가지 분야에서 획기적으로 발전하게 될 것이다.

　현재 건설공사 현장의 안전관리분야에서는 안전 관리자가 안전관리의 지침에 따라 현장의 위험 요소 제거, 근로자의 불완전한 작업 점검

3D 프린터를 이용한 건축공사

3D 프린터를 이용한 달 기지 건설

및 안전교육을 실시한다. 최근에는 드론을 이용하여 현장 건설자재 정리정돈 상태, 근로자 안전모 착용을 확인하고 있다. 미래에는 장비, 근로자의 위치를 실시간으로 파악하고, 안전 정보를 즉시 제공하여 위험지역에 접근 시에 경고를 하거나, 장비, 근로자의 충돌에 대한 경고 등의 예측형 사고를 예방할 것이다.

인력중심 안전관리

가상체험 안전교육

ICT를 통한 안전관리

세 번째로 유지관리 단계의 시설물 점검, 진단분야이다. 현재 육안관측 등으로 인력중심의 점검과 진단이 수행되어 시간과 인력이 많이 소요된다. 노후시설이 급격히 증가함에 따라서 앞으로 시설안전관리에 차질이 발생할 우려가 있다. 그러나 미래에는 IoT 센서, 감지 카메라로 실시간 모니터링, 로봇으로 자동 점검이나 진단이 이루어져 정밀하고 신속한 시설물 점검과 진단이 이뤄지고 접근이 어려운 시설물에 대한 점검, 진단도 용이하게 될 것이다. 예를 들면 도심지 도로 함몰에 대한 사전경보를 SNS로 통보하여 사고예방에 적용될 것이다.

또한 시설물 관리 정보시스템분야에서는 현재 기능이 제한적인 유지관리시스템을 운영하여 관리 주체별로 주로 유지관리의 이력 저장 및 안전점검 진단결과 등의 용도로 사용하고 있다. 다가오는 미래에는 시

| 인력중심 시설물 점검 | 초연결형 센서 정보수집 | 로보틱 드론의 시설점검 |

설물 정보를 빅데이터에 축적하여 인공지능으로 관리 및 최적화하여 실제 시설물과 동일한 3차원 모델을 구축하고, 이를 통한 다양한 재난 상황을 모의실험하여 시설물의 영향을 사전에 파악할 것이다. 그리고 예방적 유지관리를 통해 시설물의 수명 연장 및 유지관리비용 절감을 할 수 있으며, 시설물 단위의 디지털 트윈Digital Twin이 모인 가상도시, 국토로 시스템의 확장이 가능할 것이다. 여기서, 미국의 GE사가 만든 디지털 트윈이란 실제 물리적인 물체 및 시스템을 가상의 디지털 세계에 그대로 재현하는 방식의 복제를 의미한다. '디지털 쌍둥이'라고도 불리는 이 기술은 정보기술 연구 및 자문회사인 미국 가트너Gartner사의 '2018년 미래 유망 10대 기술'에도 선정되었다.

4차 산업혁명과 스마트건설

국내 건설 산업은 대한민국 경제발전의 성장 동력으로 수많은 일자리 창출을 제공하였으며, 타 산업이 고도 성장할 수 있는 국가 사회간접자본SOC 인프라건설 및 유지관리 업무를 묵묵히 수행함으로 국가경제 성장의 밑바탕이 되었다. 또한 건설 산업은 1970~80년대 중동건설시장에 진출해서 많은 외화를 벌어 산업 자본의 형성 및 중화학 공업 발전에 크게 기여하여 대한민국이 지금과 같은 선진국의 반열에 올라서는 주춧돌이 되었다. 하지만 최근 국내 건설 산업은 대형 SOC 확충이 마무리되면서 투자가 지속적으로 감소하는 저성장 시대에 접어들었으며, 해외 주력건설시장(중동)이 급속하게 감소하면서 국내 건설사 및 유관산업이 어려움을 겪고 있다. 그리고 조용하지만 빠른 속도로 다가오는 있는 4차 산업혁명은 국내 건설 산업이 지속적으로 성장할 수 있는 기회를 제공하지만, 한 시대 사람들의 견해나 사고를 지배하고 있는 이론적 틀이나 개념의 집합체를 뜻하는 패러다임에 뒤처지면서 국내 건설 산업의 경쟁력은 후퇴하여 산업의 기반이 파괴될 우려를 안고 있다.

이상호 한국건설산업 연구원장은 그의 저서 『4차 산업혁명과 건설 산업의 미래』에서 4차 산업혁명은 건설 산업의 위기이자 기회이며, 한국 건설 산업을 빗대어 '갈라파고스 증후군Galapagos Syndrome'을 앓고 있다고 말하였다. 그리고 한국의 건설 산업이 '갈라파고스 증후군'을 벗어나려면 글로벌 건설 산업의 변화와 보조를 맞추어야 한다고 말하였다. 전 세계적으로 건설 산업이 이산적 데이터가 아닌 디지털 형식으로 표현하는 디지털화가 가장 뒤처진 산업이지만, 반대로 그렇기 때문에 한국의 건설 산업은 조금만 더 디지털화 하면 생산성을 올리는데 가능성이 커질 수 있다는 것이다. 건설 산업은 산업화 초창기의 분업과 전문화라는 낡은 패러다임에서 벗어나, 융합이라는 4차 산업혁명의 새로운 패러다임을 수용해야 한다. 그러나 스마트 디지털 기술의 도입만으로 새로운 패러다임의 수용은 가능하지 않다. 총체적인 산업구조의 혁신이 뒷받침되어야 도태되지 않고 더 높은 생산성에서의 혁명을 기대할 수 있기 때문이다.

선진국은 건설부문 측량, 시공 등에 있어 'I-Construction'을 선정해 이미 기술개발과 법제화까지 완료했다. 반면 한국 건설업은 4차 산업혁명과 관련해 정부주도로 R&D를 수행 중이나, 이슈나 이벤트에 그치고 있다. 조훈희 고려대 교수는 미국, 유럽 등 선진국은 이미 건설현장에서 '스마트건설' 즉 4차 산업혁명이 상용화되고 있다고 강조했다. IoT와 연결해 중장비를 움직이고, 드론을 띄워 무인카메라로 현장상황을 사무실에서 확인한다. 선진국 건설시장에는 이미 4차 산업혁명이 시작되었다. 타 산업으로부터 건설 분야로 진입하는 사례가 늘어나고 있다. 경기불황 여파가 큰 건설업도 철저하게 대비해야 한다. 사물인터넷, 드론, 인공지능 등과의 융복합으로 건설 분야의 새로운 부가가치를 창출해야 한다. 4차 산업혁명을 통해 건설 산업의 일자리가 늘어날 것으로 예상하기는 힘든 상황이다. 반면 관련기업들은 기술의 융복합을 통해 수익성을 높일 수는 있다고 진단하고 있다. 다만 전문가들은 4차 산업혁명에 대한 기술적 접근도 중요하지만 선진국처럼 건설 산업을 복지 산업으로 인식하는 문화가 조성되어야 한다는 입장이다. 건설 산업의 생산성 향상과 새로운 건설상품과 서비스의 제공을 통한 사회적·경제적·환경적 문제를 해결하는 것이다. 인공지능, 사물인터넷, 로봇기술 등과 같은 4차 산업혁명의 핵심 기술들을 효율적으로 접목하는 것이 필요하다.

급변하는 한반도 정세와 맞물려 대한민국의 건설 산업은 2016년 제46차 세계경제포럼World Economic Forum, 다보스포럼 총회의 핵심 주제인 '제4차 산업혁명의 이해'에서부터 시작된 스마트 건설이라는 새로운 바람이 불고 있다. 4차 산업혁명에 관한 정보는 수많은 매체와 정보의 홍수 속에 살고 있는 건설 기술인들이라면 잘 알고 있을 것이다. 흔히 디지털 혁명인 3차 산업 혁명을 기반으로 4차 산업혁명이 창조되고 발전되었다고 말하며, '초연결성', '초지능화'를 통한 모든 것이 상호 연결되어 보다 지능화된 사회로의 변모를 목표로 하고 있다.

스마트건설은 건설 산업에 첨단 ICT기술을 융합한 첨단의 기술이다. 스마트건설은 기존 국내 건설의 경험 의존적 방식에서 4차 산업혁명에 부합하는 디지털 첨단 산업의 방식으로 전환, 다양한 기술의 초연결, 정보 공유, 각 분야 간 초지능화를 통한 새로운 가치창출, 생산성 및 안전성 개선 등을 바탕으로 세계건설기술 경쟁력 확보에 힘써야 할 것이다.

건설 산업의 혁신 프레임워크

산업분야에서 지난 50년간 생산성이 하락한 거의 유일한 산업이 건설 산업이다. 국내 건설 산업의 경우 맥킨지 글로벌 연구소의 자료에 의하면 지난 20년 간 경제성장률과 경제규모에 대비한 건설 산업의 노동생산성이 조사 대상 국가 41개국 중 40위로 타 산업에 비해 매우 뒤쳐지고 있는 것으로 보고되고 있다.[1]

다른 대부분의 산업은 지난 수십 년 동안 자동화 및 IT 기술에 의한 정보화 혁명으로 상당한 수준의 생산성 향상을 이뤘지만, 건설 시공 및 엔지니어링 부문은 일부 자동화가 이루어졌으나, 기존의 생산 방식에서 크게 벗어나지 못하고 있다. 이는 다양한 형태의 건설 현장, 생산 조건과 복잡한 생산방식, 표준화된 지식체계 구축의 어려움, 기술 인력의 노령화 등에 원인이 있다고 볼 수 있다. 또한 건설 생산성이 증가 하지 않는 원인으로는 첨단기술의 개발 및 적용이 건설 프로젝트의 단기적인 성과에 큰 영향을 주지 않는 점, 건설생산 체계상 표준화의 어려움, 프로젝트 모니터링을 통한 데이터 수집의 어려움, 설계사·시공사·자재 및 장비 업자 등 관계자들 간의 장기적인 협력관계가 어려운 조달구조, 보수적인 건설 산업의 문화에 첨산기술과 인재의 도입이 어려움 점 등을 꼽을 수 있다. 이러한 어려움에도 불구하고 건설 산업은 다른 산업 분야보다 단위 프로젝트의 기간과 비용이 매우 크고, 4차 산업혁명을 통한 생산성의 혁신이 요구되는 분야이며 이를 통해 크게 가치를 창출할 수 있는 분야이다.

세계경제포럼에서의 2016년 건설 산업의 미래 전망 보고서에서는 기업, 산업, 정부차원에서의 건설 산업의 혁신 프레임워크를 다음과 같이 제시하였다. 우선 기업 차원에서는 기술, 건설재료, 도구의 혁신, 절차와 운영의 혁신, 전략과 사업모델의 혁신, 인력·조직의 문화적 혁신

1] McKinsey Global Institute (2017), Reinventing Construction: A Route to Higher Productivity

을 중심으로 전략을 제시하였으며, 산업 차원에서는 타 산업과의 협력 및 공동 마케팅을 구축하고 있으며, 정부 차원에서는 정책 및 규제의 개선, 혁신적인 조달체계의 구축 등을 제안하였다. 기업 차원의 혁신 초기에는 4차 산업혁명 관련 요소기술인 IT 기술 표준화와 빅 데이터 적용, 사전제작 생산 시스템의 채택, 공급사슬관리 중심의 프로세스, 비즈니스모델 혁신 등을 강조하고 있다. 산업 차원에서는 혁신 기술에 관한 업계 표준의 상호 동의와 가치사슬에 따른 산업간 협력의 필요성을 정부 차원에서 규제 개혁, R&D 및 기술도입과 지원의 역할을 강조하고 있다.

또한 건설 산업의 가치사슬에서 다양한 디지털 첨단 기술들의 적용을 혁신과 변화의 핵심으로 보고 있다. 빅 데이터 분석, 가상현실을 이용한 시뮬레이션, 모바일 인터페이스와 증강현실 등을 이용한 설계·시공·운영 등에 관련된 인터페이스 강화를 제시하고 있다. 소프트웨어 플랫폼과 디지털 통합 측면에서는 유비쿼터스, 3D 프린팅, 무인항공기(드론), 매립 센서 등의 디지털 기술을 적용하여 건설 프로세스의 개선에 도움을 줄 것으로 예상하고 있다. 세계경제포럼의 건설 산업 혁신 프레임워크는 4차 산업혁명 시대에 건설 산업의 나아갈 방향을 제시해주고 있다. 이미 자동차 등의 제조업 분야는 혁신적인 변화를 통하여 디지털화를 겪고 있다. 건설 산업도 역시 이러한 변화를 얼마나 적극적이고 효율적으로 수용하는가에 따라서 수익의 창출은 물론이고 기업의 생존 여부가 달려있다고 할 수 있다.

기술혁신이 촉발할 건설 산업의 미래

BIM 자동 설계 / 가상현실(VR) 모델링 / 건설부재 3D 프린팅 / 건설 로봇 조립, 시공 / 드론으로 유지관리

건설 기술자의 인재 양성

요즘 미래 산업을 선도할 창의적 인재양성을 위한 공과대학의 교육 혁신에 대해 말들이 많다. 왜 이리 공학교육이 심각한 수준에 이른 것일까? 아마 공학교육이 이론에 치우치고 '실질적인 일에 나아가 옳음을 구한다.'는 실사구시實事求是가 제대로 이행되지 않고 점점 산업현장과 멀어져 가고 있기 때문인 듯하다. 한국은 경제협력개발기구OECD 국가 중에 공대 배출자가 제일 많다. 4년제 공대 졸업생만 매년 6만 9천 명이 배출되며, 인구 1만 명당 공대졸업생은 영국과 독일의 2배, 미국의 3배인 10.9명에 이른다. 그런데 스위스 국제경영개발연구원IMD 평가를 보면 유능한 엔지니어의 배출 수준은 23위에 머무른다. 산업화 시대에 팽창되었던 공대가 새로운 역할을 정립하지 못하면서 사면초가에 이르고 있는 듯하다. 공학교육 중에서도 토목이나 건축 등 건설 분야 교육은 상황이 더 심각해 보인다. 국토교통부의 건설기술인력수급전망 보고서를 보면, 2012년 기준으로 건설기술인력의 총수는 67만여 명에 이르며 이중 재직자는 약 49만 명으로 취업률은 72.9% 정도다. 10년 전에 비해 전체 취업률이 10.2% 포인트나 감소하였고, 건설 산업이 사양의 길로 접어들었음에도 불구하고 전국 4년제 대학에서만 건설관련 학과에서 매년 1만 명이 배출되고 있다. 해외건설이나 남북통일과 같이 기술 인력의 수요가 늘어날 가능성은 있지만, 보수적으로 현추세를 볼 때 2020년에 이르면 약 21만 정도의 기술자가 초과 공급될 것이라고 한다.

상황이 이렇다 보니 취업은 점점 어려워지고 젊은 건설인들은 방황하고 있다. 꿈을 찾지 못해 학과를 옮기거나 상대적으로 안정된 공무원 또는 고시로 몰려드는 젊은 건설인들이 늘어나고 있다. 실례로 한국교육개발원이 발표한 대학졸업생의 취업률만을 놓고 보면 2014년 기준 공학계열 취업률은 65.6%에 이르지만 토목공학 취업률은 56.9%, 건축공학 관련 취업률은 64.8%로 공학계열 평균 취업률보다 낮은 수준이다. 특히 토목공학과 취업률은 2009년 72.9%를 기록한 이후 2011년부터는 계속 60% 아래로 떨어지고 있다. 이렇듯 건설 분야 인력수급의 불균형 및 이로 인한 취업률 하락이 매우 심각한 상황인데도 이에 대한 문제를 해결하려는 노력은 여전히 부족하다. 이로 인해 미래 지향적인 교육시스템의 구축보다는 과거의 산업구조에 기초한 '인력 밀어내기 식'의 틀에서 크게 벗어나지 못하고 있다는 비판을 많이 받고 있는 실정이다. 여기서 또 한 가지 짚고 넘어가야 할 점은, 건설 산업에 대한 인식구조 및 불균형 성장에 대한 우려가 실제 교육현장에서 심각하게 발생하고 있다는 점이다.

건설 엔지니어링사와 시공사 간의 취업 양극화 현상이 심해지고 있다는 것은 많이 알려진 사실이다. 최근 한국건설산업연구원의 업태별 취업자 분포를 보면 종합건설업의 비중이 50%로 가장 높게 나타나고 뒤를 이어 전문건설업 32%, 건축사사무소 10%, 엔지니어링 사업자 8% 순으로 시공사와 엔지니어링사 간 기술자의 수에서 큰 차이가 있다. 엔지니어링과 시공 기술자 처우에 대한 인식으로 인하여 취업 준비생들의 선호도 역시 큰 차이를 보이고 있다. 여러 통계와 특정대학의 사례를 보면 우리나라는 국가 핵심기반산업이라는 건설의 위상이 매우 떨어지고 있는 실정이다. 그러다보니 건설 산업에 대한 부정적 전망으로 젊은 세대의 학과전환, 공무원 혹은 고시 준비를 위한 자발적 미취업이 증가하고 있음을 알 수 있다. 이러한 젊은 세대를 어떻게 바로 잡아야 하는지는 어려운 문제이다. 그러나 우리에겐 여전히 희망이 있으며 기회도 열려 있다고 생각한다.

대학교육을 개혁한다는 것은 대단히 어려운 일이다. 이것은 대학만의 노력으로 되는 것이 아니라, 많은 사회시스템이 변화하여야만 달성할 수 있는 지극히 어려운 일이며 장기간이 소요되는 국가적 과제이다. 최근의 사회여건 변화와 글로벌화 추세, 기후 변화를 반영한 지속가능

지식체계 공급 등에 능동적으로 대응하면서 기업이 요구하는 실무형 교육내용을 공급할 수 있도록 대학교육을 혁신하여야 한다. 그러기 위해서는 교과과정의 개편, 산-학 협력체계, 학교와 학교간의 협력, 관-산-학-연 협력체계의 구축, 특성화 교육, 교육 및 산학중심 교수평가제도 등을 획기적으로 개선하여야 하는데 이들을 각각 따로 진행하는 것이 아니라 유기적으로 동시에 진행해야만 한다. 건설 산업이 국가 핵심기반산업으로 인정받을 수 있도록 여건이 조성되어야함은 두말할 필요가 없다. 여전히 홍콩이나 싱가포르 등의 국가에서는 건설관련 학과가 의대 못지않게 높은 인기를 누리고 있다고 한다. 그러나 해외건설 수주 세계 5위에 해당하는 우리의 건설 산업은 비자금 조성의 도구로 또는 정치적으로도 악용되는 폐습이 되풀이 되어왔다. 건설교육은 국가 기반산업으로서 우수한 학생들이 지원할 수 있도록 사회적 시스템 구축 등의 제도적 뒷받침이 필요하다. 또한 대학은 창의적 인재의 공급원이 되도록 그 위상과 역할을 재정립하는 것이 필요하다. 젊은 세대가 꿈을 잃어버리면 우리 건설 산업의 미래도 없기 때문이다.

4차 산업혁명에서 가장 중요한 것은 이를 수행할 인재이며, 정부, 학계 및 산업계에서는 4차 산업혁명 인재 양성을 적극적으로 지원하여야 한다. 4차 산업혁명이 고도화될수록 다양한 분야의 인재가 요구되며, 이는 다른 산업과의 인재경쟁으로 이어질 수 있다. 건설기술인들은 시대 변화에 발맞춰서 친환경, 건설융복합, 해외건설에 대한 교육수요가 크다고 한다. 따라서 국가차원에서 건설 산업의 4차 산업혁명을 선도할 수 있는 인력양성 및 확보 방안의 수립이 이뤄져야 할 것이다. 위와 같은 학계, 연구계, 산업계 및 정부의 노력이 시너지를 발휘하면 국내 건설 산업은 1980년대 국내산업 발전의 중추적인 역할을 수행하였듯이 21세기 미래 먹거리를 제공하여 대한민국이 지속적인 성장할 수 있는 산업이 될 수 있을 것이다.

맺는말

4차 산업혁명은 우리 사회를 빠르게 변화시키고 있으며, 건설 산업에서도 역시 새로운 기술의 적극적인 수용을 통해 이에 대응하기 위해 노력하고 있다. 새로운 기술, 재료 및 도구의 적용은 생산성을 향상시키고 공기를 단축시킬 뿐만 아니라, 구조물의 품질을 향상시키고 작업 조건 및 안전·환경적 측면의 개선에도 기여한다. 빅데이터 기술 등을 통한 지식의 활용으로 프로세스 및 운영의 개선에 의한 시간 및 비용을 획기적으로 절감할 수 있을 것이다. 지금까지 4차 산업혁명 시대에서 건설 산업이 어떻게 변화할 것인가에 대하여 건설 산업 전체가 지향해야 할 목표와 모습, 건설 산업의 일자리, 인재 양성, 그리고 건설 산업이 다가올 미래에 어떻게 변화하고 혁신될 것인가를 살펴보았다.

도전의식은 주어진 여건을 극복하고 우리가 설정한 수행 목표달성을 위한 노력이다. 이러한 도전의식이 없을 때 우리는 그 사람의 미래가 사라진다고 한다. 끝이 보이지 않는 도전의 길을 찾아서 본인이 이루고자 세운 목표를 향하여 포기하지 않고 열심히 노력하면 꿈은 이루어진다고 생각한다. 기술자는 영어는 물론이고 자기 관심분야에서 전문 기술자가 되도록 꾸준히 공부하고 노력한다면 나이가 들어서 그것이 자산이 될 것이라 생각한다. 특히 4차 산업혁명과 관련된 스마트 건설기술 분야의 공부를 권하고 싶다.

4차 산업혁명의 시대에서는 아이디어만으로도 엄청난 부를 축적할 수 있으며 새로운 직업을 창출할 수 있다. 건설 기술자라는 빛바랜 이름의 패자로 남을 것인가, 아니면 승자로 거듭나 시장을 끌어갈 것인가, 이 차이를 만들어 내는 것은 바로 당신의 몫이다.

현대 경영학의 아버지로 불리는 미국의 경영학자인 피터 드러커는

"미래를 예측하는 가장 훌륭한 방법은 바로 직접 미래를 창조하는 것이다"라고 하였다. 우리는 직접 미래를 만들어 나가야한다. 4차 산업혁명의 미래 건설 산업의 주역이 되길 응원한다!

Supply Chain으로
미래경영을 열다

글_ 최종화

최종화 전 교수는 엘지전자, 엘지화학에서
공급망 관리(SCM) 임원으로 활동하였으며 현재는 현대상선에서
CTO(Chief Transformation Officer, 최고변화관리책임자)로 재직하고 있다.
미래 경영에서 앞서 나가기 위해서는 Supply Chain의 최적화와
동기화를 통해 SCM 속도를 높이고 환경변화에
능동적으로 대응하는 역량 확보와 디지털 기술의 접목으로
기업경쟁력을 강화해야 한다고 강조하고 있다.

디지털 산업이 가속화되는 시대에서 사업환경 변화의 급류에서 살아남기 위해서는 기술, 시장, 환경 변화의 흐름보다 빠르게 움직여야 한다. 최근 미·중 무역 전쟁과 일본의 한국에 대한 수출 규제 등으로 인해, 90년대부터 본격적으로 운영되고 있는 소재, 부품, 반제품, 완제품으로 이어지는 지역 간 분업 체계와 글로벌 공급망의 생태계가 크게 요동치고 있다. 한 치 앞을 예측하기 어려운 공급망 환경에서 기업의 생존에 절대적인 영향을 미치게 될 공급망 관리에 대해 세심한 관심을 가져야 할 때이다.

공급망 관리|Supply Chain Management;'SCM'는 제품과 서비스를 가장 싸게, 빠르게, 적기에 제공하는 효율적인 경영시스템이다. SCM은 수요 공급망을 대상으로 프로세스, 시스템, 조직을 혁신하는 총체적 활동을 통해 효율적으로 자원을 활용하여 고객 만족을 극대화하는 경영활동이라고 볼 수 있다.

내·외부적으로 급변하는 공급망 환경의 변화에 능동적이고 선제적으로 대응하기 위해서는, 내부적으로 통제 가능한 supply chain 리드타임을 지속적으로 단축하여야 한다. 또한, 수요변동을 신속하게 감지하여 유연하게 대응하도록 SCM 전략 수립과 그에 수반되는 역량을 확보하는 시스템을 구축하여야 한다. 4차 산업혁명의 디지털 기술을 SCM에 접목하여, 최종 소비자를 접점으로 밸류체인을 통합하고, 정보와 데이터의 가시성을 확보하여 올바른 의사결정을 하도록 지원하고, 실시간 수요에 즉각 반응하고 신속하게 대응하는 차별화된 역량을 키워야 한다.

디지털 산업시대에서는 고객의 다양한 니즈가 반영된 제품과 서비스를 개발하여 시장을 선점하기 위한 'time to market'의 구현이 경쟁력의 핵심이다. 사업환경변화 속도보다 더 빠르게 진화하는 SCM 역량과 경쟁력 확보만이 미래 경영에서 앞서 나가며, 기업의 영속적 번영과 가치 제고에 기여할 수 있다.

본서에서는 SCM에 대한 핵심 개념과 원리를 소개하고, 선도 기업에서 실제로 적용하고 있는 사례의 분석을 통하여 시사점을 도출하고자 한다. 공급망 관리상 변화와 혁신을 통해 기업 경쟁력을 확보하고, 새로운 비즈니스 모델을 창출하는 것을 살펴보면서, 기업의 미래 경영에 대한 지혜와 통찰력을 얻게 되는 시간이 되었으면 하는 바람이다.

1. 공급망 환경의 변화

최근 일본정부의 우리나라에 대한 반도체 소재 수출규제 이후, 반도체 생산 차질과 그에 따른 공급 부족 현상이 발생되고 이 영향이 타 산업으로 확산되면서, 일본의 소재 및 부품 의존도가 높은 우리나라 제조 산업은 험난한 기로에 놓이게 되었다. 글로벌 전자업계도 완제품 생산에 필요한 반도체를 제대로 공급받지 못하게 되어 연쇄적인 공급차질과 가격 폭등 등 사상 초유의 시장 교란을 겪을 우려가 커지고 있다. 정부와 기업들은 이러한 상황을 돌파하고 피해를 최소화하기 위한 대응책을 강구하고 있지만 단기간에 극복하기는 쉽지 않은 것이 현실이다. 90년대 이후, 우리나라 기업은 최대한 효율성을 추구하며 고객의 요구에 따라 적시 생산 및 적기 공급을 하기 위해, 핵심소재와 부품의 잉여재고를 최소화하면서 협력업체에서 바로 생산현장으로 투입하는 JIT$^{\text{Just in time}}$ 방식을 구축하기 위해 노력해 왔다. 그러나, 일본정부의 핵심소재 수출규제와 수출 우대국가 제외조치로, 그동안 원활했던 수입원자재의 공급차질이 발생되어 제품 생산을 중단하거나 줄여야 하는 절대적 위기 상황에 빠지게 된 것이다. 이처럼 기업은 외부의 환경 변화에 어떻게 대응하느냐에 따라 기업의 흥망성쇠가 달려 있다고 해도 과언이 아니다.

우리가 고려해야 할 또 다른 이슈는 미·중 무역전쟁의 격화와 보호무역의 강화로 인해 세계 자유 시장경제 체제는 큰 변화의 소용돌이 속에 있다는 것이다. 이러한 이슈들은 90년대부터 본격적으로 운영되고 있는 소재, 부품, 반제품, 완제품으로 이어지는 지역 간, 국가 간 분업 체계와 글로벌 공급망의 생태계 흐름을 와해시킬 정도로 큰 파장을 일으키고 있다. 예를 들면, 대표적인 수출제품인 자동차의 경우에 완성차를 조립하기 위해 2만 가지 부품이 소요된다. 이 중 한 가지 부품이라도 생산과정상 결품이 발생하게 되면 완성차 생산의 일정과 수량에 차질이 발생되게 된다. 이는 고객의 판매 활동에 대해 직접적인 피해를 줄

뿐만 아니라, 상호 간의 신뢰를 훼손하게 되어 기업 이미지와 기업 경영에 심각한 악영향을 끼치게 된다.

이렇듯 한 치 앞을 예측하기 어려운 공급망 환경이 우리에게 주는 교훈은 무엇인가? 향후 기업의 경영활동에 있어서, 기업의 생존에 절대적인 영향을 미치게 될 공급망 관리에 대해 더욱 관심을 가져야 할 때이다. 90년대 들어, 공급자 중심에서 수요자 중심으로 시장 패러다임의 대변혁이 일어났다. 과거에는 공급자 중심의 사고에서 제품생산이나 서비스를 시장에 공급하는 부분 최적화가 중시되었지만, 지금은 시장 수요기반에 맞춰 공급하는 형태로 변화되고 있는 것이다. 따라서, 개별 기업과 개별 기능부서가 잘하는 '부문 최적화'는 물론, 기업의 공급망 전 부문의 역량 향상, 즉 '전체 최적화'로 혁신 방향과 목표가 전환되고 있다. 또한, 글로벌 고객·제조업체·협력업체 간 협력적 파트너십을 강화하여 장기 성장관계를 구축하는 추세가 가속화되고 있다.

제4차 산업혁명 시대가 본격적으로 도래되면서, 정보통신기술(Information & Communications Technologies; 이하 'ICT'라고 함)의 발달로 인해 글로벌 공급망의 생태계가 급격한 변화를 겪고 있다. 4차 산업혁명시대의 핵심기술(ICBM+AI; IoT, Cloud computing, Big data, Mobile, and AI)의 발달로 인해 초연결성, 초지능화, 융합화가 공급망의 사업 환경에 직접적인 영향을 미치고 있다. 이러한 4차 산업혁명으로 인해, 유통물류 산업은 전통적인 도·소매상의 기능이 월마트, 아마존과 같은 대형 유통업체로 통합되어, 수요예측부터 고객인도까지 end-to-end 공급망 리드타임이 단축되고 고객의 수요패턴 분석을 통해 맞춤형 추천 서비스를 제공되는 형태로 진화하고 있다. 또한, 제조 선도기업은 4차 산업혁명의 ICT 기술을 적용하여 생산 공정의 자동화를 이룬 스마트 팩토리 구축을 통해 변화를 이끌어 가고 있다. 예를 들면, 스포츠 의류와 신발 용품의 글로벌 선두 업체인 독일의 아디다스사의 경우 노동집약적인 산업의 특징 상, 인건비가 저렴한 동남아에서 생산하여 전 세계에 공급하였으나, 최근 공장자동화로 인해 작업인원을 최소화하게 되면서 공장을 다시 자국인 독일로 이관하였다. 이렇듯 생산비와 인건비를 이유로 해외에 진출한 기업이 다시 자국으로 돌아오는 리쇼링re-shoring 현상이 가속화되고 있다. 세계의 제조공장이라고 불리는 중국의 경우, 홍색 공급망Red SCM 전략으로 자국 내에서 부품을 조달하고 완제품 생산까지 완결하는 자국 내 수직계열화를 강화하고 있다. 이와 같이, 공급망 생태계의 변화들의 특징은 싼 인건비 중심의 전통적인 생산지의 역할이 축소되고 역내로 회귀하면서 글로벌 제조 산업과 물류의 흐름에서 대 변동이 일어나고 있는 것이다.

저명한 뉴욕타임스 칼럼니스트인 토머스 프리드먼은 지금 우리는 '가속의 시대'에서 기술, 시장, 환경의 가속 물결의 흐름 속에 있다고 한다. 예상치 못한 급류에서 살아남기 위해서는 물의 흐름보다 더 빨리 움직여야 한다. 초연결성, 초지능화, 융합화 환경 하에서 디지털 기술과의 접목이 더욱 빠르게 진행되고 있는 현실에서, 공급망 관리(Supply Chain Management, '이하 SCM' 이라 함) 분야의 선도 기업을 벤치마킹하여 발빠른 대응으로 미래 경쟁력을 확보하여야 한다. 기업 내·외부 supply chain의 통합화와 동기화를 통해 SCM의 속도를 높이고, 환경변화에 능동적으로 대응하기 위해 민첩하게agile 적응하는adaptive SCM 역량을 빠르게 확보해야 하는 것이다. 이에, 본 서를 통해 SCM 개념과 원리에 대한 이해와 함께, 기업 현장에서 실제로 적용되고 있는 현황과 트렌드를 살펴봄으로써, 미래 경영에 대한 지혜와 통찰력을 얻는 데 다소나마 도움이 되었으면 한다.

2. SCM과 기업경영 가치

1)SCM의 개념

기업은 경영활동 과정을 통해 수익을 내고 현금흐름을 창출함으로써 지속적인 성장을 추구하는 조직체라고 정의할 수 있다. 고객의 가치를 반영한 가장 좋은 제품을 만들고, 가장 빨리 공급하여 time to market 을 통해 시장우위를 확보하고 수익을 낼 수 있어야 한다. SCM은 이러한 기업의 목적을 실현하기 위해 핵심적인 역할을 담당하고 있다. SCM Supply Chain Management에 대한 정의를 정리해 보면, "고객, 개발, 마케팅, 생산, 구매, 물류, 협력업체 등 全 supply chain상 재화, 정보, 프로세스를 동기화시켜 통합적으로 관리하고 효율을 추구하는 총체적인 활동"이라고 할 수 있다. SCM의 목적과 방향은 고객 서비스 수준을 만족시키면서 공급망 비용을 최소화할 수 있도록 ＊고객이 원하는 때에 ＊원하는 제품을 ＊원하는 장소에 ＊원하는 양 만큼 제공하기 위하여 납기 및 시장 결품없이, 불필요한 재고 보유 없이 가장 효율적인 방법으로 가장 경쟁력 있게 가치를 제공하는 데 있다. 따라서 SCM은 수요공급망을 대상으로 프로세스, 시스템, 조직을 혁신하는 총체적 활동을 통해 가장 효율적으로 자원을 활용하고, 고객 만족을 실현하는 경영활동이라고 볼 수 있다.

오늘날 삼성전자의 SCM을 세계적인 반열에 오르도록 주도한 윤종용 삼성전자 전임 부회장은 재직 시, 직원 월례사에서 제조 경쟁력 향상을 위해 SCM의 중요성을 지속적으로 강조하면서 혁신을 주도하였다. SCM을 협력사들과 생산정보를 공유해 제품 기획에서 부품 발주, 생산에 이르는 전 제조공정을 가장 효율적으로 관리할 수 있는 경영 프로세스로 정의하였다. "최근 제품 가격이 빠르게 떨어지고 라이프사이클이 짧아지고 있는 상황에서 SCM의 스피드가 더욱 중요해지고 있다"라고

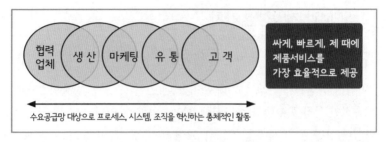

협력업체 | 생산 | 마케팅 | 유통 | 고객

싸게, 빠르게, 제 때에 제품서비스를 가장 효율적으로 제공

수요공급망 대상으로 프로세스, 시스템, 조직을 혁신하는 총체적인 활동

하면서, 국내 제조업의 위기를 타개하고 효율적인 생산체제와 원가 절감을 위해 "고객으로부터 협력 회사에 이르는 supply chain 전반에 걸쳐서 전체 SCM의 속도를 높여야 한다"고 말했다. 그는 "제조 경쟁력은 제품의 원가, 품질, 고객과 납기 대응 수준 등을 결정하는 SCM 프로세스가 가장 핵심"이라며, "창조적인 발상으로 경영 프로세스를 혁신해 차별화된 경쟁력을 확보하자"고 강조했다. 결국 기업의 제조 경쟁력은 SCM 프로세스가 가장 핵심이라는 것을 역설하고 있는 것이다.

2)기업경영에 제공하는 가치

SCM이 기업 경영에 기여하기 위한 궁극적인 목적은 공급망 구성 요소들 간에 이루어지는 전체 프로세스를 대상으로, '전체 최적화를 위한 프로세스, 시스템, 조직의 조정·통합 → 공급망 내에 존재하는 불확실성과 낭비요소 제거 → 최저의 비용으로 고객이 요구하는 서비스 수준을 제공 → 사업가치의 최대화 → 기업 이윤 극대화와 고객만족 실현'이라는 선순환 과정을 구축하는 데 있다. 기업은 supply chain 프로세스 혁신 활동을 통해, Q.C.D Quality; 품질, Cost; 비용, Delivery; 납기 관점에서의 기업체질 개선으로 늘 균일하게 운영되는 역량을 확보하여 적용함으로써 매출 증대와 비용 최소화, 그리고 투하자본의 효율성이라는 기업이 영속하기 위한 핵심 경영가치를 향상시킬 수 있다.

그렇다면 SCM은 구체적으로 기업경영에 어떻게 기여 할 수 있는가? *서비스 향상을 통한 납기 결품 방지 *생산의 안정성 향상을 통한 생산성 극대화 *납기 약속, 수주·오더·주문관리 등 고객 서비스 비용

절감 ＊효율적 계획과 물류 운영을 통해 운반 및 보관비 절감 ＊제품과 자재 재고 회전율을 높여 과잉 재고를 예방 또는 최소화할 수 있다. 위와 같은 기업경영 상의 성과에 기여하기 위해서는 각 기업이 자원의 효율적인 배분과 최적 활용을 통해 ＊경쟁사 대비 낮은 제조원가 및 물류비 등 SCM 비용·cost ＊타사 대비 짧은 제조와 공급 lead time으로 오더 수주부터 고객 인도까지의 소요시간 최소화·speed ＊치밀한 계획과 사전준비 및 Risk 방지를 통해 고객과 약속한 납기 준수·reliability ＊수요변동에 대해 유연하고 민첩하게 대응하는 공급 유연성·flexibility 등 핵심 역량을 확보하여야 한다.

3. 사례로 보는 SCM 현황과 미래

1) SCM 기본 역량
■ SCM 핵심원칙(Rule based operation)

SCM 역량을 강화하기 위하여 가장 기본적으로 요구되는 것은 supply chain의 구성요소들이 지켜야 할 핵심원칙을 바로 세우는 것이다. 남극 탐험 대장인 아문센과 스콧의 사례를 보자. 계획했던 일정 내 남극에 도착하기 위해서 스콧은 날씨가 좋은 날은 조금 많이 가고 날씨가 안 좋은 날은 적당히 갔다. 반면에 아문센은 날씨에 상관하지 않고 매일 20 마일씩 갔다. 두 대장 중에 누가 올바른 선택을 했을까? 스콧은 계획이 미뤄져 뒤늦게 남극에 도착하고 사망했으나, 아문센은 계획했던 일정대로 남극에 도착하고 무사히 본국에 귀환하게 되었다. 남극 정복이라는 목표를 이루기 위해서 매일 실천할 핵심 원칙을 정해, 이를 일관성 있고 우직하게 지켰기에 가능하게 되었다.

SCM에서도 마찬가지이다. 고객 요구수준을 만족시키면서 SCM을 효율적이고 효과적으로 운영하기 위해서는 목표와 방향을 세운 다음, 그 곳에 도달할 수 있도록 supply chain의 전 구성원이 우직하게 지킬 수 있는 핵심원칙을 수립하고 수립된 원칙은 반드시 지켜야 한다. 이러한 핵심원칙은 어느 산업이나 업종에 공통적으로 적용되는 기본 개념이 있으며, 산업별 업의 특징과 조직의 성숙도에 따라 일부 다르게 적용할 수 있다. 중요한 것은 조직 구성원이나 관련 종사자들이 이러한 핵심원칙을 SCM의 행동강령이자 실천지침으로 삼아, 업무 처리의 판단과 기준으로 적용하고 실행하는 문화가 뿌리 내려야 한다는 것이다. 아울러, 이러한 핵심원칙은 조직 구성원이 절대적으로 존중하고 실무에 적용할 수 있도록 동기부여가 되어야 하며, 최대한 쉽게 이해하도록 설계되어야 한다.

그렇다면 SCM을 수행하는 데 있어서, 왜 핵심원칙rule이 중요할까? 기업이 지향하는 목표는 한 방향, 한 목소리로 가야 이룰 수 있다. 그러나, supply chain 상에 있는 각 부문, 또는 부서는 각각의 입장에 따라 복잡하게 이해관계가 얽혀 있다. 예를 들면, 자재관리를 담당하는 부문은 생산라인의 stop을 최소화하기 위하여 원재료 재고를 많이 가지고 있으려 하는 경향이 있고, 생산 라인은 설비 가동률을 극대화하기 위하여 생산을 최대로 하려는 경향이 있으며, 영업은 고객의 요구에 따라 판매계획을 수시로 변경하려는 경향이 있다. 각 부문별로 각각 다른 생각, 각각 다른 프로세스로 수행될 경우에는 기업이 추구하고 달성해야 할 전 부문을 꿰뚫는 단일 목표 달성은 불가능한 것이다. 그러므로 기업의 경영이념과 핵심가치를 중심으로 SCM 핵심원칙을 정하고 실행 프로세스 상에서 준수되도록 해야 한다. 일반적으로 적용되는 핵심원칙의 예로는, "지킬 수 있는 약속을 하고, 약속한 것은 반드시 지킨다." 수요관리 운영원칙으로는, "실 판매 기반 하에 주 단위로 수요를 관리한다. 팔기로 한 것은 반드시 판다. 신규 공급요청 보다는 보유 재고 소진을 우선으로 한다. 목표 영업이익은 반드시 확보한다." 공급관리 운영원칙으로는, "판매계획 없는 공급계획은 없다. 생산 확정구간은 반드시 준수한다. 영업에 약속한 물량은 반드시 적기에 공급한다" 등이 있다.

■ SCM 프로세스(Process based operation)

SCM은 기업 현장에서 기업체질 개선을 위한 효율적이고 효과적인 방법론으로도 활용되고 있다. Supply chain상에서 발생하고 있는 여러 이슈들에 대한 근본 원인을 분석하고 이에 대한 개선 활동을 통해 효율화를 제고하고 부가가치를 높이는 데 적용되고 있는 것이다. 대표적인 분석 및 개선방안을 찾는 데 도움을 주는 기법으로는 가치흐름지도(Value Stream Mapping; 이하 'VSM'이라 함)가 있다. VSM 분석기법은 도요타 생산시스템의 린^{lean} 생산방식에서 적용한 것으로 공정, 또는 업무의 프로세스 상에서 낭비를 파악하여 이를 제거하거나 최소화하기 위하여 각 기업의 현재 운영 중인 프로세스를 도식화하여 문제가 되는 프로세스를 파악하고 개선 목표를 수립하기 용이하여 효과적인 방법으로 이용되고 있다. VSM은 최종제품에 가치를 추가하지 않는 모든 활동을 낭비로 규정한다. 통상적으로 수요예측 단계에서 시작하여 개발과 생산 단계를 거쳐 고객에게 제품이 인도 되기까지의 비즈니스 전반의 프로세스를 포함하고 있다.

R&D, 생산, 마케팅, 구매 등 각 기능별 경영 활동이 어쩌다 한번 좋은 성과가 나올 때는 근본적인 경쟁력이 있다고 볼 수 없다. 늘 균일하게 좋은 성과를 낼 수 있도록 평소 실력이 자연스럽게 발휘되어야 한다. 기업의 업무 프로세스는 지속적으로 최적화를 추구하여 구축되어야 하며 그 프로세스로부터 나오는 성과는 일관되어야 하는 것을 의미한다. 그러기 위해서 업무 프로세스가 효율적이지 않거나 일관된 산포를 보이지 않을 경우에는 그 원인을 파악하고, 프로세스에 대한 지속적인 개선활동이 필요하다. 업무 프로세스를 단순화하고 표준화하여 일시적인 개선이 아니고 일상적으로 균일하게 물흐르는 듯 자연스럽게 흐르도록 해야 한다. 이러한 프로세스 혁신 활동이 반복적으로 지속되게 되면, 일하는 방식의 혁신이 이루어지고 기업의 전체적인 프로세스 수준이 향상되는 것이다.

이러한 끊임없는 프로세스 혁신 활동을 통해, 기업의 공급망 가치사슬에서 속도, 비용, 품질, 납기 등 기업의 핵심적 성과를 얻기 위해 업무의 처리 절차와 과정을 근본적으로 다시 세부적으로 들여다보고 바람직한 To-Be 프로세스로 재설계하고 조직에 정착시키는 재구축의 과정을 거치게 된다. 프로세스 재구축이 완료된 후, 기업 내·외부의 프로세스와 통합하고, ICT 기술과 접목을 통해, 정보시스템의 자동화와 디지털화를 추진한다. 이로써, 예측 경영과 예외적인 운영 상황 발생에 대한 발빠른 대처능력이 사전에 확보되고 제대로 된 의사소통과 적기 의사결정 지원 등에 대한 경영시스템이 완성 된다.

기업 활동에 주로 적용되고 있는 프로세스 혁신 대상영역은 *신제품 개발 프로세스 *수요예측 프로세스 *수요·공급 계획의 동기화 프로세스 *생산계획 수립 프로세스 *구매 및 자재조달 프로세스 *실판매 및 유통 파이프라인 관리 프로세스 *고객 접점관리 프로세스 등이 있다. SCM 프로세스 수행은 계획과 실행으로 구성되어 있다. 계획 프로세스는 수요계획·판매계획, 생산계획, 자재조달계획, 유통계획, 물류·운송계획, 재고계획 등이 있다. 실행 프로세스는 주문관리, 물동관리, 생산관리, 유통관리, 역물류관리Reverse logistics 등이 있다.

정리하면, 프로세스 혁신은 기업의 일하는 방식을 혁신하여 고도의 성과를 창출하게 하는 핵심적인 전략 수립과 이에 대한 철저한 실행 과정이라고 볼 수 있다. 각 부서별 역할, 기능과 이해관계가 복잡하게 얽혀 있기 때문에 수요와 공급의 동기화를 통한 전체 최적화를 위해서는 최고경영층의 지속적인 commitment와 supply chain의 전 부문의 참여 하에, 핵심원칙과 프로세스에 기반rule & process을 둔 SCM 운영을 일관되게 추진하여야 한다. 이러한 프로세스 혁신에 성공한 대표적 사례는 도요타를 들 수 있다.

[Supply chain 프로세스 개선활동 사례_ 도요타 자동차]

도요타사는 SCM의 핵심원리와 방법론의 근간이 되는 VSM기법을 도입하여 operation 분야에서 선구적인 역할을 해왔다. 오늘날 세계적인 성공기업들이 도요타의 운영모델을 벤치마킹하여 각 기업의 업의 특성과 고유문화와의 접목을 통해 번영을 구가하고 있다. 한국의 삼성, 엘지, 포스코 등 대기업도 예외는 아니다. 도요타 혁신의 여정은 원가 마인드에서 시작되었다. 판매가는 시장의 구조에 의해 결정되며, 기업체가 통제할 수 있는 것이 아니라고 보았다. 이익을 늘리기 위해서는 통제 가능한 원가절감 외에는 방법이 없다는 사고에서, '철저한 낭비 제거'에 개선의 초점을 두고 있다. 낭비란 제조 현장에서 작업상 필요하지 않는 자재·기계·작업자 및 행위·방법·동작 등을 의미하며, 3가지 낭비요소로서 불필요·불합리·불균일에 두고 있다. 이러한 요소를 해결하기 위해 7가지의 낭비종류(과잉생산, 재고, 운반, 가공 그 자체, 대기, 동작, 불량을 만드는 낭비)를 정의하고, 구체적인 해결방안으로 Toyota Production System(이하 'TPS'라고 함)을 적용하고 있다. TPS는 공정간 동기화된 적기 정량 흐름 생산을 구현하고, 불량을 원천적으로 방지함으로써, 낭비를 제거하고 생산성을 극대화시키는 operation 시스템을 의미한다. TPS 혁신을 성공적으로 수행한 기업들의 경우, 생산성 향상, 불필요한 재고 감축, 제조 리드타임 단축, 불량률 감소의 성과를 거두게 되었다.

■ 수요와 공급의 최적화(Optimization)

기업이 고객납기 대응력을 높이고 지속적으로 수익을 창출하기 위해서는 기업이 보유하고 있는 인적 및 물적 자원을 효율적으로 활용하여야 한다. 고객의 접점인 마케팅부서부터 공급망 실행을 위한 계획 수립의 시발점이 된다. 마케팅·영업부서는 고객과 협의하여 수요예측력을 높이고, 수요 변동을 감지하여 공급망 부서들과 즉시 정보를 공유하여야 한다. 생산·구매·SCM 부서는 고객과 약속한 납기는 필히 지키도록 하면서, 예상하지 못한 시장과 수요 변화에 대한 공급 대응력을 높이는 역량을 향상시켜야 한다. 아울러 수요공급망에 있는 부서들은 수요와 공급계획을 최적화하는 역량을 향상시키도록 해야 한다. 최적화란 시장에서 팔리는 만큼 생산하고, 필요한 만큼만 재고를 가져가기 위해 supply chain 구성원들에게 적용되는 핵심 운영 개념이다. 이러한 최적화된 목표 달성을 위해, SCM의 핵심요소인 생산·구매Production 또는 Purchase: 이하 'P'라고 함, 판매Sales; 'S', 재고Inventory; 'I' 간 동기화된 최적의 계획 수립이 매우 중요하다.

최적화된 계획을 수립하기 위해서는 수요와 공급의 동기화Synchronization 상태를 살펴보아야 한다. 동기화에 실패하는 기업은 팔리는 모델과 생산하는 모델이 각기 다른 경우 또는 수요와 공급의 수량과 시점도 엇박자가 나는 경우이다. 최적화가 되지 않은 기업은 긴급 수요 대응에 대비하거나 납기 준수에 자신이 없거나 운영개념에 대한 역량이 부족한 경우에 필요이상의 재고를 확보하여 긴급 수요에 부랴부랴 대응하는 경향이 있다. 상기와 같은 기업에서 재고의 의미는 기업의 투하자본을 통해 이미 원가 투입이 발생되어 있으나, 판매 미실현으로 인해 대금이 회수되지 않아 매몰원가로 남아있는 상태를 의미한다. 이로 인해 기업의 채산성과 유동성은 악화되고 기업의 존립자체까지도 위협받는다. 따라서 팔리는 속도대로 생산하는 개념으로 전체적인 공급망을 운영하는 것이 중요하다. 이를 위해 계획부터 상호간 동기화가 되어야 하고 동기화된 계획은 모든 부문이 동일한 숫자로 공유되고 실행되는 single plan화 되어야 한다. 판매계획, 생산계획, 재고계획 즉, P.S.I 계획single plan이 동기화가 되어 팔리는 것만큼 생산계획에 반영하고, 꼭 필요한 재고계획만 수립하는 것이다. 이것이 수요와 공급의 최적화를 이룬 모습이다. 이러한 최적화된 계획은 협력업체~마케팅~개발~생산~구매~물류~유통~고객 등 운영관련 각 부문에서 계획대로 생산하고 공급하는 체계가 작동되도록 하는 것이 중요하므로, 계획한대로 자원투입이 이루어져 한다. 생산 공정 중에 계획이 변경되거나 생산 순서가 바뀔 경우에 P.S.I 계획과 실행이 어긋나게 되면서 자원투입의 왜곡이 발생되게 된다. SCM을 잘 한다는 의미는 P.S.I 동기화 계획을 잘 세워, 공급 부서에서 이 계획대로 차질없이 실행하는 역량을 의미한다고 볼 수 있다.

계획한대로 생산과 판매를 수행하는 SCM 실행 프로세스에서 반드시 SKU stock keeping unit 단위체계로 계획이 수립되고, 그대로 실행하는 것이 매우 중요하다. 예를 들어, 마케팅 부서에서 수요예측과 판매계획을 동기화하지 않고 제품군별 매출계획을 수립하였거나, 정작 생산 진행단계에 SKU별 공급계획을 변경하거나 매출계획에 없는 모델을 팔 경우에 계획과 실행이 어긋나게 되면서 판매 따로, 생산 따로 진행되게 된다. 이로써, 생산 설비 등 공급망 자원이 왜곡되고 효율성이 크게 저하 된다. 따라서, 고객과 수요를 협의하고 내부 판매계획을 수립하는 단계부터 전체 제품군의 계획이 아닌 생산라인, 자재 등 자원투입의 단위인 SKU별 계획을 세워 그 계획대로 생산, 구매, SCM 부서의 공급관리 업무가 수행되도록 하는 것이 중요하다. 이러한 사례는 엘지전자의 예에서 엿볼 수 있다.

〔수요공급 최적화 사례_ 엘지전자〕

휴대폰 산업은 출시 후 통상 제품수명이 6개월~1년 정도로 매우 짧으므로, 제품수명주기 Product life cycle management; 이하 'PLC'라고 함 각 단계에서 수요공급을 최적화하는 역량이 매우 중요하다. 시장반응을 보면서 잘 팔리는 제품은 신속하게 생산 물량을 늘리고, 장기간 판매가 부진한 제품은 빠르게 생산 단종을 시켜야 한다. 반도체류, 카메라센서 등 주요 핵심부품은 수개월 전부터 공급선들과 물량을 협의하고 확정하여야 공급을 받을 수 있기 때문에 시장예측, 매출계획, 자재조달계획 그리고 생산계획으로 신속하고 정확하게 반영할 수 있어야 한다.

2006년도 LG전자 휴대폰사업본부의 사례를 보자. 미국중심의 CDMA 휴대폰사업에서 GSM 휴대폰 시장의 급팽창으로 인해 전 세계로 비즈니스가 확장되면서 성장통을 겪게 되었다. 유럽과 신흥시장에 대한 급속한 매출성장에 비해 생산 capa가 부족하고 내부 오퍼레이션 역량 수준이 턱없이 부족한 상황이었다. 팔리는 모델과 보유하고 있는 재고 모델이 서로 다른 경우가 비일비재하고, 고객이 요구한 물량은 supply chain 리드타임이 길어 제때에 공급이 되지 않아 바이어의 신뢰 문제가 계속 되는 등 혼란 가중과 적자 상황으로 경영상 위기를 겪고 있었다.

이러한 경영상의 위기를 타개하고자 최고경영층의 결단에 따라 임원급 SCM 전담조직을 강화하여, 수요변동에 따라 유연하게 공급하는 적응적 SCM(Adaptive SCM)이라는 목표를 세웠다. 6개 단기과제(주단위 판매생산구매 계획, 생산계획 3일간 확정, 자재준비 점검, PLC기반의 초도물량 대응, 단종관리, 개발일정관리)와 2개 장기과제(고객사와 전략적 수요 예측 및 후보충 방식; Collaborative Planning Forecasting & Replenishment/CPFR, 반제품 조립후 주문 대응 방식; Assemble to Order/ATO)를 추진과제로 설정하였다. 2007년도부터 3개년에 걸쳐, GOC 조직Global Operation Center을 구심점으로 하여 마케팅·개발·구매·생산·물류·관리 부서와 동기화를 통해 고객납기 준수와 수요 변동에 대한 대응력 향상을 위한 혁신활동을 대대적으로 추진하였다. 내부 안정화 후 주요 고객사, 부품협력사와 협력 체계 구축으로 외부와의 supply chain 의 연결성을 확대하였다.

수요공급의 동기화를 우선 과제로 설정하여, 그와 관련된 핵심원칙과 프로세스를 정비하였다. 영업부문과 생산부문 간 주 단위 물동을 협의하여 단일 생산판매계획 확정single plan, GSCP 시스템 기반의 계획수립 Global supply chain planning; 'GSCP', 글로벌 수요와 각 해외공장의 공급관리를 연계하였고, PLC중심의 초도물량·단종관리와 전략 자재 재고 운영을 중점적으로 추진하였다. 구체적인 내용을 보면, 수요와 공급계획의 적합성을 제고하고 장기재고의 발생 Risk를 최소화하기 위해 월단위 물동 운영체제를 주단위로 전환하였다. 고객 납기준수라는 목표를 가지고 수요계획과 생산계획을 동기화시키면서, 꼭 필요한 제품만 필요할 때 생산하도록 P.S.I 계획을 수립하고, 계획대로 실행하도록 원칙 준수 경영을 철저히 실행하였다. 또한, 한시적인 개선이 아닌 지속적인 성과를 창출하도록 SCM 각 공정 간 프로세스 혁신활동을 전개하였다. 각 프로세스별 업무적인 문제점과 이슈를 분석하고 내·외부 고객부서의 니즈를 반영하여 프로세스를 단순화하고 표준화하였다. 이러한 개선사항을 반영하여 GSCP 시스템의 자동화에 대한 완성도를 높이고, 시스템 기반의 계획과 실행 업무가 철저히 진행되도록 하였다.

이러한 혁신활동 결과, 각 기능부서별 각각의 방식대로 운영되던 것이 supply chain의 전체 최적화 관점에서 업무 프로세스와 R&R이 조정되고 통합되었다. Rule, process and system 기반의 오퍼레이션 정착을 통해 고객과 약속한 납기 준수와 실수요 기반으로 공급하는 수요공급의 최적화를 구현하게 되었다. 이러한 가시적인 성과가 나오기까지는 CEO, 사장, 마케팅·생산·구매·연구소 등 각 부문별 최고 경영층의 혁신활동에 대한 강력한 commitment와 함께 원칙준수와 변화관리에 대한 리더십의 영향이 크게 기인하였다. 3년 만에, *생산 capa와 인적 자원의 추가 투입 없이 두 배 이상 매출신장(6천만대 → 1.2억대)을 하게 되었다. 공급망 전체의 비효율적인 업무 프로세스와 자원을 제거하고 공급망 전체의 흐름을 최적화하여 고객서비스 수준의 증대와 비용절감을 실현하게 되어, *공급망 상의 글로벌 제품 재고수준 41% 감축(재고 보유일수 기준 56일→ 33일), 물류비 2천억원 절감 *고객과 약속한 납기준수 향상으로 고객만족 증대(On Time Delivery; 50%→ 95%) *신제품 도입기간의 단축, 운영비용의 절감, 운전자금의 감소로 현금흐름을 약 7천억원 개선하게 되었다. 3 개년에 걸쳐 치열하게 혁신활동을 전개하여 내부적으로는 운영자원의 효율적 투입으로 수익을 극대화하고, 외부적으로는 고객 납기준수와 유연한 수요 대응으로 고객과의 신뢰향상으로 협력적 지위가 강화되었다.

■ 수요기반 글로벌 SCM & Real-time SCM

수요공급의 최적화 활동은 고객의 수요로부터 시작된다. 마케팅·영업부서는 고객 수요를 최대한 정확하게 파악하여 공급관리 프로세스에 반영할 수 있어야 한다. 고객의 수요 변동에 선제적이고 적극적으로 대응할 수 있도록 유연한 생산역량과 재고정책이 수립되어야 한다. 실시간 수요를 감지하는 마켓 센싱 역량을 키워 고객 실수요에 기반을 둔 Pull 방식으로 수요공급망이 운영되어야 한다. 이러한 역량을 SCM 고도화 단계라고 정의할 수 있으며, 산업별 선도 기업들은 Demand driven SCM과 Real-time SCM 역량을 확보하는 데 총력을 기울이고 있다.

〔수요기반 2일 SCM 체제 구축 사례_ 삼성전자〕

가트너사는 지난 5월 '2018 공급망 선도 25대 기업Supply Chain Top25' 을 발표하였다. 삼성전자가 전년 대비 8계단 상승한 17위를 기록하며, SCM을 잘하는 기업으로 높은 평가를 받았다. 여러 평가지표들이 있지만, 삼성전자의 경우 시장 실수요를 기반으로 가장 빠른 시간 내 수요 변동에 대응하는 제조 스피드 역량을 우선 꼽고 있다. 2007년부터 3일 SCM 체제를 운영하면서 축적된 역량을 기반으로 지속적인 혁신을 통해 2일 SCM 체제로 전환하여, 세계 각국의 주요 통신사나 유통업체가 스마트폰 수요를 조정하면 이틀내 제품생산에 바로 반영하여 수요변동에 대응할 수 있게 된 것이다. *글로벌 고객사와 CPFR 협업체계의 가동 *Sell-out에 기반을 둔 실 판매 중심 수요 예측 *영업과 생산 간 정기물동회의S&OP; Sales & Operating Planning를 통한 단일 판매생산 통합계획 수립 *생산 공정과 협력업체의 생산·자재 조달 동기화 *부품의 공용화·모듈화 *빅데이터 분석을 통한 시스템 기반 의사결정체계 구축 등 회사 전체의 관리역량이 최적화된 것으로 볼 수 있다. 윤종용 전임 CEO가 2000년부터 8년 간에 걸쳐, SCM에 대한 확고한 신념을 바탕으로 SCM의 본격적 도입을 전폭적으로 지원했던 것이 근간이 되었다고 볼 수 있다. 개선 전의 상황을 되돌아보면 ERP^{Enterprise Resource Planning}라는 시스템은 구축되어 있었으나, 수요예측 ~ 매출계획 ~ 생산계획 ~ 협력사 자재조달·입고계획의 동기화 미흡 등으로 생산계획이 수시변경 되면서 공급망 비용이 상승하고 거래선에게 약속한 납기 차질 등 운영상 문제점들이 발견되었다. 이러한 상황을 극복하고자 시스템 재정비 후, SCM 운영 과정에서 근본적이고 고질적인 문제가 되었던 공급관리를 대상으로 개선활동을 시작하였다. 2007년도 '3일 생산 확정체제'를 도입하여 생산계획을 3일 간 확정하고 실행함으로써 공급관리 부문의 안정화를 추진하여 2일 SCM 체제를 완성하고 정시·정량 생산, 당일생산·당일출하 체계를 구축하게 되었다. 현업부서의 수많은 저항에도 불구하고 경영진의 강력한 의지로 핵심원칙과 프로세스를 기준으로 지속적이고 체계적으로 추진함으로써 고객의 요구에 빠르게 대응할 수 있는 신속한 공급관리 시스템을 구축하게 되었다.

공급관리가 안정화되자, 본격적으로 수요부문의 개선에 박차를 가하게 되었다. 수요 부문은 거래선 P.S.I 정보의 부족과 영업, 생산 간 수요·생산정보 공유 미흡 등으로 수요예측정확도가 낮고, 수요 변동에 대한 소통이 시기적절하게 진행되지 않고 원활하지 못했다. 이를 개선하기 위하여 거래선과 수요정보를 공유하고 공동 대응하는 CPFR^{Collaborative Planning, Forecasting and Replenishment}을 추진하고 시장 실 판매 기준인 Sell-out 정보의 입수로 마켓 센싱 역량이 향상시켰다. 이로 인해, 수요 흐름을 전체적으로 파악하고 전략적인 물동체계를 운영하여 수요·공급계획의 최적화 역량을 향상시킴으로써 북미지역의 대표적인 유통업체인 Best Buy와 성공적으로 CPFR을 운영하게 되었고, 이러한 성공체험은 대형 거래선들로 확산이 가능하게 되었다.

■ 제품 라이프사이클 매니지먼트(PLC)와 개발 출시일정 관리

SCM을 운영하다보면, 품질·원가·납기·생산성에 가장 영향을 많이 미치는 부분은 정상적으로 운영되는 양산품이 아닌 신제품의 운영에서 기인된다. 개발 단계의 개발완성도와 초기 양산단계의 생산과 품질의 안정화 여부와 직결된다. 심지어 Q.C.D 부문의 전체 성과 차질 중 신제품관련 트러블이 80% 이상 차지한다. 따라서, 개발 원류단계에서부터 신제품과 부품개발의 완성도를 높이는 것이 개발 원류단계에서 가장 중요하다. 개발과 판매 동기화를 통해 신제품 개발 출시 여력을 감안하여 국가별 개발모델 출시일정을 정하는 것도 자원의 효율적 운영측면에서 SCM 전담조직의 주요 역할이다. 앞 부분에서 LG전자 휴대폰의 사례에서 보듯이, SKU 단위로 PLC 기법을 적용하여 초도공급, 성장기, 성숙기, 쇠퇴기와 같은 제품 수명을 감안하여 긴밀하고 민첩하게 P.S.I 관리체계를 작동시켜야 한다. 제품 출시 시점에 공급하는 초도 물량의 경우, 각 국가별 제품 출시일정을 정해 판매계획과 일치시켜, 시장에 충분히 공급할 수 있도록 반도체·디스플레이부품과 같은 장납기 자재의 전략적 발주, 양산단계의 초도 품질과 수율 목표 달성을 포함한 초도물량 ramp-up 역량을 확보하여야 한다. 제품 성장기부터 본격적으로 물량 공급이 전개될 경우, 수요증가·감소와 연계하여 신속하게 반응하여 생산하는 수요공급계획의 최적화와 계획대로 실행하는 역량을 확보하여야 한다.

■ 재고관리의 최적화

제조를 영위하는 기업에 있어서 재고관리의 중요성은 아무리 강조해도 지나침이 없다. 재고는 현금흐름을 어렵게 만들고 기업의 운전자본이 정체되어 자금 유동성을 악화시키는 주요 원인으로 작용한다. 기업의 자금 유동성 저해는 자금차입에 의한 금융비용 증가와 흑자도산의 악순환으로 이어지게 된다. 이렇듯 재고는 다른 문제를 드러나지 않게 하는 모든 악의 근원이며, 재고로 인해 드러나지 않는 손실금액은 단순히 계산된 재고로 인한 금융비용의 3~5배에 이른다고 한다. 따라서, 회사 자원의 효율적 운영과 팔리는 대로 생산하는 체계를 운영하여 재고보유 목적을 만족시키는 적정 수준에서 최소로 유지해야 한다. 생산

과정에서 필요이상의 재공재고가 존재하면 생산 중의 문제가 은폐되므로 운영의 문제가 드러나지 않게 된다. 따라서 기업의 채산성 분석이나 경영체질을 개선하기 위해서 가장 먼저 효율적으로 시도할 수 있는 것은 재고의 문제가 드러나게 하는 것이다. 재고가 노출되면 눈으로 보는 관리를 통해 문제 개선의 시작이 용이하다. 잉여·불필요한 재고가 생기게 된 원인을 분석되어 '재고'라는 심각한 병을 진단하고 치료를 시작하게 되는 것이다. 재고는 기업 운영의 결과물이지만, 과다·불용재고는 운영 프로세스의 실패에 기인된다고 정리할 수 있다. 이들 재고에 대한 사후부검을 통해 근본적인 원인분석과 원류단계의 개선 대책을 찾아 실행하는 노력이 수반되어야 한다. 이러한 실행문화가 정착되어 갈 때, 비로소 기업의 체질이 건강하게 변해가게 되는 중대한 전환점을 맞이하게 되는 것이다.

[재고관리 최적화 사례_ LG전자]

2006년도 LG전자 휴대폰 사업본부의 재고관리 효율화 사례를 보자, 당시 판매와 생산계획이 다르게 운영되어, 시장에는 결품이 생기고 있으나, 회사가 보유하고 있는 장기재고는 급증하여 투하된 기업자본이 회수가 되지 않아 캐시플로에 큰 문제가 생겼다.

이에 수요공급 최적화 활동과 연계하여, 팔리는 속도대로 공급하는 SKU 단위별 P.S.I 정책을 철저하게 적용하고 관리하였다. 제품·자재의 목표 재고보유일수에 대한 선행 지표 관리를 통해 잘 팔리는 제품은 생산과 자재조달을 늘리고, 안 팔리거나 한계 목표이익에 미달하는 제품은 과감하게 단종시키는 활동을 철저히 실행하였다. 3년 후, 제품 장기재고는 총재고 대비 29%에서 7% 수준으로 떨어졌다. 이와 같이 재고 운영상 질적 구조를 재구축하여 약 7천억의 캐시플로를 개선할 수 있었다.

■ SCM 복잡도의 단순화

효율적이고 효과적인 SCM을 전개하기 위해서는 기본적으로 SCM이 운영되는 환경을 단순화시킴으로써 자원 투입의 원류단계부터 개선해야 한다. Input의 경우의 수가 줄게 되면 SCM 실행단계와 결과물에서 효율성을 기대 할 수 있다. 예를 들어 부품 표준화·공용화, 플랫폼화·모듈화를 통해 생산에 투입되는 자재수를 줄이는 것은 원가, 납기, 생산성, 품질부문에서 탁월한 성과를 거둘 수 있게 한다. 업체 관리비용을 줄이고 규모의 경제를 통한 가격 관리를 위해서 원자재·부품·서비스 협력업체 수도 지속적으로 정예화하는 노력이 필요하다. 창고수도 최소화하여 창고 간 재고 불균형에 의한 기회비용과 관리비용도 줄이고, 신속한 내륙 운송·배송을 위해서 재고를 보유하지 않고 바로 배송하는 cross-docking 체제 구축도 필요하다.

또한, 고객 오더를 받아 인도하는 supply chain 과정을 단축함으로써 SCM 대응 속도를 올리는 노력이 필요하다. 고객으로부터 오더를 받으면, 개발, 원자재 구매, 생산, 물류 등 공급을 위한 SCM 계획 수립과 실행으로 인해 긴 오더 대응 리드타임이 소요된다. 이에 고객 오더에 신속하게 대응하기 위해 분기관리 전략 $^{de-coupling}$을 적극적으로 도입할 필요가 있다. 휴대폰 산업의 예를 들면, 반제품 상태로 기업 자체적으로 계획 생산한 후, 주문을 받는 즉시 대응하는 ATO $^{assemble\ to\ order}$를 적용할 수 있다. 휴대폰 하드웨어와 공통 소프트웨어로 공용품을 생산한 후, 통신회사나 유통회사의 오더가 있을 경우에 고객이 요구하는 소프트웨어와 포장물을 신속하게 customizing하여 공급하는 것이다. 이태리 fast fashion 업체인 베네통의 경우도 색상별 실판매에 신속하게 대응하기 위해 무염색으로 공통의류를 생산한 후, 색상별 팔리는 속도에 따라 마지막 생산 공정에서 칼라별 염색공정을 두고 신속히 대응하고 있다. 이러한 분기 전략 또는 지연생산 전략을 통해 고객의 오더의 공급리드타임을 수개월에서 1일~1주 이내로 획기적으로 단축시켜 신속한 시장대응과 함께 SCM 복잡도를 줄일 수 있는 것이다.

■ SCM 전략 수립, 조직 및 시스템 구축

[SCM 전략 수립 및 우선순위]

고객에게 지킬 수 있는 납기 약속을 하고, 그 약속을 반드시 준수하는 기본 역량과 고객의 수요변동에 대해 최대한 대응해주는 유연성은 고객 중심 SCM을 운영하는 데 가장 중요한 핵심가치이다. 성공기업들의 사례에서 보면, SCM 역량 확보 단계에서 이러한 역량을 공통적으로 보여주고 있다. SCM 전략을 수립할 때, 공급의 안정성reliability을 확보하는 것을 우선적으로 반영한다. 고객 납기 신뢰도를 확보하는 것이 중요하므로 현실적으로 실현 가능한 통합 판매생산계획single plan을 수립하고, 계획대로 실행하는 데 초점을 두도록 한다. 이러한 기본역량이 어느 정도 축적이 되면 동시에 공급의 유연성flexibility을 확보하는 노력이 필요하다. 고객의 단납기 요구에 대한 공급대응력을 높이고 수요의 변동이 있을 때 최대한 대응할 수 있는 역량을 확보하는 것이다. 이런 모든 활동은 과잉·불필요한 재고의 확보 등 추가적인 SCM 비용을 발생시키지 않고, 효율적으로 자원을 운영하여 수익을 극대화하는 것이 전제가 되어야 한다. 최고경영층과 상의하여 회사의 목표와 핵심가치와 연계된 SCM 목표와 전략을 수립하여 핵심원칙을 정하고, 각 기능부서의 과정 및 성과지표를 세워 운영상황을 모니터링하고 프로세스 개선활동을 지원하도록 해야 한다. 이들의 성과를 측정하는 지표Key performance index: 'KPI'로는 고객수요충족율, 고객납기준수율On time delivery: 'OTD', 재고비용 개선(재고 보유일수 개선, 재고 폐기금액), 물류비용 개선(특히 긴급배송 비용) 등이 활용된다.

[SCM 조직 구축 및 부서별 R&R 명확화_Role and Responsibility]

SCM에서 많이 인용되는 용어 중에 '채찍효과bullwhip effect'가 있다. 수요와 공급의 불일치를 초래하여, 비용 및 재고를 증가시키는 것을 표현하는 것인데, 수요예측이나 주문량의 변동 폭이 supply chain 각 단계를 거치면서 증폭되는 현상을 의미한다. bullwhip effect의 원인으로는 최종 소비자 수요에 대한 가시성^{visibility}이 부재하거나, 각 부서별 자의적 수요와 가수요를 반영하거나, 재고 보충 리드타임이 길고, 재고 부족 가능성에 대한 염려로 인해 필요한 수량보다 많이 주문하는 경우에 발생된다. 이렇게 되면, 재고나 생산 capa 대비 주문량 과다로 계획대로 실행할 수 없기 때문에 고객과의 약속을 지킬 수 없게 된다. Bullwhip effect를 최소화 하는 것이 SCM 운영에서 핵심적으로 관리할 사항이다. 이를 위해 G.O.C^{Global Operation Center} 또는 통합된 물동관리 등 SCM 전담조직을 두어 운영하고 있다. 수요와 공급의 최적화된 매칭을 통해 판매생산 단일계획^{Single Plan}을 수립하고 각 부서의 실행의 조정, 통제하는 control tower의 역할을 수행하고 있다. 중소기업의 경우 SCM 전담조직을 구축하기 힘들면 경영기획 또는 관리부서에 SCM 기능을 수행할 전담인원을 배치하여 운영하는 것이 바람직하다.

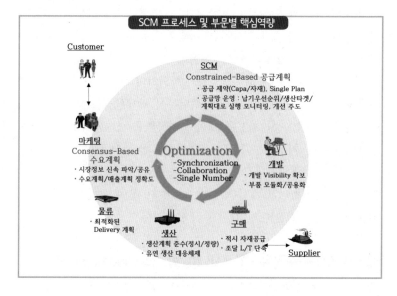

구체적으로 실행할 역할은 다음과 같다. ＊공정·부서 등 부문 간 역할과 책임^{Role and Responsibility: 'R&R'}의 정립 및 공유 ＊Rule, process and system 기반으로 모든 업무가 진행되도록 모니터링 및 지원 ＊프로세

스 간의 앞 공정 부서가 이미 정의된 R&R에 맞춰 산출물을 내어, 후공 정 부서에게 생성된 부가가치가 전달되도록 지원 *R&R과 연계된 과 정·성과 지표key performance index 평가, 보상 제도 입안 및 실행 지원 등 이 있다. 위의 그림은 SCM 주요 프로세스 현황, 각 부문별 R&R 및 핵 심역량을 설명하고 있다.

[SCM 의사결정 시스템]

프로세스 표준화와 단순화가 어느 정도 정착이 되면, SCM 수행의 각 단계에서 최적의 의사결정을 지원하기 위해 IT 시스템의 구축 활동이 수반되어야 한다. ERPEnterprise Resource Planning는 전사적 자원관리를 효 율적이고 효과적으로 수행하기 위한 기간망 시스템으로써, 재무관리와 원가관리를 포함하여 영업, 자재구매, 생산, 물류 등 전반적인 업무처리 시스템이다. 최적 공급망 계획시스템Advanced Planning System: 'APS'은 수요계 획, 주단위 수요공급 할당계획, 영업생산 물동회의Sales & Operation Planning: S&OP 지원, 일 단위 생산계획, 고객별 납기약속을 지원하는 SCM 의사 결정을 위한 핵심 시스템이다. 예를 들면, 컨테이너 선박을 조정하는 선장과 항해사의 경우, 해상 항로 운행을 위해 ERP라는 자동화된 항법 시스템을 활용하나, 기상조건의 변화에 따른 긴급한 예외사항에 대한 대처 또는 우선순위 등 최종 판단이 필요한 경우에는 APS와 같은 의사 결정 지원시스템을 활용하게 된다. 삼성전자가 2일 SCM 체계 운영이 가능하게 된 것도 오랫동안에 걸쳐 업그레이드를 해 온 APS 시스템의 기여가 크다고 볼 수 있다.

[정보·데이터의 정확성 및 가시성]

Supply chain 프로세스의 향상을 위해서는 투명하고 책임경영을 할 수 있도록 조직의 구성과 목표 설정, 그리고 조직수행단위별 구분 손 익관리 체계가 구축되어야 한다. 구분관리 회계 데이터를 구축하고 수 주·개발·판매·생산·재고 등의 가시성visibility을 제공하고 독립채산

제 조직(아메바 조직, 애자일 조직, Cross functional team, Tear down redesign)의 린^{lean} 운영을 적극적으로 검토할 필요가 있다. supply chain 상의 비 부가가치 업무의 낭비를 제거하고 업무의 효율화와 생산성을 높임으로 기업체질을 개선하여 지속 성장할 수 있는 체계를 구축하여야 한다. 조직 구성원에 대한 존재감을 키워 그들의 실력주의 향상을 통해 동기부여할 것인가, 또는 수익과 비용의 개선에 대한 강력한 성과주의를 적용할 것인가에 대한 판단이 필요하다. 기업이 처한 경영환경, 경쟁상황과 조직문화를 보고, 조직의 성숙도와 전 조직구성원의 변화관리를 감당할 수 있는 수준을 감안하여 적용하는 것이 필요하다.

■ 변화관리

일반적으로 SCM 혁신활동을 현업부서에 적용하기가 쉽지 않다. 기존의 업무관행에서 탈피하여 새로운 사고와 새롭게 일하는 방식으로 전환하는 것이므로 기업의 조직문화와 깊이 연계되어 있다. 이런 의미에서 CEO를 포함한 임원들의 전폭적인 commitment와 참여가 절대적으로 요구된다. 조직문화의 혁신과 변화는 탑다운 방식으로 시작할 때, 실행력이 빠를 수밖에 없다. 기업 내·외부에서의 SCM 업무 환경의 특징은 고객, 마케팅, 개발, 구매, 생산, 물류, 협력업체 등 각 기능 조직 간 연계성이 서로 복잡하게 얽혀있다는 데 있다. 문제의 원인분석과 책임 소재 구분이 어렵고, 프로세스와 시스템이 복잡하며, 각 부서의 단계별 영향 시점이 다르고, 전체 성과는 가장 낮은 부문의 역량 수준에 좌우되는 특징이 있다. 이러한 문제를 해결하여 위해서는 전 공급망 상속도, 비용, 의사결정 관점에서 원인 분석과 책임 소재를 명확히 하고, 재발 방지를 위해 사후부검 활동이 철저히 이루어져야 한다.

이와 같이, SCM 혁신활동은 일하는 방식의 변화이므로 조직문화의 혁신이 바탕이 되어야 한다. 최고경영층의 경영이념과 비전에 대한 설정과 전 구성원과의 공감대 형성을 통해 혁신의 방향성에 대해 한 생각으로 통합되어야 한다. 최고경영층은 모든 업무의 처리 기준에 일하는 방식의 혁신에 입각하여 SCM 핵심원칙과 프로세스대로 철저하게 진행되도록 강력한 commitment를 하며, 지속적인 모니터링과 진행사항에 대한 정기 점검을 해야 한다. 또한, 조직 구성원들이 얼마나 주인의식을 가지고 혁신 대장정에 참여하느냐가 혁신의 성공과 실패가 달려있다고 봐도 과언이 아니다. 전 구성원이 한 개체처럼 움직이고 서로 간의 신뢰와 협업을 통해 부서 간, 프로세스 간 갈등과 문제를 조기에 해결하면서 전체 최적화를 위한 올바른 방향으로 가도록 모든 역량을 집중하여야 한다.

■ 서비스 산업의 SCM 모델

서비스 산업의 경우도 제조 산업의 SCM 모델과 기본적인 개념에서는 거의 유사하다고 볼 수 있다. 예를 들어 물류·해운산업은 고객사인 화주로부터 수주를 받아 출발지에서 목적지까지 화물을 운송하는 업을 영위하고 있다. 주요 서비스 공정 프로세스는 운송계약, 선적예약, 선적지시, 공컨테이너/공트럭 회수·활용, 항만터미널 운영, 선적, 하역, 내륙운송, 무역서류·세관신고, 대금청구·결제 등이 있다. 수주 단계부터 해상운송, 항만터미널 하역, 내륙 운송까지의 서비스 공정의 전체 최적화가 이루어져야 한다. 기업이 추구하는 목적은 운송화물과 관련된 정보와 공정 프로세스가 통합되어 가장 신속하고 저렴하게, 제때에 화물을 도착지에 운송하여 기업의 이익과 고객만족을 실현하는 데 있다.

선박·트럭·컨테이너·항만터미널은 제조 산업의 생산 공장과 같은 기능을 수행하며, 활용되지 않고 있는 공컨테이너와 트럭은 불필요한 재고에 해당된다고 볼 수 있다. 서비스 산업도 마찬가지로 수요공급의 최적화와 재고관리의 최적화를 실현하는 것이 기업의 이익을 극대화하는 데 가장 필요한 핵심 역량인 것이다.

오늘날 해운 선사의 시장 환경은 대형 선사들 간의 전략적 제휴를 통해 주요 항로를 공유하면서 가격 중심으로 더욱 상품화commodity된 경쟁체제로 전환되고 있다. 이에 선사들이 가질 수 있는 경쟁력은 컨테이너 선박이 정해진 입출항 스케줄을 얼마나 정확하게 지켰는지를 평가하는 운항정시성(제조 산업의 On-time delivery/OTD와 유사함)에 대한 역량이 중요하다. 화주인 고객과 컨테이너 선박·항만터미널·내륙운송·협력업체·세관 등 관공서와 협력을 통해 정보와 데이터를 공유하고 디지털화와 자동화를 지속적으로 발전시켜 차별화된 서비스를 제공하는 것이 핵심 경쟁력에 해당된다. 또한, 고객 중심의 end-to-end 서비스를 제공하도록 supply chain 영역을 확대하고 부가가치를 더하여 보다 질 좋은 서비스와 가격을 제공하는 것도 중요하다. 예를 들면, 대형 해운선 사업체가 내륙 운송과 제2자 물류 분야에 진출하여 고객 맞춤형으로 총체적인 서비스를 제공하는 방법이 있을 수 있다.

물류·해운 산업의 특징상, 고객인 화주 입장에서는 정상적인 스케줄 관리보다는 계획했던 스케줄의 예외 상황에 대한 사전 감지와 사전·사후 대처능력을 중요시한다. 동 산업은 물리적인 산업이므로 기상기후 조건이나 항구의 크레인 고장·트래픽 상황, 트럭 고장, 운송중 안전·도난 등 예외적인 상황이 불가피하게 발생할 수밖에 없다. 따라서 commodity화 되어가는 시장에서 이러한 예외적인 상황을 어떻게 관리하느냐에 따라 차별화된 서비스 경쟁력을 갖출 수 있다. 화주인 고객과 산업 종사자들에게 연쇄적으로 파급되는 영향을 미리 파악하고 대처하여야 차질로 인한 피해를 최소화할 수 있기 때문이다. 따라서 고객사~해운 선사의 각 공정~내륙 운송사까지 잘 정의된 업무 흐름과 절차를 만들어서 end-to-end 운송 가시성을 확보하고, 지속적으로 서비스공정 프로세스의 혁신 활동을 통해 단순화하고 표준화하는 노력이 필요하다. 이러한 프로세스 혁신 활동을 통해 조직 구성원의 일하는 수준이 향상되고 균일한 성과를 지속적으로 낼 수 있으며, 고객 만족을 실현하면서 컨테이너 선박, 항만 터미널, 트럭 등 물적 자산과 조직 구성원의 인적 자산을 효율적으로 활용하고 생산성을 높일 수 있다.

제조 산업의 스마트 팩토리 시스템과 ERP 등 업무 기간시스템의 자동화와 같이, 서비스 산업에 있어서도 서비스공정 프로세스 분석과 고객·협업부서의 개선 니즈를 반영하여 프로세스가 정립이 된 후, 디지털화와 자동화 시스템을 구축하고 계속적으로 업데이트를 하여야 한다. 또한, 최근 제조, 유통 산업 전반에 걸쳐 활발하게 적용되고 있는 빅데이터를 적극적으로 활용할 필요가 있다. 선박 가동의 최적화, 공컨테이너 활용, 항만·터미널·트럭 등 자산 활용 최적화와 운항 정시성에 대한 예외상황 예측, 제조업 파트너의 선적계획 변경을 포함한 예외상황 관리 최적화를 이루는 것이 차별화된 서비스 경쟁력이 될 것이다. 향후 대형 선사 중 이러한 차별화된 역량을 확보한 선사가 압도적인 경쟁우위를 점하게 되며 산업을 선도할 것으로 예상된다.

2)SCM 차별화 전략

SCM의 기본기는 고객에게 지킬 수 있는 약속을 하고 반드시 계획을 준수하는 '공급의 안정성'을 확보하는 것이다. 기본역량이 어느 정도 확보되면, 기업은 rule과 process 기반으로 전체의 최적화된 형태로 운영이 된다. 이제는 확보된 기본 역량을 토대로 차별화된 필살기를 확보하는 노력이 필요하다. 필살기의 기본 개념은 스피드와 유연성이라고 볼 수 있다. 오더, 수주부터 고객에게 인도하는 총 주문공급 리드타임 Order to delivery을 줄여 공급 역량의 속도를 높이는 것이다. 예를 들어, 자라는 총 리드타임이 6개월 걸리던 것을 2주 이내로 단축하였다. 줄어드는 supply chain 리드타임만큼, 수요의 변동성을 흡수할 수 있고, 생산 등 가용자원을 다른 오더에 할당할 수 있어 효율성 측면에서도 큰 효과가 있다. 따라서, 기업 내·외부 공급망 사슬에서 속도를 줄일 수 있는 부분을 찾아 SCM 전략에 반영하고, 속도 향상을 위한 구조적 혁신과 ICT기술의 접목을 통해 리드타임 단축을 위한 혁신활동을 가속화하여야 한다.

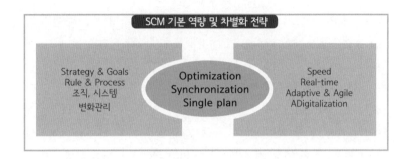

■ Supply Chain 리드타임 단축(Speed & Flexibility)

신속반응시스템Quick Response System; 이하 'QR'이라고 함은 고객이 원하는 시간과 장소에 필요한 제품을 공급하기 위해 소비자의 반응을 보고, 신속하게 공급하는 것을 의미한다. QR 시스템은 미국의 패션의류업계가 디자인~개발~주문~생산~매장판매의 supply chain 리드타임을 줄이기 위해서 시작되었다. 섬유업계~직물업계~의류제조업계~의류 소매업계 간 협력을 바탕으로 QR 시스템을 도입하였고, supply chain 내 모든 구성원들에게 큰 개선 효과를 제공하게 되었다. 주문부터 고객 인도까지 SCM 프로세스 시간 단축의 효과가 가속화되는 것이다. 예를 들어 The Limited사는 주문~소매점 배송까지 기존에는 6개월 이상 소요되었으나, 6주 이내 달성하는 것으로 리드타임을 단축하였다. 수천 개의 체인점에서 판매시점 데이터를 활용하여 소비자 구매패턴을 파악하여 구매 선호 의향 등을 추적하고, 인공위성을 통해 전 세계 상품 공급업체에게 주문을 받아 홍콩의 물류센터를 경유하여, 보잉 전세기로 일주일 4회 오하이오 주에 있는 회사의 배송센터로 직송한다. 상품에 가격표를 붙이고 재분류하여 트럭과 항공편으로 소매점에 배송한다. 이로 인해 재고 소요량 감소, 유통 파이프라인 재고 감소. 안전재고 감소, 리드타임 단축, 판매 예측오류 감소 등의 효과를 얻게 되었다. QR 시스템은 이후 Zara 등 전 산업에 걸쳐 혁신적인 방법으로 확산되어 발달하게 되었다.

〔SCM Speed & Flexibility 사례_ 인디텍스사〕

스페인 국적의 인디텍스사는 Zara 브랜드로 유명한 fast fashion 제조 및 유통업체이다. 흔히 SCM을 잘 하는 회사의 상징으로 꼽히고 있으며, 세계 경제의 둔화에도 불구하고 SCM의 차별화된 전략과 operation의 실행력을 통해 탁월한 경영성과를 올리고 있는 회사이다. H&M 등 동종업계가 급격한 성장둔화와 수익 악화에 있는 상황에서 연평균 매출성장율이 19%, 영업이익율이 17%, 재고폐기율은 10% 수준으로 압도적인 성과를 보여주고 있다.

Zara는 무엇보다 먼저 SCM 전략이 탁월하다. 전략을 한마디로 정리해보면, '디자인에서 물류까지의 supply chain 전체를 'Speed & Flexibility'로 재구축한 것으로 요약할 수 있다. Zara는 핵심 전략의 가치는 '디자인 온 디맨드Design on demand'를 통한 무재고 정책과 다품종 소량 생산 정책, 생산·물류의 재화 흐름과 정보시스템이 통합된 상품 기획·개발 프로세스의 경쟁력을 들 수 있다. 대표적인 핵심적인 전략은 'Quick response'라는 신속반응 역량에 있으며, 면사·염색·프린트·패턴 등 소재부품의 수직계열화, 매장 POSPoint-of-sales 정보를 통해 점포 판매·재고 동향에 따라 즉각 대응하는 전략과 실행 구조, 의사결정에서 점포 투입까지 1주간 이내에 공급되는 초고속 생산체제, 스페인 공장의 200Km 지하터널을 활용한 트랙 운영 및 하루 2회 전 세계로 전세기 배송 등이 이뤄진다.

일반적인 패션의류 제조업체의 경우, 오더부터 납기까지 전체 운영 사이클이 통상 6개월 정도 소요되는 데, Zara는 실수요 대응 마케팅, 수직 통합 생산, fast logistics를 통해 2주 만에 대응하는 신속반응 체계를 성공적으로 운영하였다. 실수요 기반의 무재고 정책을 통해 운영의 최적화를 실현하고 있는 것이다. 이와 같이 자라는 SCM 속도 전략과 ICT 기술을 바탕으로 제조와 유통, 물류, 서비스를 통합하여 단일화하면서 최종 소비자와의 접점관리를 차별화하는 새로운 비즈니스 모델로 발전시켰다. 또한 최종 소비자와의 정보와 데이터를 상호 공유하고 확보하여 수요맞춤형 시스템 구축을 통해 최종 소비자와 직접 쌍방향 커뮤니케이션을 실현하고 있다.

■ 탄력적 공급망 관리(Resilient SCM & Risk Management)

2009년 아이슬란드 화산폭발로 인해 오랫동안 화산재가 하늘을 뒤덮어 항공물류의 대란이 일어난 적이 있다. 2011년에는 동일본 쓰나미가 발생하여 일본 내 꽤 많은 기업들이 부품 조달에 많은 어려움을 겪었다. 동 지역에 있는 차량 부품 공장이 가동 중단되어 자국 내 부품에만 의존하던 Toyota는 공장 가동 중단 사태가 발생하여 상당기간 큰 피해를 보게 되었다.

공급망에서의 위기관리^{Risk Management}란 공급망에서 발생할 수 있는 예견치 못한 자연 재해나 위기상황에 대비하고, 만일 실제 발생했을 경우에는 공급망에서 발생한 장애로부터 신속히 회복할 수 있는 역량을 갖추는 것을 의미한다. 이러한 공급망에서의 유연성 확보방안으로 조기 탐지와 적기 유기적 능동적 대응 역량을 확보하여 공급망 상 충격의 발생가능성을 줄여야 한다. 또한, 기업은 소재, 부품에 대한 소수 또는 독점적 공급자에 대한 높은 의존도로 인해 발생할 수 있는 리스크를 줄이기 위해 다수 공급선을 확보하고, 만일의 사태에 대비하여 추가 자재 재고 확보와 생산 가변적 대응력 등 충격에 대한 회복탄력성을 위한 역량을 확보하여야 한다.

2019년 7월 일본의 반도체 소재에 대한 수출 규제와 수출 우대국가 제외 조치로 인해, 우리나라 공급망 관리에 근간이 흔들리면서 리스크 관리에 대한 관심이 고조되고, 소재·부품·장비 산업에 대한 근본적인 경쟁력에 대한 대책들이 연이어 강구되고 있다. 이에 대한 구체적인 방안으로는 *소재·부품·장비에 대한 국산화 *국가간 공급선 다변화 *기업 자체적으로 소재·부품·완제품으로 이어지는 수직계열화 등을 들 수 있다.

미·중 무역전쟁으로 인해 미국이 자국에 수출하는 중국물품에 25%

관세 부과로 중국에서 생산하는 제품은 수출 경쟁력을 잃게 될 수 있다. 중국에 진출해 있는 한국이나 미국 기업들도 똑같은 상황에 처할 수밖에 없으므로 보호무역주의에 의한 국가간 분쟁 등 영향을 면밀히 검토하여 생산지 전략을 수립하고, 미국과 같은 소비력이 큰 나라에는 직접 생산 투자 형태로 진출을 가속화할 필요가 있다.

■ 적응적이고 민첩한 SCM(Adaptive and Agile SCM)

제2의 반도체로 불리는 우리나라의 전기차 2차전지 사업을 보자. 전기차 부품은 약 만 개 정도이며 그중 배터리가 핵심부품으로 금액비중으로는 40%가 넘는다. 2, 3세대 전기차 시장의 경우, 시장 출시시점과 초도 물량의 규모를 예측하기 힘들다. 친환경 차에 대한 국제 간, 국가 간의 각종 지원 정책, 자동차 완성업체의 판촉 전략, 동종 경쟁업체의 출시 차종과 경쟁력 등 판매에 영향을 주는 변수가 많다. 따라서 일반 소비재 제품처럼 재고 생산방식Make to stock으로 선행생산 또는 재고를 비축하는데 한계가 있다. 판매시점과 무관하게 많은 양의 재고를 비축 시, 배터리 생산업체의 자원 효율성은 저하되고 생산은 했으나 판매 미실현으로 인해 유동성의 문제가 야기된다. 더 나아가 전기차 배터리의 경우 에너지 함량과 안전성에 대한 유효기간이 있어 기생산된 제품에 대한 재작업 또는 폐기 등 경영상 손실도 클 수밖에 없다. 전기차 생산라인의 경우, 즉시 팔리지 않는 물량을 생산라인에 투입하여 생산 후 재고로 비축 시 정작 지금 수요가 있는 긴급물량에 대한 생산라인 투입이 지연되면서 고객 납기의 불만과 생산라인의 효율성이 왜곡되는 현상이 발생된다.

이러한 자원 운영의 효율성에 앞서, 전기차의 완성제품과 2차 전지의 공급망 사슬의 특징이 더 큰 영향을 미치는 경우가 있다. 예를 들어, 폭스바겐사가 전기차 조립 과정에 배터리 공급차질이 발생되어 전기차 생산 및 출시가 늦어질 경우, 자동차 업체와 유통업체에 막대한 피해가 예상되며, 이로 인해 배터리 생산업체에 큰 클레임 비용을 청구하고,

업체는 귀책에 따라 적지 않은 부담을 하는 경우가 발생한다.

따라서, 전기차 배터리사의 효율적이고 최적화된 SCM을 위해서는, 자동차의 실판매 추이와 프로모션 계획에 의한 완성차 업체의 생산·판매·재고P.S.I 전략을 잘 파악하여 수요공급의 최적화된 계획 수립과 계획대로 실행하는 역량이 필요하다. 전기차 배터리 사업의 특징을 감안하며 수요 동향을 잘 파악하고 민첩하게 대응하는 Agile SCM이 더욱 중요하다. 더 나아가 완성차 업체와 협의되었던 수요의 증가, 감소 또는 취소 등 수요변동에 대응할 수 있도록 배터리 생산업체의 구매·생산·마케팅·SCM 부서 등의 민첩한 대응과 소재, 부품업체의 긴급 대응력이 크게 요구되고 있다. 2차전지 산업은 기본적인 SCM의 역량과 함께 리스크 관리 그리고 탄력적 SCM 역량이 요구되는 까다로운 특징이 있으므로 다른 산업보다도 더 전 방위적으로 SCM 역량을 확보하는 노력이 필요하다고 볼 수 있다.

4. 디지털 기술과 SCM의 동기화

세계적인 리서치사인 가트너는 14년째 SCM을 잘하는 기업을 평가하여 발표하고 있다. 지난 5월, '2018년도 Supply Chain Top 25'를 발표에 의하면 시스코, 인텔, 월마트, 자라 등이 상위에 랭크되었다. 단연 디지털과 IT 경쟁력이 있는 회사들이 약진하였다. 디지털화된 SCM 역량을 구축하는 데 앞서나가는 기업들은 빅데이터, AI, 사물인터넷, 증강현실 등 제반 ICT 기술을 활용해 소비자와 공급자의 행동 패턴을 파악하고 재고와 물류관리에 연결하는 방식으로 고도화하고 있다. 이들은 공급망 변화를 선도하여 산업을 재편하고, 승자독식으로 탁월한 경영성과를 거두고 있으며 앞으로도 이러한 현상이 더욱 가속화될 것이다.

디지털 SCMDigital Supply Chain Management으로 가속화되고 있는 이유는 무엇인가? 이전에는 제조와 물류 프로세스에서 공정 자동화를 중심으로 IT 솔루션이 발전하였다. 그러나 최근 고객의 까다로운 소비욕구에다가 산업의 선도업체 중심으로 ICT 기술을 적용하여 시장 파괴적으로 적용하고 있는 디지털화된 고객 서비스의 트렌드 변화에 있다. 이는 고객 주문부터 대금 회수까지 SCM 전 과정에 있어서의 자동화로 전환되는 것을 의미하며, 수많은 빅데이터를 활용하여 마치 사람처럼 생각하고 판단하고 행동하는 인공지능과 증강현실의 기술발전에 기인하고 있다.

4차 산업혁명으로 초가속, 초연결, 초지능화 되면서 제조, 물류, 유통 등 산업간 경쟁이 본격화되고 사용자의 다양한 수요에 대응하는 맞춤형 비즈니스가 가속화되고 있다. 이로 인해 마케팅, 개발, 제조, 구매, 유통 및 최종 소비자에 이르기까지 모든 정보, 제품, 서비스가 단계별 순차적으로 진행하던 SCM 모델에서 단계 간의 경계를 허물고 공급자, 도매상, 소매상, 물류운송업자, 수요자까지 정보흐름이 동시적이며 쌍방향으로 공유되고 소통되어 통합된 생태계로 진화하고 있다. 고객의 니즈에 따라 신속하고 유연하게 의사결정을 하여 제품과 서비스가 고객에게 도달하는 속도가 빨라지게 된 것이다.

[디지털 SCM의 특징]

필자가 정리해 본 디지털 SCM의 특징은 다음과 같다.

첫째, 소비자 접점으로의 supply chain의 통합화로 인한 '공급망 속도의 향상'에 있다. 유통과 물류의 여러 단계를 거치지 않고 제조사 또는 대형 유통회사와 수요 부문을 직접 연결함으로써 전체 가치사슬의 통합이 이루어지고 있는 추세이다. 기존의 대량 생산을 통한 공급효율화를 넘어 수요와 공급 간 리드타임과 수급의 간극을 줄여주는 비즈니스 모델의 변화를 통해 공급망의 대변혁이 이루어지고 있다. 디지털 SCM 환경 하에, 기업 내·외부 간 프로세스 통합과 ICT 기술의 접목을 통해 협력업체, 제조, 유통, 물류, 서비스까지 모든 기능이 통합적으로 연결되어 있고, 최종 소비자와의 접점으로 전진 배치되는 것이 주요 특징이다. 따라서 선도 기업들은 최종 소비자에 대한 정보와 데이터를 실시간으로 입수하고 파악하여 고객의 소비패턴과 수요에 대한 잠재적 니즈까지 파악하여, 고객맞춤형 제품과 서비스 개발을 통해 신속하고 정확하게 대응하고 있다.

둘째, 디지털 기술의 SCM 동기화는 '가시성' 측면에서 큰 변화가 이루어지고 있다. 기업 활동은 제조부터 유통 파이프라인을 거쳐 최종 소비자에 이르기까지 판매 상황과 재고 운영상황을 실시간으로 파악할 수 있는 가시성이 매우 중요하다. 이 가시성을 통해 수요와 공급의 최적화를 기획할 수 있고 판매기회를 극대화하고 운영의 효율성을 기할 수 있다. 따라서 선도 기업들은 협력업체부터 제조라인에 얼마만큼 생산되고 있는지, 재고는 얼마나 확보하고 있는지, 유통 매장 등 파이프라인에 며칠 분의 재고를 가지고 있는지를 파악하여 보유재고량이 적정한지, 과도한지, 부족한지를 판단함으로써 수요에 따라 공급망 가치사슬상 전체 공급량을 가시화visualization하고 본사에서 원격으로도 실시간 확인하여 유연한 의사결정이 가능하도록 가시성을 강화하고 있다.

셋째, '실 수요 기반으로 공급망 운영이 빠르게 진화'되고 있다. 실판매 파악과 개발·생산·납기 상황에 대해 지능형 시스템 기반 시뮬레이션을 통해 예측력을 높이고, 수요변동에 즉각적으로 대응하도록 의사결정 지원체계가 강화되고 있다. 따라서 선도 기업들은 실수요기반의 수요공급 최적화된 계획을 수립하고 수요 변동을 빠르게 감지하여 실시간으로 유연하고 능동적인 대응이 가능하도록 역량을 강화하고 있다.

[유통업체의 ICT 기술 적용 사례_ 아마존]

아마존Amazon은 IoT, 빅데이터, AI, 드론, 로봇, Cloud 등 ICT 기술을 접목하여 끊임없이 변화와 혁신을 시도하고 있다. 최근 유통분야에서는 빅데이터와 추천기술을 기반으로 쇼핑과 고객 서비스에 접근함으로써 새로운 비즈니스 모델을 만들어가고 있다. 추천 엔진은 제품의 이름, 가격뿐만 아니라 특정 고객의 상품 구매와 탐색 이력을 확인하고,

고객의 습관적인 패턴과 행동을 알아내어 고객 맞춤형으로 추천 서비스를 제공한다. 수집된 빅데이터를 분석하여 고객이 무엇을 원하는지, 언제 원하는지를 예측해서 고객에게 구입하도록 기회를 제공하고 구매율을 높여 매출를 확대하고 있다. 아마존 Go에서는 스마트폰 앱 속에 쇼핑카트와 check in−out 개념 등을 도입하여 인건비를 줄이고, 빅데이터와 카메라가 연결된 무인 자동화를 통한 최적화된 통합 서비스를 제공하고 있다. 또한, 미국 워싱턴 아마존 물류창고 안에 짐꾼 로봇 키바를 도입하여 수북이 쌓인 물건 중 소비자가 주문한 상품을 정확히 찾아 작업자에게 전달하고 있다. 이와 같이, 아마존은 ICT 기술을 접목하여 고객 현장과의 접점을 찾아 SCM 속도를 올리고 있으며, supply chain 내 재화와 정보흐름에 대한 가시성을 확보하고, 고객의 잠재된 수요를 창출하면서 디지털 공급망 관리를 선도하고 있다.

〔상품 구매업체와 ECR SCM 적용 사례_ 월마트 & P&G〕

제조업체와 유통업체 등이 서로 협력하여, 소비자의 요구에 효율적이고 빠르게 대응하기 위한 전략을 효율적 소비자 대응 전략Efficient Customer Response: 'ECR'이라고 한다. 월마트는 상품 공급업체인 P&G와 collaboration 체계를 구축하여 원가절감을 통해, everyday lowest price 정책을 실현하고 있다. 월마트와 P&G는 각 점포의 매출추이, 재고정보를 통신위성을 통해 상태를 파악하여, 계획적으로 생산하고 배송한다. 주문 후 36시간 내 진열대에 서로 합의한 재고량의 목표수준별 일일판매량 기반의 re−order point 정책에 의해, 신속하고 효율적인 재고 보충의 협력체계 운영으로 상품 조달의 혁신을 실현하고 있다. 아울러, 월마트는 Bosa Nova Robot을 활용하여 매장 내 선반 재고의 위치, 상품 수량 등을 관리하는 매장 P.S.I 관리 등을 위해 ICT 기술과 시스템에 막대한 투자를 하며 여전히 유통업체를 선도하고 있다.

[스마트 팩토리]

글로벌 제조기업은 스마트공장 가속화를 통해 생산성 혁신 경쟁 중이다. 4차 산업혁명 시대를 맞아, 네트워크에 기반을 둔 실시간 주문 생산방식 확대로 스마트공장 도입 경쟁은 이제 선택이 아닌 필수가 되었다. 스마트공장은 제조 데이터 분석·활용이 가능한 지능형 공장으로 기업의 생산성 향상과 불량률 감소, 나아가 4차 산업혁명 시대가 요구하는 실시간 개별 수요자 맞춤형 생산을 위한 필수 수단이 되고 있는 것이다.

세계 각국은 AI, 빅데이터 등 ICT 신기술을 융합하여 제조업 혁신을 경쟁적으로 추진함으로써 제조경쟁력의 고도화에 집중하고 있다. 미국, 독일, 일본, 중국 등 제조산업의 혁신경쟁을 가속화하고 있는 상황이다. 이에 우리도 반제품 등 주력산업 침체 등을 극복하기 위해 고강도의 제조 혁신이 요구되고 있다. 독일은 산·학·연 협력으로 스마트공장을 성공적으로 정착시키면서 적게 일하면서도 더 높은 성과를 낼 수 있는 세계 최고수준의 노동생산성을 확보하였다. 또한, 스마트 팩토리 구축을 통해 불량률 예측 및 감소로 수율을 향상하는 생산공정 디지털화에 더욱 박차를 가하고 있다.

[스마트 팩토리 구축 사례_ Adidas Speed Factory]

1993년도, 고임금 비용때문에 독일 공장을 모두 폐쇄하고 중국과 동남아 지역으로 공장을 옮겼던 아디다스사가 23년 만에 본국인 독일로 돌아왔다. 아디다스는 2016년 스피드 팩토리Speed Factory라는 공장자동화의 새로운 모형을 제시하였다. 스피드 팩토리에서는 사람 대신 로봇이 원단을 작업대에 올리고, 3D 프린터로 운동화 부속물을 만들어 꿰매고 붙인다. 아디다스의 이러한 일련의 공정은 독일 정부와 아헨 공대가 3년 넘게 협력하여 추진하였고 소프트웨어, 센서, 3D 프린터, 프레임 제작업체 등 20곳 이상 기업들이 공장 자동화와 디지털 시스템 구축에 참여했다. 다른 신발공장과 같이 똑같은 소재나 똑같은 디자인으로 된 신발을 반복해서 생산하는 것이 아니라, 고객이 회사 홈페이지를 통해 주문하면 로봇이 고객 주문별로 원단 직조에서 생산마감까지 일괄적으로 해결해 내고 있다. 전체 과정을 로봇과 센서들, 3D 프린터를 활용하여 공급 리드타임을 1년 6개월에서 10일 이내로 단축시켰다. 이와 같이 스마트 팩토리를 통한 제조공정 혁신은 생산량 증대는 물론, 제조 비용과 공급망 비용을 크게 줄일 수 있다.

맺는 말

선도 기업들의 사례를 살펴본 바와 같이 각 기업의 업의 특성을 고려한 SCM을 경영의 핵심경쟁 요소로 삼아 산업을 지배하고 경쟁우위를 지속적으로 유지하기 위해서는 몇가지 핵심요소가 필요하다고 정리할 수 있겠다. 밸류체인에 일관되게 적용 가능한 운영 원칙과 정해진 프로세스 기반의 'back to the basic'에 충실한 실행문화의 정착과 경쟁사 대비 차별화에 대한 지속적인 역량 강화와 투자가 요구된다. 이러한 핵심요소의 구축과 더불어 수요공급망 전 부문이 기업이 추구하는 SCM 목표를 달성하기 위해 단일통합계획을 세우고, 부문 간 동기화와 협력을 바탕으로 한 뜻, 한 방향으로 실행하여야 한다. 외부 공급망 요소인 협력업체와 고객과의 전략적 협력관계를 구축하여 모든 밸류체인을 최적화하는 방향으로 공급망을 끊임없이 개선해야 한다.

아울러 외부적으로 급변하는 공급망 환경의 변화에 능동적이고 선제적으로 대응하기 위해서는 내부적으로 통제 가능한 supply chain 리드타임을 지속적으로 단축하여야 한다. 또한, 통제가 용이하지 않은 수요변동을 최대한 빨리 감지하여 적기에 유연하게 대응하도록 SCM 전략수립과 그에 수반되는 필요한 역량을 확보하고 시스템을 구축하여야 한다. 4차 산업혁명에 즈음하여 대두되는 새로운 디지털 기술의 접목과 SCM 최적화와 동기화를 통해, 점차 최종 소비자 접점으로 밸류체인을 통합하고, 정보와 데이터의 가시성을 확보하여 적시에 올바른 의

사결정을 하도록 지원하고, 실시간 수요에 즉시 반응하고 빠르게 대응하는 차별화된 역량을 키워야 한다.

디지털 산업시대에는 고객의 다양한 니즈가 반영된 제품과 서비스를 누가 먼저 빨리 개발하고 만들어서 파는가에 대한 'time to market'이 경쟁력의 핵심이다. 사업 환경변화 속도보다 더 빠르게 대응하는 SCM 역량과 경쟁력 확보만이 미래 경영에서 시장 선도와 기업의 영속적 번영과 가치 제고를 이끌어 낼 수 있게 될 것이다.

section 2

4차 산업혁명

인공지능AI 로봇의
법인격(규범성) 부여 적절성

글_ 박재식

박재식 교수는 한국건설기술연구원, 한국직업능력개발원 등
공공기관에서 32년간 주요 요직을 거치면서 활동하였다.
제4차 산업혁명에 견인차 역할을 하고 있는
인공지능AI형 로봇의 활동에 관심과 더불어
법인격 부여가 쟁점화 됨에 따라
객관적인 해결방안에 집중하고 있다.

인공지능AI에 의한 로봇이 인간을 대신하여 각종 재해와 위험요소에 투입되어 어려움을 해결하는 광경이 일상화되는 날이 멀지 않은 장래에 올 것이다. 인간과 같이 사고하고 학습하고 판단하고 생활한다면 이는 또 다른 객체로서 많은 부분을 고민하여야 할 사안이다. 기술의 고도화와 정밀화는 우리 삶의 수월성을 얼마나 줄지 예측하기 어렵다. 특히 인공지능 로봇의 활동 범위와 대상은 다양하고 광범위하게 우리 생활맞춤형으로 투영될 것이다.

문제는 편리함과 수월성 아래 윤리와 도덕에서 애매함과 침해함을 더해가는 인공지능의 오류이다. 그 오류로 인한 발생현상에 대해 심각한 법적 다툼이 일어날 수 있다. 다시 말해 발생현상에 대한 책임성 문제, 귀책 여부, 과실손괴의 범위문제 등등이 제기될 수 있다. 우리나라의 지능형 로봇 개발 및 보급 촉진법(제2조)에 의하면 지능형 로봇이란 '외부환경을 스스로 인식하고 상황을 판단하여 자율적으로 동작하는 기계장치'라고 정의하고 있다. 즉, 스스로 인식하고 판단하는 수준까지는 인정하지만, 아직까지는 인공지능형 로봇이 기계장치에 불과하다는 기초적 입장을 취하고 있어 법적 인식론의 범주에 인공지능형 로봇을 우리와 함께 공존하기에는 멀어 보인다. 다시 말해 스스로 인식하고 상황을 판단한다는 것은 사람에 의제하는 수준이며, 자율적으로 동작한다는 것은 기인성과 책임성을 그나마 인정하고 있는 것으로 여지를 남기고 있다.

따라서 인공지능AI의 도래는 거부하거나 부인할 수 없는 대세로서 거스를 수 없으며 이에 더하여 인공지능AI형 로봇의 등장과 활동은 더욱 주목을 받지 않을 수 없는 사안이다. 반세기 우리 사회는 쓰나미처럼 밀려오는 각종 기술파도를 지혜롭게 관리하고 운영하여 고도의 성장을 이룬 경험이 있다. 어쩌면 4차 산업의 혁명도 이러한 우리의 자세와 경험이 어우러져 쉬이 잘 극복하고 수렴할 것으로 예단한다. 이러한 기술적 관심 못지않게 인공지능AI형 로봇에 법인격을 부여할 것인지 말 것인지의 논쟁은 초미의 핵심이 되며, 나아가 어떻게 할 것인지의 방법론으로까지 입법역량을 모으는 것이 우리가 해결할 과제가 아닐까싶다.

1. 들어가는 말

요즘 우리 사회는 인공지능Artificial Intelligence, AI의 신드롬에 빠져 있다. 온통 주변이 IoT, Big data, 핀테크 등으로 생활패턴에 있어 혁명적 변화가 진행되고 있다. 나아가 4차 산업혁명이란 이슈가 커다란 담론으로 제시되고 있어 이에 대한 각계의 대응과 적응력 향상에 열을 올리고 있는 실태이다. 이와 같이 고도의 혁신성을 더해가는 급속한 변화는 산업경제 및 생활환경과 밀접한 관계를 유지할 것이다. 고도의 혁신성을 견인하는 인공지능 그리고 고농도 센서의 초연결·최적화 현실은 초미의 관심으로 우리를 긴장하게 하고 있다. 비록 초기단계의 실현이지만 스마트 시티 등자오의 실현, 스마트 공장의 가동, 보편화 된 사물인터넷의 작동, 유비쿼터스를 넘어 가상현실로 가고 있는 교육과 의료현장의 다면적 접근 등 여러 부문에 있어 딥러닝의 놀라운 기능이 혁명적·혁신적 변화를 제시하고 있다.

다시 말해 제4차 산업혁명의 기술은 사회체계는 물론 사람의 인체와 사고에도 영향력을 구사하여 새로운 기술의 패러다임을 제시하고 있다. 즉, 나노 기술, 유전 및 생명 공학, 양자 컴퓨팅, IoT, 3D 기술, 자율차량 기술, 로봇의 유체성 기술, 인공 지능 등에서 혁신적 기술이 구체화되고 있다. 이런 기술의 매력과 종착지는 무엇이며 어디일까. 그 해답은 결국 사람과 사람을 웹이라는 농축적 도구에 연결시키고, 다양한 비즈니스의 완성도를 높이는데 있다. 나아가 조직의 효율성을 고도화함으로써 더 나은 유·무형의 자산관리를 통해 인간과 사물간의 관계환경을 고밀도 하는데 주목할 필요가 있다.

우리나라의 주력산업인 반도체에 기반한 정보통신의 급속한 발달에는 IT의 기술적 전이가 쫌쫌이 깔려있다. 이러한 기술적 전이는 전 산업분야에 획기적 패러다임을 축지하였고, 그 파급효과 또한 우리 생활을 편리함과 수월성으로부터 첨단 하는데 견인차 역할을 하였다. 기술적 연장선에서 4차 산업혁명의 소용돌이에 우리의 법률계에도 커다란 변화가 예견되며 이에 대한 적절한 대비가 필요하다는데 이견이 없다. 다만 기존의 법률내용과 체계의 개선을 게을리해서는 물밀듯이 밀려드는 법률수요와 서비스 요구를 감당할 수 있겠느냐하는 문제에 긴장의 끈을 놓아서는 안될 것이다. 세계경제포럼(2016년)에서 언급된 4차 산업혁명의 시대에서 우리가 주목하여야 할 것은 기존의 정보기술과 빅데이터와의 결합이다. 이 결합체는 기술의 고도화와 업무의 초고속으로 연결되어서 각 산업 분야에 엄청난 시너지를 양산할 뿐만 아니라, 시사 하는 바가 매우 크다할 것이다. 특히 법률 업무의 편리성이나 신속성은 리걸테크[1] 로서의 단편적인 일면에 불과하지만 그 수요는 상당할 것으로 보인다.

이러한 맥락에서 법률계의 폐쇄적이고 배타적인 특성을 감안하면 정보기술의 소극적 활용이 주는 폐단은 클 수밖에 없다. 특히 전문적인 지식을 활용하는 영역으로서의 법률업무의 시도는 신중을 기해야하며 4차 산업과의 연계에 긴장할 필요가 있다. 미래의 직업세계(2016)에 의하면 4차 산업혁명으로 인해 기존에 존재하던 직업의 50%가 사라지거나 인공지능에 의하여 대체될 것이라는 예측도 간과할 수 없으며, 인공지능에 의한 법률서비스의 고도화는 수년 후 우리가 누려야 할 복지프로그램 중 하나에 불과할 것이다. 다행히 정부도 '지능형 로봇 개발 및 보급 촉진법'을 제정하여 지능형 로봇산업을 진작할 수 있는 토대를 마련하고 있다. 따라서 본고에서는 개별적 법률내용은 논외로 하고 인공지능에 의한 로봇의 활용으로 법률관계에 드리울 수있는 심각함을 들여다보면서, 그로 인하여 예견되는 혼란을 짚어보고, 4차 산업혁명이

---

1)안진우(법률신문 오피니언 2018.3.22.) 의하면 리걸테크란 "법률(legal)과 기술(tech)의 합성어로 정보기술을 활용하여 법률사무의 처리를 도와주는 서비스를 총칭하는 개념이다" 라고 정의하면서, 온라인으로 법령이나 판례 검색을 제공하는 각종 플랫폼이나 디지털포렌식(Digital Forensic), 전자증거개시(E-Discovery)를 활용한 전자소송제도는 리걸테크의 대표적인 모습에 해당한다고 설명하고 있다.

초래할 법률적 수요에 적극적으로 대응할 필요성을 논하고자 한다.

2. 인공지능AI의 개념과 빅데이터와의 연동성

인공지능AI:ArtificialIntelligence이 무엇인지 개념부터 살펴 볼 필요가 있다. 사전적(네이버 지식백과) 용어를 빌리자면 '인공지능이란 인간의 학습능력과 추론능력, 지각능력, 자연언어의 이해능력 등을 컴퓨터 프로그램으로 실현하는 기술을 말한다'라고 정의하고 있다. 즉, 인공지능은 사람과 같이 생각하고 학습하고 판단하는 논리적인 방식을 구사하는 인간지능처럼 체화된 일종의 고밀도형 컴퓨터 프로그램으로 컴퓨터상에 구현되는 속성을 지니고 있다. 인공지능은 홀로 존재하는 독립된 개체가 아니다. 컴퓨터라는 상이한 객체과학을 기반으로 다른 과학기술과 융복합되어야 비로소 그 가치가 생성되는 것이다. 따라서 인공지능AI의 유용성은 과정의 문제이지만 결과의 숙성이기도 하다.

[인공지능AI 기술의 고유 특성]

인공지능AI 활용의 극대치에는 데이터라는 먹이사슬이 존재하고 있다. 즉, 인공지능은 데이터가 있어야 기계학습이던 생각학습이던 활성화가 일어나며, 데이터 역시 인공지능의 도구를 빌리지 않으면 구현이 되지 못한 채 통계 내지 숫자로만 머무를 뿐이다. 이와 같이 양자의 융합은 필수불가결한 요소로 전체적인 틀로 바라보면 물리적·화학적 특성을 내재하고 있다. 이러한 맥락에서 인공지능AI만의 독자적 특성[2]을 다음과 같이 특징 지어진다.

i)인공지능AI은 로봇 자동화와는 다르다는 점이다. 로봇 자동화는 하드웨어에 기반을 둔 반면에 인공지능AI은 데이터의 반복적 학습과 구동을 인사이트를 통해 새로운 발견을 자동화한다. 손으로 하던 일련

---

[2]SAS KOREA의 '인공지능 소개 및 활용방안' 인용

의 반복 작업을 단순히 자동화하는 것을 넘어서서 대량의 전산 작업을 간단하게 수행한다.

ii)인공지능^AI은 이미 사용 중인 제품에 인공지능^AI 기능을 탑재하여 제품 개선이 획기적으로 이루어지도록 한다. 나아가 기능의 자동화와 광역화는 데이터와 결합되면서 직장과 가정에서 이용하는 많은 수요 기술들을 대체하게 할 수 있다.

iii)인공지능^AI은 알고리즘을 통해 스스로를 학습하고 이에 더하여 숙주가 되는 데이터가 프로그래밍을 수행하도록 지원한다. 다시 말해 인공지능^AI은 먹이가 되는 데이터의 규칙과 패턴을 찾아내고 알고리즘이 이를 학습하여 수요자의 욕구를 충족시켜 주기도 한다. 이런 무한반복은 성능 개선으로 이어지는 특성을 지니고 있다.

iv)인공지능^AI은 엄청난 컴퓨터 파워와 기능으로 입력하는 데이터가 많을수록 그 정확성이 배가되는 속성을 지니고 있다. 이러한 속성의 중심에는 다량의 데이터를 위시하여 자가학습으로 연동되는 알고리즘과 딥러닝이 일익을 담당하고 있다.

v)질문을 던져주는 문제의 해답은 데이터에 있으며 데이터의 역할이 무엇보다 중요하다. 따라서 인공지능^AI은 데이터의 활용도를 극대화한다. 유사한 기술로 경쟁관계의 위치에 있더라도 데이터에 의한 경쟁 우위는 경쟁력을 이미 확보되어 있어 생존의 가능성이 훨씬 높다고 할 수 있다.

기업은 미래에 대한 예측력 확보에 사활을 건다. 소비자의 소비형태와 소비패턴을 진단하는 능력은 고객 서비스에 대한 최소한의 예의이며 수월성을 담보하는 핵심 요소이다. 따라서 이러한 환경에서의 인공지능의 발달은 수요예측력 및 판단력을 한 차원 높게 선도하고 유도하는 촉매역할을 담당할 것이다. 인공지능 예측력의 핵심은 딥러닝에 있다. 즉, 데이터 용량의 거대화, 특정 패턴의 추출과정의 반복성, 기계 학습 등 삼위일체의 연계가 선순환 구조로 작동되어야 한다. 이처럼 인공지능과 데이터는 합의체이어야 하며, 데이터 활용의 성패는 인공지능 기술의 성패와 맥을 같이 함을 인식하여야 한다.

[인공지능AI 기술의 장·단점]

인공지능AI의 기술은 우리가 느끼는 속도 이상으로 가까이 와있다. 사무환경 뿐만 아니라 경제·환경 등 미치지 않는 곳이 없다. 기계적 편리함을 넘어 스스로 학습하고 생각하는 단계로의 확장은 전자인간으로의 지위도 부여하자는 주장에 다다르고 있다. 급변하는 인공지능 기술의 장단점을 살펴보고자 한다. 먼저 장점으로는,

ⅰ)인공지능 기술은 사람의 노동을 줄일 수 있다. 하나의 실례를 들면 인공지능 로봇 변호사의 사례이다. 미국 청년 조슈아 브로더Joshua Browder는 주변인들의 도움으로 'DoNotPay.co.uk' 사이트라는 웹을 만들었다. 이 웹의 활용으로 주차요금 납부의 어려움을 해결하고 주차요금의 합리적 납부를 해결하였다는 점이다. 이와 같이 AI에 의한 데이터의 집약은 노동시장의 유연화가 용이하여 일자리 문제를 일정부분 해소할 수 있으며, 저출산으로 생기는 노동력문제를 해결할 수도 있을 것이다.

뿐만 아니라 인공지능은 재판에 필요한 방대한 자료 수집을 시의적절하게 처리해 주는 도우미의 역할을 할 것으로 기대된다. 개별적 사건사고에 있어서 특정 범인의 사건사고 정보의 분석을 통해 재범률의 환경을 재판관에게 제공함으로써 형량의 결정에 정확한 범죄정보를 제공할 수 있다. 특히 이해관계인이 복잡하게 얽혀있는 M&A나 주식 거래 및 금융정보, 회계 부정정보, 의료 정보의 비정형화 데이터를 해석하여 부정이나 의혹적 사실을 발견하여 실무 담당자에 보고함으로써 노동력의 누수와 사전적 예방 기능을 높일 것으로 보인다.

ⅱ)인공지능 기술은 나라의 경제를 활성화 하는데 기여할 수 있다. 일본의 한 엔지니어가 인공지능을 실생활에 적절하게 잘 활용한 사례가 있다. 일본의 자동차 디자이너 마코토 코이케Kooto Koekke는 딥러닝 기술을 활용해서 상품성이 높은 오이를 선별하는데 성공하였다. 노동 강

도를 높이지 않으면서도 품질경쟁과 가격경쟁으로 이어져 수출 확대를 통한 국가 경쟁력의 우위를 점할 수 있었다.

iii)인공지능의 기술은 스마트한 기능과 편의성을 통해 삶의 질을 향상시킬 수 있다. 기술의 고도화는 우리 생활의 편리성만 제공하는 것이 아니라 종국에는 문화적 소양까지 향상시켜주는 기폭제가 될 것이다. 특히 고령화의 진전이 급속도로 진행되고 있는 우리 사회에서는 인공지능의 지원이 더욱 절실하다. IoT와 연계한 인공지능의 작동은 치매노인과 독거노인에 대한 복지프로그램의 수월성을 한층 더할 것으로 확신한다. 인공지능의 서비스 기능을 통해 대화를 나누거나 노래를 듣거나 간단한 체조동작 등을 즐겁게 유인함으로써 활력을 넣어주고, 나아가 치매와 독거노인 그리고 사회복지사와의 연계가 강화되면 노인 비극의 대명사인 '외로움과 방치'로부터 원천적 케어가 가능해지므로 궁극적으로는 막대한 사회적 비용을 절약하는 방안이 될 것이다.

이에 반해 단점으로는,

i)인공지능 기술의 발전은 인간의 직업세계의 지도를 바꿀 수 있다. 여러 사람이 공동으로 하는 작업을 데이터화 된 AI가 빠르고 정확하게 처리함으로써 그로 인한 일자리와 직업의 소멸은 불가피하다. 그러나 험난하고 정밀한 탐사나 관찰을 요하는 직업에서는 그 수요가 확충될 것으로 보인다.

ii)인공지능 기술을 군사적으로 이용하여 더 많은 인명피해가 있을 수 있다. 인간을 대신하는 대리전 양상이 더욱 공고해질 것이다. 특히 대테러 작전이나 토벌작전에 투입함으로써 순기능도 기대할 수 있으나 감정이 배제된 군사작전에서는 그 위험성이 가공할 것으로 전망된다.

iii)인공지능 기술의 발전으로 자아를 가진 로봇이 탄생할 수 있다. 자아를 가진 휴먼로봇은 인간의 정체성에 혼란을 불러올 수 있다. 윤리의 경계선이 무너질 정도의 AI이면 인간의 천부인권 사상은 그 구제를 찾기가 어려운 순간이 올 것이다.

iv)불완전한 인공지능 기술은 위험한 일을 초래할 수 있다. 범죄에 악용되거나 사익을 추구할 때면 책임의 주체를 물을 수 없어 이를 둘러싼 논쟁이 가중되어 공공질서의 황폐화가 자명하다.

현재로서 인공지능AI 기술의 유·불리를 구분한다는 것은 무의미하다. 역사가 그러하듯 기술 변화의 중심에는 기술의 유동화로 모아지기 때문이다. 아날로그 시대와 디지털 나아가 초연결 기술이 혼재되어 있는 기술의 스펙트럼이 넓은 현시점에 있어 인공지능의 편의성은 또 다른 첨단기술을 잉태하고 있는지도 모른다. 따라서 인공지능의 기술도 긍정적인 효과는 배가시키고 부정적인 요소는 치유하고 보완하면서 함께 공존하여야 하는 과제를 안고 있다.

[인공지능AI과 빅데이터와의 연동성]

4차 산업혁명3)은 프로그램에 의한 가상현실과 증강현실과의 연결, 탈중앙화와 분권, 공유와 개방을 통한 맞춤시대의 지능화 세계4)를 지향함을 개념지을 수 있다. 맞춤시대의 지능화는 현실세계와 가상세계의 연결이 관건이다. 즉, 가상세계에서 빅데이터5)와 인공지능 분석을 통해 추론과 탐색을 예측하고 이를 현실세계에 접목하여 활용하는 것이다. 특히 진화속도가 빠르고 스스로 자기 학습화 단계까지 의인화되는 인공지능의 변화는 심각한 발전·변화가 아닐 수 없다.

과거의 인공지능은 확정된 환경(고착 프로그램)에서 한계가 있는 솔

---

3) 제4차 산업혁명' 용어는 2015년 하노버(독일)산업박람회와 2016년 세계 경제 포럼WEF: World Economic Forum에서 언급되었으며, 정보 통신 기술, ICT 기반의 새로운 산업 시대를 대표하는 용어가 되었다.

4) 지능화 세계를 구축하기 위한 요소기술로는 빅데이터Big Data Statistical Analysis, 인공지능 Artificial Intelligence, AI 로봇공학Robot Engineering, 양자암호, 사물 인터넷Internet of Thing, IoT, 무인 운송 수단, 3D 프린팅3D printing, 연결 및 표시 기술, 센서 기술, 유전 및 생명 기술 등등 일 것이다.

5) 빅데이터는 대량 데이터에서 가치를 뽑아내고 결과를 분석하는 기술을 말한다. 빅데이터는 테라바이트에 달하는 거대한 데이터 집합 자체만을 지칭하면 양적 개념이었지만, 데이터가 급증하면서 대용량 데이터로 집적화되었고, 이를 활용하고 분석하여 가치 있는 정보를 추출하며, 생성된 지식을 바탕으로 미래의 환경변화를 예측하기 위한 프로그램(수단화) 도구이다.

루션을 탐색하는 일이었다. 적어도 현재는 인공지능에는 머신러닝과 딥러닝이 그 핵심요소이자 기술이다. 기계학습이라고 칭하는 머신 러닝은 컴퓨터가 학습할 수 있도록 알고리즘을 개발하는 분야로서 정확히는 데이터를 분석하고 학습한 뒤, 학습내용을 기반으로 판단 및 예측하는 것을 말한다. 이에 반해 딥러닝deep learning 또는 representation learning은 일반적인 기계학습과는 다르다. 데이터를 사람이 추출하지 않고 기계가 직접 데이터를 추출해 저장하는 것이 특징이다. 딥러닝은 인공신경망을 이용하여 데이터를 군집화하거나 분류하는데 사용하는 기술이다.

인공지능AI은 경제 고도화라는 명제에서도 중심을 차지할 것이다. 인공지능이 인류에게 재앙이 될지 축복이 될지는 예단할 수 없다. 다만 인간이 인공지능의 기술을 어떻게 다루느냐에 따라 그 결과 값은 엄청난 간극을 보일 것은 자명하다. 모든 사물과 대상은 고유의 성질을 지니듯이 인공지능AI도 개별적 속성을 지닌 채 발전을 거듭하고 있다. 이를 분설하면 다음과 같다.[6]

ⅰ) 자연언어처리natural language processing 분야이다. 이미 자동번역과 같은 시스템을 실용화하였다. 즉, 사람이 컴퓨터와 상호 인지를 확인하고 대화를 유지하며 상호 정보교환의 수준에 이르게 되면 컴퓨터 사용의 의존도는 더해감과 동시에 임계점이 오지 않을까하는 염려가 된다. 인간이 컴퓨터에 의존하는 세상이 두텁게 형성되면 컴퓨터와 인간의 언어 영역도 변별력이 없어지게 되기 때문이다.

ⅱ) 전문가시스템expert system 분야이다. 컴퓨터와 인간의 간극이 더욱 좁혀지면서 컴퓨터의 활용영역이 확대될 것이다. 따라서 인간의 보조 수단을 넘어서서 지능형 컴퓨터는 사람이 수행하고 있는 전문적인 업

---

6) 네이버 지식백과, 인공지능artificial intelligence, 人工知能, 두산백과에서 인용

무를 완벽히 처리하거나 추론함으로써 전문가로서의 역할이 대체되는 것이다. 향후 쓰임새의 광폭은 더욱 깊고 넓을 것으로 전망된다.

iii)영상 및 음성인식Image & speech recognition 분야이다. 컴퓨터가 CCTV 나 열감지카메라를 통한 영상의 분석, 또는 사람의 목소리를 듣고서 글로써 변환하기에는 다소 어려운 일이므로 인공지능적인 솔루션의 도입이 필요하다. 이러한 영상 및 음성 인식솔루션은 IoT나 인체 및 유전공학, 로봇 공학 등에 핵심적인 기술이다.

iv)이론증명theorem proving 분야이다. 수학적으로 정리된 사실을 증명하는 과정으로서 인공지능의 분야에서 논리적으로 추론하여 사용되는 필수적인 기술이다.

v)신경망neural net 분야이다. 수학적 논리학인 이론증명과 다르게 인간의 두뇌에 가깝게 접근하여 수많은 도구들의 네트워크로 구성된 신경망 구조의 행태를 보이고 있다.

그렇다면 인공지능이 빠르게 똑똑해지고 있는 이유는 무엇일까. 이 물음의 해답은 기계적 알고리즘이 파악하는 정보량의 폭발적 증가에 있다. IT가 발달한다 하더라도 처음부터 정보량이 많이 생성된 것은 아니다. 지지부진하게 인공지능 연구가 명맥만을 이어오다가 활성화 된 것은 인간의 머릿속에 저장되어 있는 정보처리 방식을 기계공학적(인공적)으로 다시 재생시켜 보유정보를 초고속으로 처리하는 딥러닝이 2014년 무렵 개발된 덕분이다.

주지하다시피 딥러닝은 기계학습의 유형이다. 이는 구조화되어 있지 않은 정보를 알고리즘이 관찰하여 유용한 정보 패턴을 입력하기도 하고, 또 가르쳐 주지 않아도 스스로 알아서 습득하는 자기주도성과 무한유용성을 자랑으로 한다. 그 실력 수준을 현재로서 정형화한다는 것은 참 어려운 일이다. 최근의 예로 이해를 돕자면, 알파고도 정보 패턴을 기계가 스스로 학습하도록 설계된 알고리즘에 있다. 즉, 바둑기사들이 두는 기보棋譜 데이터를 대량으로 수없이 반복하여 관찰하고 이를 기반으로 자기 주도의 예측과 추론을 거쳐 최적의 한 수를 고르는 방식이 그것이다. 이러한 해결수준은 인공지능이 빅데이터를 자기학습하고 탐색하며 추론함으로써 궁극적으로 제시된 과제를 스스로 해결하는 능력을 갖추어 가고 있음을 반증한다. 따라서 신경망을 통한 딥러닝과 SNS 그리고 스마트폰의 빅데이터는 인공지능 기술의 발전에 최적의 텃밭을 제공하고 있다.

한편 인공지능과 빅데이터 활용의 최적화에는 '개인정보 보호'라는 장벽이 있다. 우리나라는 법률상의 제약이 많아 개인정보의 활용이 어려운 실정이나, 개인정보 보호는 강화하되 개인정보 부분만을 비식별 조치하여 이용을 용이하게 하는 것이 무엇보다 중요하다. 여기에서 '개인정보 비식별 조치de-identification'란 특정인을 식별할 수 없도록 개인정보를 가공하는 것을 의미한다. 현행 개인정보 보호법령의 틀 내에서는 빅데이터가 안전하게 활용될 수 있도록 하는데 필요한 개인정보의 비식별 조치 기준과 비식별 정보의 활용 범위 등을 명확히 제시하고 있다.(동법 제23조 내지 제27조) 다시 말해 정보주체를 알아볼 수 없도록 비식별 조치를 적정하게 한 비식별 정보는 개인정보가 아닌 것으로 추정되어 빅데이터 분석 등에 활용이 가능하도록 입법으로 마련하고 있다. 다만, 비식별 정보도 인지해체 기술의 발전과 데이터의 무제한 증가 등으로 재식별 가능성이 엿보임으로 재식별 방지를 위한 기술적 보완과 더불어 입법적인 안전장치 등을 강화하여야 한다.

개인정보 비식별 조치 가이드라인(2016년 관계부처 합동)의 비식별 조치 4단계는 다음과 같다.
  i)사전검토 단계에서는 개인정보 해당 여부를 검토한 후 개인정보가 아닌 경우에는 별도 조치 없이 활용 가능함을 안내하였다.
  ii)비식별 조치 단계에서는 가명처리, 총계처리, 데이터 삭제, 범주화, 데이터 마스킹 등 다양한 비식별 기술을 단독 또는 복합적으로 활용하여 개인 식별요소를 제거하도록 하였다.

iii)적정성 평가 단계에서는 비식별 조치가 적정하게 이루어졌는지를 외부 평가단을 통해 객관적으로 평가하도록 하였으며, 평가과정에서 객관적이고 계량적인 평가 수단인 'k-익명성'[7]을 활용하도록 하였다.

iv)마지막 사후관리 단계에서는 비식별 정보의 안전한 활용과 오남용 예방을 위한 필수적인 보호조치 사항을 명시하고 있다.

인공지능[AI]과 함께 빅데이터의 시대가 완연하게 구현되고 있다. AI의 중심에는 빅데이터가 있으며, 딥러닝의 먹이사슬은 빅데이터에 가장 최적화된 알고리즘이 있어야 가능함을 강조하고 싶다. 물론 인공지능의 진화가 어디까지 갈지 알 수 없으나, 스스로 자기 학습을 주도한다는 부분에서는 그 무한한 변신가능성을 배제할 수 없으며, 우리 인간과의 공존과 상생에 접점으로 구현될지 아니면 대칭으로 구현될지는 미완의 문제가 아닐 수 없다.

3. 인공지능[AI] 기술과 규제

앞서 인공지능[AI]은 기계(컴퓨터)가 데이터를 통해 학습하고, 새로운 데이터 입력내용에 따라 패턴을 인식하거나 기존 지식을 업그레이드하며, 추론과 탐색을 통해 작동하며, 사람과 같은 방식으로 특정 과제를 수행할 수 있도록 지원하는 기술임을 언급하였다. 이러한 기술과 학습에 이르기까지 수많은 과정(기술의 변이)을 시대별로 반추해 보는 것도 의미가 있겠다.

[인공지능 발전의 흐름과 저해요인]

---

7)동일한 값을 가진 레코드를 k개 이상으로 하여 특정 개인을 추론하기 어렵도록 하는 것이다. 예를 들어, k값을 5로 정하여 비식별 조치하였다면 데이터 셋 내에 개인 식별 요소가 없음은 물론이고, 최소 5개 이상의 레코드가 동일하여 개인식별이 어려운 것이다.

인공지능의 역사적 흐름(정보통신역사관)을 일목요연하게 정리하여 보면, 1950~1970년대는 신경망Neural Networks이라 하여 초기 연구를 통해 "생각하는 기계"에 대한 기대감 정도였고, 1980~2010년대에는 머신러닝Machine Learning으로 활용도가 높아졌으며, 현재에는 심층 신경망인 딥러닝Deep Learning으로 고품질화·고도화가 진행되고 있다. 즉, 많은 데이터 속에서 유효한 정보를 찾아내는 데이터 마이닝Data mining에 비해 데이터를 이용해 검증과 학습의 과정을 통해 특정 조건에서 예측값을 얻는 머신러닝을 업데이트한 딥러닝으로의 가속도는 인공지능형 대상물(로봇)의 활동이 앞당겨 줄 것으로 전망된다.

여기서 주목할 것은 발전과 규제의 양면성이 문제이다. 그간 우리는 기술적 발전은 앞서 갔으나 행정적·법률적 규제에 시달린 경험이 많다. 시행착오의 경험과 인공지능 생태계의 건전화를 위해 다양한 방면에서 지금도 노력하고 있다. 세계 수준의 인공지능AI 기술에 이르기 위한 산업계의 각고의 노력을 극대화하기 위해서는 능률적인 지원서비스 체계가 병행되어야 함은 자명한 사실이다. 따라서 현행 규제조항이 있으면 선제적으로 개선하고 발전 지향적 규제를 견인하는 체계로 유연하게 구축하는 것이 무엇보다 중요하다.

이제 인공지능AI은 모든 분야에서 변화와 전환이라는 계기를 제공하고 있지만 내재적 한계를 이해할 필요가 있다. 즉, 인공지능AI은 인간의 지시 없이는 시작과 종료 시점을 스스로 정할 수 없고 결과에 대해서도 시비여부의 판단을 내릴 수 없다는 점에 주목할 필요가 있다. 알파고의 경우를 보자. 바둑경기에서 알파고는 수많은 경우의 수를 가지고 바둑 명인을 이길 정도로 문제해결 능력이 뛰어났다. 하지만 어떤 유형의 문제를 풀어야 하는지 스스로 정의하는 능력은 가지고 있지 않았다. 이처럼 다양한 성격의 업무를 여러 형태로 유연하게 처리할 수 있는 인간과는 달리 AI는 한 가지로 기능 수행을 소화할 수 있도록 최적화되어 있다는 점, 여러 분야를 아우르는 점진적인 학습이 어렵다는 점에서 한계점이 있다. 물론 이 또한 극복하기 위한 자기주도 학습의 기술적 기능이 전개되고 있음도 부인할 수 없다. 따라서 어떻게 보면 현재의 인공지능AI 시스템은 단순한 구조인지도 모른다. 명확하게 정의된 데이터와 알고리즘에 따라 과업을 수행하도록 학습되어 있다는 것에 임계점을 인정하면서도 변신 가능성의 두려움은 무엇을 의미하는지는 시간을 두고 바라보아야 할 과제이다.

[인공지능AI 기술의 한계와 규제]

상기한 바와 같이 인공지능AI의 원론적인 한계는 데이터를 통해 학습한다는 사실에 있다. 역설적으로 다른 방법으로는 지식을 습득할 수 없다는 점이다. 즉, 데이터의 오류가 수정되지 않는 한 오류가 그대로 반영된다는 한계를 드러내고 있다. 또한 예측 혹은 분석을 위한 기술 계층을 별도로 구현해야 하는 한계도 있다. 다행히도 대용량의 데이터를 다층적으로 분석하여 특정한 과제를 수월하게 수행하는 컴퓨터는 현실에서 쉽게 접할 수 있어 그 한계점을 극복할 것이라고 본다. 그러한 기대감에 낙관하면서도 초보적 구현을 하는 현재의 인공지능도 더욱 진화 내지 발달하여 기계적 학습이 아니라, 스스로 학습한다는 점을 우리 모두는 주시하여야 한다. 즉, 빅데이터에 의한 알고리즘의 추론에서 벗어나 기본 값만 주입하면 인공지능이 자가 학습을 통해 추론이 아닌 해답을 끌어내는 단계로 구현할 수 있어 기술의 한계를 극복하고 있다는 점에 주목하여야 한다.

우리나라는 초고속인터넷이라는 정보인프라가 잘 구축되어 있는 나라이다. 미국 시장분석기관 Statista에 의하면 2018년 스마트폰 보급률 94%[8]와 초고속인터넷 보급률[9] 세계 최고국가라는 성적표를 받은 우

---

8) 세계 평균 스마트폰 보급률은 59%로, 전 세계 인구 10명당 약 6명은 스마트폰을 가지고 있다. 스마트폰이 아닌 휴대폰 보급률 31%까지 포함했을 경우에는 전 세계 인구 10명당 9명은 휴대폰을 소유하고 있다. 전 세계에서 휴대폰을 가지고 있지 않은 비율은 8%에 불과하다.

리나라는 제4차 산업을 선도적으로 이끌어 갈 수 있는 국내 기술적 인 프라를 갖추었다고 자부할 수 있다. 그럼에도 불구하고 산업계에서는 법적·제도적 장치가 기술개발을 따라가지 못함으로 인하여 개발속도 가 느려지고, 상용화도 제동이 걸린다고 하며 규제완화를 요구하고 있 다. 자율주행자동차 개발은 도로건설규제에, 드론기술은 비행규제에, 원격의료는 의료규제에 그리고 정밀의료는 유전자정보규제에 묶여 있 다는 것은 법적 후진성을 여실히 드러내고 있다.

그간 규제가 '성장의 발목을 잡는 주범이다' 는 산업계의 비판 목소리 가 꾸준히 제기되어 왔다. 각고의 어려움 끝에 새로운 첨단기술을 확보 하더라도 법이나 제도에 가로막혀 신기술이 퇴행되거나 사라지는 경 우가 빈번하였다. 특히 산업 생태계의 활성화에는 법의 보호막이 절대 적으로 필요하다. 첨단산업의 변화에 맞추어 규제에 묶여 있는 관련법 의 제·개정을 위한 노력이 선행되어야 하지만, 여의치 않는다면 규제 프리존10) 혹은 규제샌드박스를 만들어서 기술진로를 유인할 필요가 있다. 특히 규제샌드박스regulatory sandbox11)는 새로운 기술 및 서비스를 테스트할 수 있도록 일정 기간 현행 규제를 정지시켜주는 제도를 의미 한다. 사업 주체(사업자)는 신규 아이디어 제품이나 서비스를 발굴·개 발하여 출시하는 경우이다. 규제샌드박스 적용을 신청하면 해당 규제 법령을 개정하지 않고도 심사를 거쳐 시범 사업, 임시 허가 등으로 규

---

9)OECD(2000년)가 30개 회원국을 대상으로 조사한 보고서에 따르면 우리나라 광대역인터넷 사 용자는 1백 명당 10명 1위로서 2위인 캐나다(4명)보다 두 배 이상 많았고, 3위인 미국(3명) 보다는 3배 이상 많은 수치이다. '통신인프라 구축과 정보통신산업 발전(1980~2000)' 참조

10)규제프리존특별법은 박근혜 정부가 추진했다가 무산된 법률로서, 4차 산업혁명에 대비해 자율 주행차 등 혁신 기술을 키우면서 지역경제를 살리려는 취지로 제정되었다. 수도권을 제외한 전국 14개 시·도에 27개의 전략산업을 지정해 규제를 풀어주는 재정 및 세제지원의 법률서비스이다. 업종 입지 등 핵심 규제를 해제하고 기업환경을 외국 경제특구 수준으로 상향조정하는 것을 골자 로 구축하였다.

11)여기서 말하는 규제샌드박스regulatory sandbox란 신제품이나 새로운 서비스를 출시할 때 일 정 기간 기존 규제를 면제하거나 유예하는 제도를 말한다. 이 제도는 영국에서 핀테크 산업 육성을 위해 처음 시작됐으며 문재인 정부에서도 규제개혁 방안 중 하나로 채택했다. 어린이들이 자유롭 게 뛰어노는 모래 놀이터처럼 규제가 없는 환경을 주고 그 속에서 다양한 아이디어를 마음껏 펼칠 수 있도록 한다고 해서 샌드박스라고 부른다.

제를 면제하거나 유예해준다. 그동안 규제로 인해 출시할 수 없었던 상품을 발 빠르게 시장에 내놓을 수 있도록 하자는 취지이고 그런 후 문제가 있으면 사후 규제하자는 방식이다. 주지하다시피 규제라는 것은 정책에 있어 필요악으로 일정 한도를 정하는 것을 말한다. 예를 들면 금융 규제 내지는 부동산 대출 규제 등으로 한시적이고 일시적인 행정 행위인 것이다. 기존 법령에 의한 각종 규제조치로 부동산 지역개발 남발에 대한 규제 등 순기능도 있으나, 신산업 내지 첨단산업을 더디게 하거나 억제하는 역기능의 폐해도 더러 있다. 특히 역기능을 완화하기 위해서 관련 법규에 대한 수정과 개선이 선제적으로 안내되어야 하나 이마저도 운영의 묘를 살리지 못하여 고비용 저효율의 악순환을 계속하여 왔던 것이다.

제4차 산업혁명이라는 새로운 패러다임의 성공적 안착을 위해서는 글로벌경쟁력을 갖출 수 있는 개방적 경영환경과 인적자원이 필요하다. 하지만 신기술과 신산업의 출현과 성장을 위해서는 혁신적인 규제완화가 더더욱 필요하다. 그러한 규제완화를 견인하기 위해서는 법률적 가치에 대한 깊은 고민을 더 해야 한다. 과학기술 분야가 단순하고 발전 속도가 완만하였던 과거에는 국민의 기본권을 침해할 만한 사안들을 포괄적으로 금지하고, 예외적으로 허용하는 포지티브식 규제제도로 일관하였다. 그러나 요즘처럼 복합적이고 융합적이며 신속성을 생명으로 하는 과학기술의 혁신시대에는 기본권 침해가 명확한 최소한의 금지만을 지키는 네가티브규제로 전환되어야 한다는 의견[12]에 일부 동의하면서도, 인간의 기본권과 인공지능의 자율성을 어떻게 조화롭고 균형감있게 설정할 것인지는 어려운 화두이다. 규제가 발전의 발목을 잡아서도 안 되지만, 규제를 방임하거나 등한시하는 태도도 간과해서는 안 될 것이다.

---

12) 최용진, 4차 산업혁명과 입법방향, 법률저널

어떻게 보면 인공지능ᴬᴵ 기술은 4차 산업의 윤활유이자, 첨단산업의 메카이기도 하다. 인공지능의 기술은 생활기기를 비롯하여 교육, 복지 및 의료, 노동, 예체능 등 인공지능의 요소기술이 미치지 않는 분야가 없다. 이들 관련 산업과 제도의 발전은 하루가 다르게 변모하고 경쟁력 우위를 선점하고자 각종 규제 철폐와 법률·행정적 지원을 극대화하고 있는 실정이다. 이러한 현실에도 불구하고 인공지능 기술의 발달과 발전을 더디게 하는 것이 개인정보보호법이라는 지적이 현장에서 제기되고 있다. 사실 개인정보보호법은 개인의 존엄과 가치를 구현하는 법으로 개인의 자유와 권리를 보호하고 존중하여야 하는 것에는 이론이 없다. 동법에서의 개인정보는 살아있는 개인에 관한 정보로서 성명, 주민등록번호 및 영상 등을 통하여 개인을 알아볼 수 있는 정보임을 명시하고 있다.

사실 따지고 보면 개인정보는 데이터 처리와 관련이 깊다. 금융이나 의료정보 처리 시 소홀하거나 실수할 경우 해당 특정인은 치명적인 위험에 노출되어 개인의 존엄에 상당한 침해가 될것이다. 그러므로 데이터의 전처리 작업 시 특정인을 알 수 없는 비식별 처리기술이 고도화되어야 하는 이유가 여기에 있는 것이다. 그럼에도 불구하고 어려운 점은 개인정보의 엄격성 유지와 정보처리기술의 고도화 사이에서의 활동(접점)을 찾을 것인가가 인공지능ᴬᴵ 기술의 성패가 달려 있다고 본다. 여하튼 제4차 산업혁명시대에는 정부의 기술점검과 인허가 절차를 거치면서, 신기술이 후진기술이 되고, 각 부처별로 구별되어 있는 소관법령과 인허가절차는 융합기술의 출현을 저해하고 있으므로, 자유로운 기술개발과 상용화를 허용하기 위하여 신속처리와 임시허가제도 등을 신기술분야에 확대·적용하여야 할 것이다. 그러나 검증되지 못한 상태에서 시연되거나 상용화된다면, 상당한 부작용이 수반될 우려도 있으므로, 기본권 침해의 결과에 대한 엄격한 책임을 부여함으로써, 스스로 자정할 수 있도록 유도할 필요가 있다.

4. 인공지능형 로봇과 법인격

머지 않은 장래에 인공지능^AI에 의한 로봇이 인간을 대신하여 각종 재해와 위험요소에 투입되어 로봇근로자로서의 지위를 획득하는 일이 발생할지도 모른다. 그만큼 인공지능 로봇의 활동 범위와 대상은 다양하고 광범위하게 생활맞춤형으로 투영될 것이다. 문제는 편리함을 더해가는 인공지능의 오류이다. 그 오류로 인한 발생현상에 대해 심각한 법적 다툼이 일어날 수 있다. 다시 말해 발생현상에 대한 책임성 문제, 귀책 여부, 과실손괴의 범위문제 등등이 제기될 수 있다는 것이다.

우리나라의 지능형 로봇 개발 및 보급 촉진법(제2조)에 의하면 지능형 로봇이란 '외부환경을 스스로 인식하고 상황을 판단하여 자율적으로 동작하는 기계장치' 라고 정의된다. 즉, 스스로 인식하고 판단하는 수준까지는 인정하지만, 아직까지는 인공지능형 로봇이 기계장치에 불과하다는 기초적 입장을 취하고 있어 법적 인식론으로 공존하기에는 요원한 것으로 보인다. 다시 말해 스스로 인식하고 상황을 판단한다는 것은 사람에 의제하는 수준이며, 자율적으로 동작한다는 것은 기인성과 책임성을 그나마 인정하고 있다는 것으로 여지를 남기고 있다.

이러한 해석적 논란에서 사람의 지시에 따라 활동하는 인공지능형 로봇에 법인격을 의제할 것인가 아니면 인공지능형 로봇 자체를 도덕적 행위자로 간주할 것인가의 문제가 발생한다. 나아가 인공지능형 로봇의 의료행위(수술 내지는 진단행위 일체)를 안전성 미담보의 이유로 규제할 것인가하는 문제도 있다. 또한 알고리즘의 일방적 적용으로 누군가에게 피해를 주었을 경우, 이의 처리와 해결책은 어떻게 할 것인가의 놀란도 있다.

편의적으로 여기서 법인격法人格, Rechtsfühigkeit이란 권리·의무의 주체가 될 수 있는 자격을 말한다. 권리의 주체가 될 수 있는 자격이라는 관점에서 보면 '권리 능력'과 같은 개념이다. 이와 같이 법인격은 잠재적인 지위 내지 자격이지 권리 그 자체는 아니다. 그런데 여기서 예기치 않은 일이 발생한다. 우리 법학 역사에서 그 어떤 법률도, 스스로 판단하고 운행하는 자율차량을 상정하거나 로봇 의사가 병을 진단하고 집도하는 수술은 생각해 본 전례가 없다는 점이다. 사실 앞서 열거한 규범적 문제들의 해법은 간단한 사안이 아니다. 더구나 기존의 법 테두리 안에서 풀어내기에는 기본의 법적 안정성을 해칠 뿐만 아니라, 법의 이념을 훼손할 우려가 다분하여 걱정이 앞선다. 따라서 인공지능 로봇의 잘못된 행위로 발생되는 폐해에 대해 어떻게 할 것인가는 당장 해결하고 넘어가야 할 시급한 과제이다. 즉, 인공지능AI으로 인한 행위와 결과 사이에 법적문제의 다툼(충돌)이 충분히 예견되는 것이다.

한편 인공지능형 로봇의 상용화가 더불어 각국에서 법제화를 서두르고 있지만 과연 어떻게 책임을 분담해야 할지는 관건이다. 기술 혁신을 장려하면서 로봇행위로 인한 위험을 방지하는 균형(배분)을 맞출 수 있으며, 인공지능AI에 법률적 안전체계화(법인격)를 성문할 수 있을까이다. 당분간은 인공지능형 로봇의 행위로 인한 혼란은 계속될 것이며 그 혼란의 법률적 논쟁의 중심에는 첫째 책임성의 문제. 둘째 규범성(윤리성)의 문제가 제기된다. 더욱이 고민인 것은 인공지능AI는 법인격이 없기 때문에 책임을 물을 수 없다. 그렇다면 제작자·판매자·사용자 중 누가 법적으로 책임을 져야 하는가하는 물음에 법적인 해답을 내놓을 차례이다.

[인공지능 활용에 따른 법률환경의 변화]
인공지능 및 IoT 그리고 모바일 등 첨단 기술발전이 급속히 진전되면서 기존의 법률체계와 내용으로는 이러한 속도에 따라가기 어려운 것이 현실이다. 그러나 산업 측면에서 주요 선진국은 기존의 법체계가 따라갈 수 없을 정도의 새로운 기업들이 속속 등장하고 성장하는 등 인적·물적 자원의 제도적 지원이 활발하다. 반면에 국내는 기존 규제로 재단할 수 없는 기업은 대부분 불법으로 규정하거나 단속을 함으로써 인공지능의 로봇 사업을 확장하는데 큰 어려움을 겪고 있다. 그나마 기술 개발 측면에만 집중하고 있으며, 인공지능이 가져오는 사회 변화에 대한 기술, 법무, 정책 등 다양한 전문가 주체가 참여하는 연구는 미흡할 뿐만 아니라 법률지원의 환경(두터운 개인정보 보호)은 더욱 열악한 상황이다.

가상현실을 설정하여 예를 들어보자. 먼저 형사 문제일 경우 인공지능은 범인의 생활패턴, 식습관 및 행동반경 등 개인정보를 통해 분석한 자료를 토대로 동일범죄 재범 여부와 행동양태 등 재판에 필요한 필요 정보를 제공함으로써 형량결정 등 재판의 수월성을 높일 것이다. 또한 기업의 회계 부정 사례를 학습한 후 장부 데이터를 알고리즘으로 해석하여 부정 의혹 사실을 발견하거나 회계 담당자에 피드백 함으로써 범죄와 부정에 관한 사전예방 장치의 기능도 수행할 수 있다. 한편 인공지능은 전자증거개시e-Discovery13)에서도 활용되고 있다. 데이터를 전담하여 검색하는 검색엔진기술에 인공지능AI을 연계하여 돌리게 되면 증거가 되는 데이터를 보다 빠르고 정확하게 추출하는 점이다. 쉽게 말하면 변호사의 리뷰 데이터와 제출할 문서의 관련성 학습을 거친다면 인공지능이 작성된 문서의 활용도 가능해질 것으로 예상되며(안진우, 2018) 사전준비를 철저히 하면 불필요한 시간 낭비와 금전적 비용을 줄일 수 있다. 특히 E-디스커버리 효과를 높이기 위해서는 소송 대리

---

13)종이문서와 같은 아날로그 증거를 대상으로 하는 기존의 증거개시제도Discovery에 추가된 개념으로 전자증거개시제도Electronic Discovery의 준말이다.

변호사의 법률적 판단과 더불어 관련 분야 전문가와의 협업도 필수적임을 알아야 한다.

다음으로 지능형 원격검진 및 의료정보케어이다. 검진자 또는 환자들의 의료정보는 디지털 문서로 되어 있고 접근성도 어렵다. 더구나 집단화하거나 특정화된 환자의 치료 내지 투약에 관한 방대한 양의 의료정보 서류를 담당자가 일일이 확인하는 것은 쉽지가 않다. 이러한 경우 인공지능이 장착된 가상데이터룸^{VDR : Virtual Data Room} 솔루션을 생각해 볼 수 있다. 가상데이터룸^{VDR}은 클라우드에서 의료 관련 서류의 데이터 룸을 만든다. 생성된 자료는 언제 어디에서나 의료 실무담당자가 모든 의료 관련 정보에 동시 열람이 가능해 검토 시간이 줄고 보다 정밀한 정리작업을 할 수 있게 해준다. 나아가 클라우드 데이터 룸에 빅데이터 분석 기술을 추가하면 효율의 탄력도가 향상되어 다양하게 의료조사에 활용이 가능하다. 즉, 발병 유형 및 치료약, 투입기간 및 치료행위, 유병 진행대상의 진단 평가, 의료분쟁 시 의료사고 분석 등 다양한 의료법률 사무에서의 빅데이터 분석에도 활용이 가능하다. 이처럼 빅데이터 분석 기술은 개별적 의료정보 외에도 M&A 뿐만아니라, 엔터테인먼트산업이나 제약회사, 유통업 및 제조업, 건설업 등 인공지능의 유용성은 상당하며 다양한 비즈니스로 수요영역의 확장을 예견할 수 있다. 다만 이 역시 개인정보보호를 해결하지 않으면 안 될 과제는 여전히 남아 있다.

인공지능에 수반한 법률영역의 서비스는 속도와 내용에서 진중하여야 한다. 다시 말해 인공지능의 기술적 발전속도에 따라 법 적용의 적시성이 병행되어야 하고, 내용 또한 지체현상이 있어서는 안 될 것이다. 법 제도와 시스템이 기술발전의 견인차가 되어야지 발목을 잡아서는 안되기 때문이다. 다양하고 고품질의 법률 서비스를 제공하기 위해서는 1차적으로 방대한 양의 법령과 판례의 법률정보를 데이터 전처리를 위한 요목화 작업과정이 필요하다. 다시 말해 법률정보 데이터서비스^{DB}는 지금과 같이 단순히 정보를 검색해주는 기초적인 과정을 넘어 데이터서비스가 제공하는 알고리즘을 통해 필요적인 관련된 내용을 제공해 주는데 있다. 이러한 전처리화 단계는 수요자가 법령 또는 판례를 검색하고 검토하는 범위를 넓힘과 동시에 다양하게 접근함으로써 그 시간을 대폭 줄일 수 있게 된다. 비록 기본적인 법률서비스 과정이지만 법률업무 중에서도 인공지능의 상용화로 재판에 필요한 자료나 정보의 수집을 즉시화하는데 그 방점이 있다.

인공지능의 기술적 활용성에 공감을 하면서도 법률 적용의 지체는 인공지능의 발전 속도를 더디게 할 뿐 아니라, 법문화의 진화에도 커다란 장애가 아닐 수 없다. 따라서 인공지능의 도래로 인한 법률서비스의 문제, 법률 적용의 문제, 기존 법률의 입법취지 및 보호법익의 침해 여부의 문제가 없는지 선제적으로 검토할 필요가 있다.

[비인간 법인격이 늘어나는 현상]

현재로선 사람이 아닌 대상에게 법인격을 법적으로 부여하는 대표적인 것이 법인(기관, 단체)이다. 즉, 회사 등 사람이 아닌 단체도 사람과 독립해 법인격을 부여받고 법인^{法人}이 된다. 법인은 사람 개인과 마찬가지로 권리주체로서 보호받고 이익을 누린다는 것이다. 상법(제171조)에 따르면 '회사는 법인으로 한다'라고 하여 회사의 법인격을 명시적으로 규정하고 있다. 회사는 기업 경영에 있어 상거래에 필요한 계약을 체결하고 자체·독립적으로 자산과 재산을 소유하며, 그 밖의 권리·의무의 법률관계에서 주체가 된다. 이는 회사를 통한 사업 활동이 구성원(직원)과도 같은 독자적인 지위에서 활동하는 것과 같은 것이라고 보장해 주는 것이 효율적임을 정책적 고려에서 함축한 것이다.

근대법 발달에 기인한 자연인과 더불어 비인간인 단체(회사)에게 법인격을 부여한 것은 획기적인 사건이었다. 생명력이 없는 특정 대상에게 사람과 동일한 인격체를 법적으로 부여한다는 것은 발상의 전환이 아니고서는 힘든 과정이었다. 시대를 뛰어넘어 비인간에게 법인격의 지위를 부여한 사례는 다양한 분야에서 찾아 볼 수 있다. 먼저 미국에서는 영리법인에 대해 표현의 자유(수정헌법 제1조)를 인정함으로써 사람에게 부여하는 헌법상의 기본권을 비인간에게 인정하였다. 남미의 에콰도르는 2008년 세계 최초로 헌법에 자연의 권리the rights of Nature를 명문화하여 자연의 권리가 헌법의 핵심가치로서 재산권을 비롯한 모든 권리의 해석과 적용에 영향을 미친다고 판시한 바도 있다. 아르헨티나에서도 2014년 오랑우탄에게 비인간 법인격을 인정하고 동물원의 불법포획을 불법구금으로 보고 방면할 것을 판시한 바 있다. 뉴질랜드는 2017년 마우리족의 요청을 수락하여 강의 권리를 인정하는 황가누이강the Whanganui River에 법인격을 부여하였다. 2018년 4월 콜럼비아 대법원은 헌법재판소가 결정한 아트라토강Atrato River과 그 일대의 권리에 대해 보호조치를 취하라는 명령[14]을 내린 바 있다.

이와 같이 근대화의 산물이라고 칭할 수 있는 법인은 인간의 주체성을 단체의 형태로 의제적으로 확장함으로써 궁극적으로는 인간의 능력을 극대화하는데 초점이 맞춰져 있다. 현재 국제적 추세를 볼 때 비인간 법인격이 늘어나는 것은 유기물이던 무기물이던 다른 생명체와의 공전을 지향하고 사람이 그 속에 포함되는 유기체적 주체성으로 인식을 공고히 하는 경향이 짙다. 그런 맥락에서 사람과 생각을 공유하고 지적능력까지 확장한 인공지능AI에 대해서 전자인간으로서의 지위를 부여하는 것은 위의 사례의 연장선에서 인정하지 않을 사유가 없는 것이다. 다만 이때의 지위도 전속적인 것이 아니라 의제적으로 인정하자는 것이다. 우리나라에서 개최된 '국제 법률 심포지엄(2016)'에 의하면, AI 활용 리걸테크 기업 Lex Machina의 창업자 조슈아 워커 박사는 "AI

---

14) 강금실 칼럼, 인간과 법인격, 경향신문(2018.9.11.) 참조

는 인간의 편리성을 높이기 위한 수단으로서 인간 그 자체를 대신할 수는 없다. 다만 AI는 법률가의 적합한 판단을 지원하고 법적 다툼에 결정적 역할을 할 것이다."고 말했다. 이는 AI가 발전하더라도 인간과 기계의 역할에는 분명한 차이가 있다는 의미로 해석되고 있다. 인간과 기계의 경계가 모호해지는 포스트 휴먼시대에 그만큼 인공지능의 능력은 가름할 길이 없다. 특히 데이터의 거대화와 알고리즘의 고도화는 법률적 권리를 부여하여야 보호받을 수 있다는 확신단계까지 왔으며, 더더욱 학습능력까지 겸비한 인공지능은 의제하여야 마땅하다는 압박을 상당하게 받고 있다.

 인공지능형 로봇에 대한 법인격 부여의 문제는 과거에서 그 해답을 구할 수 있지 않을까 사료된다. 위에서 살펴 본 바와 같이 회사에 법인격을 부여할 당시나 자연의 권리에 법인격을 부여하고 있는 시대적 흐름은 시사하는 바가 크다. 당시의 사회 상에서는 용납할 수 없는 사안이었고 이를 논리적으로 풀기에는 억지의 논리라는 놀림도 있었다. 그러나 문화라는 틀 속에서 인공지능형 로봇에게 법인격 지위를 부여하는 것도 그리 놀랄 일은 아닐 것이다. 오히려 인간과 지적능력이 더욱 유사져가는 연장선에서 법인격을 진중하게 바라봐야 할 시점이 오고 있다. 과거의 사례에서 해답을 찾는 지혜가 요구된다. 이렇게 강조하는 이유는 감정인식 로봇의 출현은 인간의 존엄성이 말라가는 우리 사회에 또 다른 친근함의 대상으로 가까이 오고 있기 때문이다. 사실 인공지능 로봇에 대한 법적, 윤리적, 규범적 검토는 법적으로 야기되는 문제를 해결하고 관련 산업의 동력을 유인하고 성장하기 위해서 당연한 수순이다. 하지만 그렇다하여 인공지능 기술의 연구개발을 금지시키거나 강력한 규제로 제한시켜서는 곤란하며 전향적으로 바라보아야 할 시점이 다가오고 있다.

[인공지능 로봇의 법인격(규범성) 문제_ 책임 귀속주체의 명확화]

인공지능으로 인한 여러 문제에서도 당장 규제에 발 묶이는 부분이 법률이다. 고도로 지능화된 인공지능 로봇에 법인격을 부여할 수 있는 가의 문제이다. 인공지능형 로봇의 법적 지위 및 행위책임을 묻기 위해서는 이론적 뒷받침이 선결되어야한다. 이처럼 인공지능 알고리즘은 주어진 정보를 판단하고 사안마다 다르게 대응하는 특성을 지니고 있다. 다시 말해 인공지능 시스템(알고리즘)과 로봇이 인간의 신체에 대해 위해를 가하거나 경제적 손실을 발생시켰다고 가정하자. 이 경우 민사적으로 손해배상을 위한 요건이 충족되는가에 대한 법적 판단도 1차적 문제이지만, 형사적으로는 형사처벌을 받는 주체(대상)가 없어 비난가능성이나 책임성 여부에 대한 판단의 문제가 제기된다.

우리 민법에 있어 손해는 회복되어야 한다는 원리를 가지고 과실책임의 원칙과 위험책임의 원칙을 기본원리로 하고 있다. 비록 사람에게 국한하고 있는 원칙이지만 인공지능 로봇의 행위로 인해 그 결과에 대한 책임과 규범성을 논하기 위해서는 피해갈 수 없는 원칙이기도 하다. 형법 또한 죄형법정주의와 형벌불소급의 원칙, 행위시법 원칙 등 기본적인 원리들이 구축되어 있다. 이러한 인식하에 인공지능형 로봇의 행위와 결과에 대한 인과관계, 그에 따른 범죄 주체와 객체간의 관계, 사회적 책임성 및 비난가능성 등 다양한 관점에서 제도를 설계하고 규범성을 정립하여야 한다. 따라서 헌법적 가치를 훼손하지 않으면서 각종 법률과 인공지능의 로봇에 대한 관계설정을 어떻게 가져가야 할 것인지는 미완의 과제가 아닐 수 없다.

①'책임의 주체' 문제
사람이 아닌 사물에 불과한 단체(법인)에 대해 수많은 논란이 있었음에도 권리를 인정한 것은 사람집단의 성격을 강하게 지니기 때문에 사람으로 의제하였던 것이 아닌가한다. 이러한 맥락에서 보면 법 제도의 근간이며 핵심요소인 주체의 문제도 필요에 따라 설정되며 유동성이 강한 통념의 대상으로 이해될 뿐이다. 우리나라 민법(제3조)에 따르면 "사람은 생존한 동안 권리와 의무의 주체가 된다"라고 명시하고 있다. 즉, 현행법에는 사람과 법인에 한해 권리의무의 주체로 하고 있으며, 행위능력에 의한 행위책임을 묻기 위해서는 어떤 경우에도 사람의 법률행위가 있어야만 한다.(김준호, 2000:105) 바로 법인격을 의미하는 것으로 해석되고 있다.

 여러 가지 예를 들 수 있지만 곧 상용화가 목전에 다다른 자율주행차의 예를 들어 문제점을 짚어 보자. 자율주행차의 사고 여부는 지속적으로 공론화되고 있는 대표적인 인공지능의 법적 공방 사례이기 때문이다. 사람의 행위가 아닌 그것도 인공지능형 로봇에 대한 전자인간 지위 부여가 아닌 상태에서 알고리즘 판단과 제어프로그램에 기반을 둔 자율운행 차량의 사고는 그 책임 소재가 불분명하다. 다시 말해 알고리즘은 오류가 없는 완벽한 상태라고 가정하자. 이 경우 첫째, 추돌사고 시 상대방 차량은 자신의 실수(과실)가 아니라는 점을 스스로 입증해야 하는지 문제. 둘째, 알고리즘에 전적으로 의존하여 운행하였기에 탑승자는 완전 면책대상에 되는지 문제. 셋째, 알고리즘의 상황 인지와 판단 실수가 원인 제공이 되고 원인행위자(주체)이므로 알고리즘 제작사를 상대로 손해배상을 청구해야 하는지 문제 등 법적 해결이 복잡해진다. 이러한 문제제기의 요점은 인공지능 로봇을 하나의 기계도구로 볼 것인가, 법인격이 없는 대리인 혹은 법인격이 있는 주체로 볼 것인가에 따라 책임의 주체는 달라지기 때문이다.

 먼저 인공지능 로봇을 법인격이 있는 주체로 볼 것인가이다. 비인간의 법인격 부여가 늘어나는 현상을 감안하면 이론적 구축과 더불어 인식적 접근이 요구된다. 인공지능을 갖춘 로봇의 등장은 스스로의 판단하에 움직이는 새로운 개체 또는 주체의 출현을 의미함과 동시에 또 다른 의인화된 대상의 진입이기도 하다. 이런 맥락에서 설계자(또는 제조자)의 선택에 의해 로봇 자체가 인체를 해하거나 파괴적 행동의 명령을 거부하는 등 윤리적 판단이 스스로 가능하도록 설계할 수도 있다. 영화 '아이 로봇'을 연상하면 더욱 그러하다. 따라서 완벽한 알고리즘 시스템에 의한 인공지능형 로봇을 도덕적 행위자로 의제하고 로봇에게 책임을 물을 수 있다고 본다. 즉, 인공지능형 로봇의 불법·부당행위나 부작위 행위에 대해서는 단순히 기계라는 이유로 면책할 것이 아니라, 처벌기준과 범위를 설정하여 이를 입법화함으로써 행위책임에 대한 대상을 특정하고, 헌법적 공공질서를 유지하며, 절대선을 확보할 수 있도록 법적 기반을 공고히 하여야 한다. 이러한 주장의 기저에는 손해와 피해는 회복되어야 한다는 기본원리와 원칙을 우선적으로 담보하도록 배려해주는 것이 궁극적으로 인공지능AI 로봇을 보호하기 때문일 것이다.

물론 법인격이 있는 주체의 대상으로 법정화하기에는 많은 난관이 있을 수 있다. 그렇지만 법문화도 문화적 틀 속에서 자라고 성장하고 소멸한다고 보아질 때, 유연한 입법기술로 법인격을 부여한 사례가 우리주변에 많이 있음을 알 수 있다. 생명체가 없는 법인의 경우 법인격을 의제화하였고, 선박회사의 선박에 대해서는 법인격을 부여하고 있는 우리 상법(제740조)이나 해양법의 근거를 들 수 있어 얼마든지 인공지능에게도 법인격을 의제할 수 있는 근거는 확보되어 있다고 본다. 특히 해양법에서의 선박은 법인격의 부여로 소송의 대상이 돼 유죄로 판정받을 수 있다. 선박도 법인처럼 특수성과 보호법익을 감안하여 법인격을 의제하였기에 민법 제2조와 같이 권리를 행사할 수 있는 것이다. 따라서 인공지능형 로봇에 대해 법적 권리, 법적 의무, 법적 지위를 부과해 인공지능 로봇도 처벌의 대상이 되고, 손해배상과 원상회복의 대상이 된다는 논리가 가능해진다.

현행 법령에서 사람은 아니지만, 법인격을 부여해 처벌 여부를 결정하는 것을 적용하는 회사(법인)와 동물이 있다. 정부는 지능형 로봇법의 제정과 더불어 법에 포함하지 않았지만 2007년 '지능형 로봇 윤리 헌장'을 마련하였다. 로봇 윤리 헌장의 초안에는 제4장의 로봇 윤리에 '로봇은 인간의 명령에 순종하는 친구, 도우미, 동반자로서 인간을 다치게 해서는 안 된다'고 명시하고 있고, 동 헌장의 제3장 인간 윤리에는 '인간은 로봇을 제조하고 사용할 때 선한 방법으로 판단해 결정해야 한다'고 명시하고 있다. 물론 추상적인 내용을 담고 있기는 하지만 곧 이어서 일어날 수 있는 윤리적인 문제를 선제적으로 대처하였다는 부분에 공감을 하면서 입법으로 충분히 완성되기를 기대한다.

한편 법인격을 부여하자는 또 다른 의견의 기저에는 IT 법학의 등장을 배경으로 하고 있다. 1990년대 후반 인터넷을 주축으로 하는 네트워크 정보통신 기술의 보급으로 윤리·규범적 문제들이 발생하자 법문화 지체현상임에도 불구하고 연구가 진행되었다. 현실과 다르게 가상공간에서의 법적 규제원리가 작동되어야 하기 때문에 소프트 내지는 프로그램 사용침해에 대한 지적 재산의 분쟁이 예견되었다. 그리고 2000년대는 모바일 기기의 등장으로 망 중립성의 문제가 논의되기도 하였다. 특히 인공지능과 가상현실의 전면 등장과 운영은 법학의 IT화에 새로운 전기를 마련해줄 것이라고 판단하고 있으며, 법적으로 인공지능도 인격을 가진 존재로 의제해 책임을 로봇에 부여할 수 있는 것으로 확정되고 있는 실정이다.

또 하나는 인공지능^AI 로봇을 법인격이 없는 대리인으로 볼 것인가이다. 먼저 '법인격 없는 대리인'에 주목할 필요가 있다. 대리인은 법률행위에 있어 법적책임이 없는 위임인과는 달리 법률적 책임을 진다. 즉, 대리인은 자연인으로서 자연인은 법인격이 있음은 자명한 사실이다. 따라서 법인격 없는 대리인 설정은 큰 오류가 아닐 수 없다. 그럼에도 불구하고 인공지능^AI 로봇의 법인격 의제화에도 부담을 느껴 법인격 없는 대리인으로 보자는 것은 법적 공방을 피해가는 지계일 수는 있다. 사실 로봇의 윤리규범은 보편성을 담보하기 어려운 구조적 한계가 있기 때문에 로봇에게 권리를 부여한다는 것은 사실상 불가하다는 논리가 성립된다. 다만 원천적인 불인정보다는 워낙 인지적 요소가 강한 인공지능 로봇이기에 전자인간으로서의 지위 부여라는 부담부 접근보다는 대리인의 지위 부여정도는 가능하도록 현실적 접근을 이해하자는 것이다. 그러나 이마저도 법인격이 없는 대리인은 도구에 불과하다는 결론에 다다른다. 왜냐하면 민법에서의 대리인은 사람에 한정되어 있어서 사람이라는 구체성을 특정되지 않고서는 법률관계를 인정하기 어렵기 때문이다.

예컨대 의사를 대신하여 인공지능 로봇이 수술을 집도하였으나, 과실로 인하여 법익이 큰 침해를 손상될 경우 그에 따른 법적 책임을 부과할 수 있으며, 그 책임효과가 직접적으로 로봇에게 영향이 미칠 경우 그 해당성을 인정할 수 있는가이다. 먼저 법인격이 없는 로봇은 책임의 주체로서 인정할 수 없어 보호법익이 존재하지 않는다는 부분이다. 즉, 완전한 알고리즘에 의해서 의사를 대신하여 수술행위를 하였지만 법인격이 없으므로 이의 과실에 따른 직접적 책임을 부과하기에는 논리의 억지성이 엿보인다. 더구나 잘못된 알고리즘에 대한 진상 규명을 과연 할 수 있으며 해당 관리자에게 인과관계의 책임을 물을 수 있을까 의문이다. 나아가 수술로봇을 제작한 제조사 혹은 설계자의 책임의 부당성은 없는지 등을 면밀히 따져 봐야 할 것이고, 수술로봇에게 대리인으로서의 자격을 부여할 수 없는 현행 법률의 해석학적 한계를 극복할 논리가 없다는 점이다. 이러한 구조에서 인공지능 로봇의 법인격 없는 대리인은 책임의 주체로서 인정할 수 없게 되는 논리로 이어진다.

그렇다면 일차적으로 인공지능형 로봇에 대한 책임과 함께 설계자(제조사)의 제조물책임도 같이 묻는 연대책임은 적용할 수 있는가이다. 우리 민법(제408조)에서는 하나의 사유로 여러 명이 채무를 부담할 경우에는 각자는 분할한 분담액의 채무를 부담하는 것이 원칙임을 밝히고 있다. 비록 금전적 채무에 대한 해석이지만 책임에 대한 확장적 법리를 적용하여 연대책임으로 연계할 수 있는가이다. 영화 '아이 로봇'처럼 인공지능의 고도화는 판단의 패러다임이 완전히 변할 것으로 본다. 현재는 인공지능 로봇이 수많은 데이터에 의한 알고리즘으로 스스로 학습(딥러닝)하여 추론하는 단계였지만 이제는 그런 단계를 넘어 기본개념만 주어도 인공지능 로봇이 스스로 진화하고 해답을 내리는 단계로 접어들고 있다. 결국 로봇이 인간과 친교를 더하고 동반자적 관계로 진화되어 사회복지 및 사회보장의 라이프 스타일에 인공지능형 로봇이 동행하는 행위자로 확장될 지경에 이르면 인공지능 로봇도 일정 부분 책임론에서 벗어날 수 없는 행위자로서의 지위를 부여받아야 하는 상황에 대비하여야 할 것이다. 물론 인간의 사상적 기반인 천부인권론 그리고 존엄성을 부정하지 않는다. 다만 거의 인간화로 육박하는 인공지능형 로봇 그 실체 및 그 자체를 부인할 수만은 없을 것이다.

향후 인공지능 로봇의 인지적 능력이 어느 정도로 진화하여 거의 인간과 유사한 행동과 가치 그리고 생각의 근사치로 발달할지 어느 누구도 예측하기 어렵다. 그렇다하여 인공지능 로봇의 행위책임을 무한정 열어두고 있을 수는 없는 노릇이다. 인공지능 로봇의 일탈행위를 하드웨어적 해결은 존재하나, 결과의 책임에 대한 소프트웨어적 해결방법은 여전히 어렵다. 행위에는 결과가 있고 그 결과에는 책임이 따른다는 큰 명제 하에 인공지능 로봇의 책임에 연대책임으로 규명하는 것은 자연스러운 논리이다. 즉, 직접적 일탈행위자인 로봇에게는 법원에서 발부한 작동금지령 내지는 알고리즘의 이상 유무를 밝힐 때까지 감치명령을 명하는 등 감치대상을 확장하여 로봇감치 수단을 강구할 수 있다. 동시에 해당 로봇의 설계자와 제조사에 대해서도 위법이나 과실에 따

른 연대적 책임을 부과함으로써 로봇과 관련자에 대한 동시처벌을 담보하자는 것이다. 이러한 논리는 로봇의 일탈행위는 로봇 자체가 법인격이 없어 책임을 물을 수 있는 주체가 성립하지 않으므로 책임성을 규정할 수 없다는 것을 견제할 수 있다. 둘째, 로봇을 도구로 간주함으로써 비난가능성과 책임성을 원천적으로 봉쇄하는 것을 사전에 차단할 수 있다.

셋째 행위자 로봇과 관련자를 따로 떼어 각기 책임을 물을 경우 결과현상에 대한 인과관계 규명에 상당한 기술적 어려움을 초래하므로 이런 빈 공간을 연대책임으로 보완할 수 있다. 따라서 인공지능AI 로봇에 대한 법질서를 견인하고 법적안정성을 유지하기 위해서는 개별적 책임으로 접근하기 보다는 연대책임으로 대입·치환함으로써 이론적 다툼을 선제적으로 해소할 것으로 본다.

②인공지능 로봇의 위험 배분성 문제

인공지능 로봇에 대한 위험성 경고음은 어제 오늘의 일이 아니다. 흔히들 대표적 예로 들고 있는 자율운행 차량의 오류이다. 빅데이터 및 IoT, 스마트 프로그램 등이 잘 구축되어 있어도 완벽한 알고리즘이 생성되지 않는 한 오류의 계속성은 없어지지 않을 것이다. 뿐만 아니라 수술 로봇이나 로봇농부, 법률 및 금융 로봇 심지어 군사용 로봇에 이르기까지 다양하게 상용화 되면서 그 폐해도 여실히 드러나고 있다. 문제는 그 오류와 위험을 최소화하는 것은 물론 그 결과에 대한 위험의 충격을 어떻게 완화할 것인가이다.

앞에서 제시한 바와 같이 민법의 기본원칙에서 그 해법을 찾아보고자 한다. 우리 민법에는 과실책임의 원칙과 위험책임의 원칙이 있다. 전자는 고의 또는 과실로 인한 가해행위에 대해서만 손해배상 책임을 지게 하는 원칙으로, 형사와 민사 두 갈래로 이론적 근거를 마련할 수 있다. 먼저 행위자에 대하여 비난을 가하고 형벌을 과하는 형사법에서는 고의의 행위만을 처벌하므로 고의와 과실은 책임요건으로서 엄격히 구분된다. 이에 반해 민사법상의 손해배상책임에 있어서는 발생한 손해를 누구에게 얼마만큼 부담시키느냐 하는 것이 핵심 문제이다. 따라서 가해 행위에 대한 고의와 과실을 따지지 않고 고의가 있으면 당연히 책임이 발생하고, 경미한 추상적 과실이라도 있으면 배상책임이 발생한다. 후자는 두 갈래의 민사적 책임론을 구분하여 설명해보자. 먼저 결과책임의 원칙은 과정보다 결과에 충실한 이론으로, 성실히 주의의무를 다하였더라도 다른 사람에게 손해를 가하였다면 그 사실로 배상책임을 지게 된다. 다음은 과실책임의 원칙으로, 본인이 객관적 주의의무를 다하였다면, 비록 본인의 행위로부터 손해가 발생하였다 할지라도 배상책임을 지지 않는다. 이는 사회에 대하여 행위자가 위험한 시설이나 장비 그리고 기업의 소유자는 시설이나 장비에 의하여 생긴 손해발생 시 해당 과실의 유무를 떠나 항상 책임을 져야 한다는 이론이다. 이 원칙의 근거는 우리 민법(758조 1항)에도 표현되어 있다. 예를 들면 '공작물 등의 점유자, 소유자의 책임'이 그것이다. 이것은 일반적으로 위험책임을 인정한 것으로 해석되고 있다.

따라서 사람의 인지적 요소까지 겸비한 인공지능^{AI} 로봇의 위험한 활동은 사회적 유용성을 인정하여야하고 이를 위법화하는 것은 자명하며, 나아가 예견 가능성에 기초한 손해방지의 의무도 실정화하는 것은 당연한 것이다. 그러므로 법인격이 없는 인공지능 로봇의 과실에 대해 간접적 책임을 분담하게 함으로써 결과의 폐해를 최소화하고 위험을 분산할 필요가 있다. 다시 말해 인공지능형 로봇에게 과실에 대한 직접적인 책임을 묻게 되면 로봇에게 책임의 주체성이 정당한 것으로 비춰져 또 다른 법률적 논쟁에 휘말리게 된다. 따라서 현행 민법과 형법 등 관련법의 입법취지를 살리고 로봇의 위법과 과실에 대해 책임을 부과함으로써 인공지능형 로봇의 사회적 유용가치를 극대화하는데 역량을 모을 필요가 제기된다.

앞서 거론되었던 자율운행 차량의 문제되는 부분은 두 가지 측면이다. 즉, 불가항력적인 상황에서의 판단과 그에 따른 결과의 윤리성 부분이다. 인공지능 알고리즘의 판단에 따라 주행하는 차량이 갑작스럽게 끼어들기로 추돌 상황에 직면하였다고 가정하자. 이때 인공지능 로봇은 순간적으로 선택을 해야 할 때 그대로 직진하여 1명의 상대방 차량 운전자만 치는 상황과 오른편으로 핸들을 꺾어서 여러 명의 행인을 치는 상황이 직면하는 선택을 하게 될 것이다. 인간이라면 돌발적 상황에서 대응이 불가능했다라고 말할 수 있지만, 인공지능은 초상황임에도 수백 수천 번의 판단과 결정을 하여 최소한의 피해를 합리적으로 택하게 된다. 이렇게 인공지능은 주어진 데이터와 알고리즘에 기초하여 최적화 판단을 하였음에도 피해자(또는 관계자)는 그런 판단행위가 인간생명의 존엄을 무시하고 경시하는데서 오는 폐단이라고 평가할 것이다. 왜냐하면 알고리즘의 판단과 편향도 윤리적 논쟁으로 번질 수 있음을 우리에게 던져주고 있기 때문이다.

한편으로 인공지능이 발달하기 위해서는 인공지능의 먹이가 되는 데이터 확보가 핵심이다. 이러한 주장의 기저에는 정보자원 보호의 중요성도 간과할 수 없지만 개인정보 보호의 규제로부터의 해방구가 더욱 중요하다. 물론 개인에 대한 각종 정보를 보호하여 인격을 보호하자는 것에는 이견이 없다. 그러나 개인정보[15]의 지나친 규제로 인해 데이터 정보활용의 유연성이 떨어진다면 비용과 이익측면에서는 손실의 우려가 크고, 역동적인 산업발전을 원천적으로 봉쇄하는 결과를 초래할 것이며, 개인정보의 방어라는 획일적 사고에 함몰되어 있다는 비난을 피할 수 없을 것이다. '비식별 조치 가이드라인'(방송통신위원회, 2016.7.1)과 '개인정보 보호 법령 통합 해설서' 발간에 따라 산업계의 빅데이터 활용이 활성화될 것으로 보이며, 빅데이터 이용에 따른 개인정보 침해 우려도 불식될 것으로 기대된다. 나아가 개인정보보호와 관련해서는 개인의 프라이버시가 과도하게 침해되지 않는 수준에서의 데이터 공개 내지는 활용은 권장되어야 할 것으로 본다. 이러한 지적을 최소화하기 위해서는 개인정보보호법과 지능형로봇법의 합리적이고 적절한 운영을 통해 양자의 보호법익을 최대한 살릴 수 있는 지혜를 모아야 한다.

인공지능[AI]에 접근하기 전에 빅데이터의 단점을 해소하는 것은 선제적 핵심과제가 아닐 수 없다. 가장 문제가 되는 점은 사생활 침해 부분이다. 예를 들면 A라는 고객의 구매정보를 모두 모아 분석하면 미래 구매수요를 예측할 수 있고, 취미 및 취향정보를 활용하면 원하는 타입의 배우자를 찾을 수 있다. 신용카드정보와 CCTV정보를 융합하여 돌리면 특정인의 동선을 파악할 수 있어서 어느 음식점 단골인지, 어떤 빈

---

15) 「정보통신망법」에 의한 개인정보란 생존하는 개인에 관한 정보로서 성명, 주민등록번호 등에 의하여 특정 개인을 알아볼 수 있는 부호, 문자, 음성 및 영상 등의 정보를 의미한다. 개인정보가 지닌 특징으로는 ⅰ)살아있는 자에 관한 정보이어야 하므로 사망한 자, 자연인이 아닌 법인, 단체 또는 사물 등에 관한 정보는 개인정보에 해당하지 않는다. ⅱ)개인에 관한 정보이어야 하므로 여럿이 모여서 이룬 집단의 통계값 등은 개인정보에 해당하지 않는다. ⅲ)정보의 종류, 형태, 성격, 형식 등에 관하여는 특별한 제한이 없다. ⅳ)개인을 알아볼 수 있는 정보이어야 하므로 특정 개인을 알아보기 어려운 정보는 개인정보가 아니다.

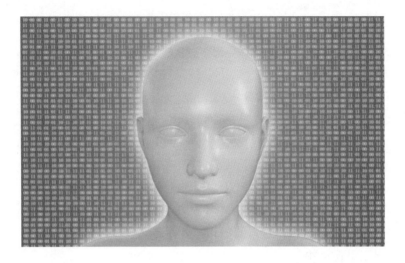

번검색 사이트를 즐기는지 등을 속속들이 알게 되는 네이키드 소사이
어티Naked Society 시대에 살게 된다는 것이다.

특히 주민등록번호 제도가 있는 우리나라에서는 더욱 심각한 문제가
예견된다. 즉, 각 개인이 출생과 동시에 부여하는 코드번호가 없는 다
른 나라에서는 해당 국가의 국민 의료데이터가 해킹되더라도 개인정
보의 데미지는 경미하지만, 우리나라는 의료 데이터에 담긴 주민등록
번호로 인해 신용카드 사용내역, 금융 데이터 내지는 개인의료정보까
지 다 노출될 수 있다는 것은 치명적인 오류가 아닐 수 없다. 정보노출
의 위험을 사전에 방지하는 것은 궁극의 사회적 비용을 사전 차단하는
데 있다. 따라서 인터넷의 편리함에 빠져 있는 동안 빅데이터의 오류를
탑재한 인공지능AI 로봇의 전방위 활용은 가공할 위험과 위력으로 우
리 인간생활을 지배력으로 여정될 우려가 있으므로 위험분산 방지책
이 마련되어야 한다.

③인공지능 로봇과 인간의 법적 공존과 사각지대의 완화

인공지능AI 로봇의 활성단계는 우리 생활과의 밀접성을 말해주는 바
로미터가 될 것이다. 그만큼 인공지능의 영향은 인간 생활의 구석구석

으로 효과를 더할 것으로 본다. 가상하면 로봇수술 시뮬레이션으로 의사는 수술에 앞서 연습하고 수술에 필요한 정보는 내비게이션으로 제공받을 수 있다. 법률 부문에 있어서는 인공지능AI 변호사가 빅데이터를 바탕으로 데이터를 체계적으로 수집, 분석해 소송이나 법률적 소명 자료에 활용할 수 있도록 지원하며, 산업 분야에서도 인공지능형 로봇 농부가 탄생하여 논밭의 잡초를 구분해 제초를 제거하고 병충해 방제 작업도 수행하는 등 기술적 애로사항을 해결하거나 농가의 일손 부족 문제를 해결할 수 있다. 이처럼 여러 부문에 있어 로봇과 인간이 함께 하는 세상이 가까이 와있어 그 간극을 좁히는 작업이 시급한 과제가 아닐 수 없다. 공존은 충돌의 근거 제거와 상호 이해가 함께 이뤄짐으로써 실현될 것이다.

　위의 사례들 외에도 인공지능AI의 기술과 우리 인간생활 연계는 신동전의 양면을 역제안하고 있음을 알 수 있다. 사람이 해당 업무를 함에 있어 반복되는 단순 작업들을 빅데이터에 기반을 둔 학습 인공지능이 신속·정확하게 처리함으로써 업무의 신뢰도를 높일 뿐 아니라, 사람으로 하여금 유휴시간을 고품질 서비스로 재투입할 수 있다는 점이다. 이와 같이 인공지능과 인간의 공존은 자연스러운 현상이며 이를 터부시하는 것보다는 오히려 상생할 수 있는 환경을 찾아야 한다. 특히 기업 생태계에서의 상생전략은 시급히 요구된다. 주요 외국(미국, 중국)의 경우 기존의 법체계로는 도저히 따라갈 수 없을 정도의 새로운 인공지능AI 관련 기업들이 등장하여 성장하고 있는 환경인 반면에 국내는 기존의 규제로 들어오지 못한 관련 기업들이 불법화됨으로써 인공지능 산업의 생태계가 착화되지 못하고 있는 실정이다. 물론 모바일과 인공지능AI 등 첨단 ICT 기술이 너무 빨리 발전하면서 기존의 법률체계는 이러한 기술속도를 따라가기 어려운 것도 이해 못하는 바가 아니다. 이러한 법률서비스 사각공간을 메우기 위해 절충적 방안으로서 규제프리존 혹은 규제샌드박스를 본격적으로 시행하고 있음은 다행이 아닐 수 없다.

최근 규제샌드박스 적용 4법이 주목을 받고 있다. 산업융합촉진법, 지역특화발전특구에 관한 규제특례법, 금융혁신지원 특별법, 정보통신 진흥 및 융합활성화 등에 관한 특별법이 그것이다. 2018년 12월 '규제자유특구 및 지역특화발전특구에 대한 규제특례법'은 수도권이 아닌 지역의 자치단체장이 주무(중소벤처기업부) 장관에게 규제자유특구 지정을 신청할 수 있다. 민간 기업도 자치단체장에게 규제자유특구 계획을 제안할 수 있도록 하였다. 한편 영역별 융복합이 이루어지고 있어서 정보통신·방송통신·디지털 콘텐츠 관련 서비스 등이 합쳐지거나 정보통신과 다른 서비스가 결합해 제공되는 서비스는 '정보통신 진흥 및 융합활성화 등에 관한 특별법'이 적용될 수 있다. 나아가 기술과 산업의 결합을 통해 제공되는 혁신서비스는 '산업융합 특별법'이 있으며, 혁신적인 금융서비스를 제공하기 위한 '금융혁신지원 특별법'이 시행되고 있다.

이들 법령은 규제의 신속한 확인을 하고, 기존 규제의 적용을 받지 않는 실증적 테스트를 하며, 임시 허가를 해주는 스마트기능을 하고 있다. 규제샌드박스는 3가지 종류의 제도로 구성된다. 먼저 규제 신속 확인제도는 기업들이 신기술이나 신산업 관련 규제가 존재하는지 여부를 물으면 30일 이내에 응답을 받는 제도이고, 30일 이내 회신이 없으면 관련 규제가 없는 것으로 간주한다. 다음으로 관련 법령이 모호하거나 불합리할 때 또는 무엇 무엇을 못하게 하는 금지 규정으로 신제품 신서비스의 사업화가 제한되는 경우 실증적 테스트를 지원해주는 제도이다. 마지막으로 임시 허가제도는 안전성과 혁신성을 겸비한 신제품 그리고 신서비스 임에도 관련 규정이 모호 내지는 불합리하여 시장 출시가 어려운 경우 임시적 조치를 해주는 제도이다. 이는 기존의 정책을 혁신적으로 풀어주는 것은 물론 인공지능 및 빅데이터 등 4차 산업을 견인하는 기능을 내재하고 있다. 기존의 규제를 완화하는 성문화된

법령조치에 기대는 하면서도 의료, 안전, 환경 등 구석진 분야로 확장
되었으면 한다.

또한 혁신 시도와 제도 시행과의 엇박자는 기회 불평등으로 이어질
우려가 높다. 역설적이지만 현재로서는 여론을 조성할 힘이 있거나 제
도가 정비될 때까지 기다릴 수 있는 자금력이 충분한 소수의 기업만 혁
신서비스를 추진할 수 있다. 이러한 불평등을 개선하기 위해 규제샌드
박스의 시행은 인공지능 등 신기술·산업도 육성하고, 국민의 생명과
안전도 균형 있게 고려하자는 취지이다. 신속·정확한 규제샌드제도의
작동만이 필드(현장)의 갈증을 해소할 수 있음을 알아야 한다.

문제는 법률을 신설하고 제정하는 것보다 운영의 중요성이다. 규제샌
드박스를 통해 실제로 혁신서비스가 활성화되기 위해서는 각 부처가
위 제도를 운영하는 과정에서 유연한 태도를 견지하여야 한다. 즉 각
부처가 혁신서비스에 대한 규제자의 입장이 아니라 지원자의 시각으
로 바라보아야 한다. 특히 규제샌드박스에 따라 특정 서비스 운영사에
임시허가를 내어줄지 여부를 판단할 때에는 기존 법령에 따른 인허가

심사와는 다른 기준으로 접근하여야 한다. 뿐만 아니라, 정부가 유권해석을 명확하게 해주는 것도 중요하다. 법령에 대한 유권해석 시 모호한 답변보다는 사업자가 답변을 듣고 실행에 옮길 수 있도록 구체·도식화된 서비스 답변이 요구됨을 직시하여야 한다.

5. 맺는 말

인공지능^AI의 출현은 우리가 미래에 어떤 변화가 일어날지 모르는 예측불가에 긴장하게 만든다. 고도화 되는 AI의 기대효과는 역설적이게도 우리 인간의 윤리와 본질 그리고 능력에 대해 더욱 진지한 성찰과 책임을 요구하고 있다. 다시 말해 인공지능^AI은 인간 사회의 철학적, 선험적, 주관적 개념을 이해하고 표현할 수는 없다. 그렇지만 기술적 초연결과 초지능의 구현은 인간과의 간극을 좁힐 뿐만 아니라 자유의지의 DNA가 없는 인공지능^AI의 행동 양식을 표준·규범화로 정립할 여지가 있다.

빅데이터에 의한 딥러닝 단계를 지나, 스스로 개념학습하는 인공지능의 고도화와 그것을 구현할 로봇의 활동은 현실화되어 가고 있다. 인공지능^AI의 특성화는 코드로 구성된 컴퓨터 알고리즘이다. 인공지능형 로봇공학은 컴퓨팅 알고리즘을 하드웨어적으로 기계·반복적으로 인식화하였고 이를 데이터 셋을 통한 상황별 정보를 스스로 판단한 후 상황맞춤으로 구현하는 형태인 것을 알게 되었다. 이러한 진보적 상황은 개념초월로 이어져 인공지능 기술의 고도화와 초규범성이 대칭으로 견주고 있다. 이에 견지하여 법률 분야에서도 인공지능을 이용한 법률정보 분석서비스, 법률정보 플랫폼 구축 등이 미래 신산업의 기반기술로 자리매김함으로써 서비스의 기술적 보완을 넘어 법률문화의 새로운 전기를 마련할 것으로 전망된다.

특히 인공지능형 로봇에 대한 법제의 완성도는 두 가지 측면에서 검토되어야 한다. 하나는 빅데이터 및 알고리즘 등 새로운 인공지능 시스템을 중축하고 보호하는 하드웨어적 접근의 해결이 선행되어야 하고, 또 다른 하나는 인공지능 로봇과 인간과의 교류 및 공감도, 인지적 요소의 합치, 행위로 인한 결과발생 책임여부 등 소프트웨어적 요소 등의 규범적인 해결이 있어야 할 것이다. 다시 말해 인공지능 기술의 고도화와 인본적 가치 유지는 상호 보완재이다. 기술 고도화의 일면에는 로봇과 알고리즘에 대한 확실한 통제가 선행되어야 하고, 알고리즘에 기반한 판단과 추론이 인간에게 유용(효용성 가치)해야 함은 주지의 사실이다. 그러므로 데이터정보의 인식, 분석과 판단, 추론과 탐색의 인공지능 시대에 이를 뒷받침하기 위한 법정책의 마련은 경제적 요소만을 고려해서는 안 되고 위험의 적절한 배분, 책임의 귀속주체의 명확화, 인간 가치에 대하여 형성되어 온 사회적 규범을 보호하는 종합적 관점에서 설계할 것을 강조한다. 이러한 각고의 작업을 통해 사회적 공감과 인식을 공유할 정도의 환경이 도래하면 인공지능형 로봇에 대한 법인격 내지는 규범성 부여 여부도 큰 저항 없이 받아들여지는 시점이 오지 않을까 싶다.

현재 우리에게 인공지능 및 로봇공학기술의 쓰나미 효과는 기존의 시스템과 제도에 상당한 변화를 강하게 요구하고 있다. 변화를 요구하는 압박 요소 중 법률의 뒷받침은 시급히 제공되거나 조치되어야 할 과제이다. 빠르게 변하는 기술 발전에 법이 뒤처진 지체현상은 어제 오늘의 이야기는 아니지만 특히 인공지능형 로봇 분야에 규제와 전문 역량이 미흡하여 더딘 속도감을 극복하지 못하는 것은 안타까운 일이 아닐 수 없다. 과거를 반추해보면 우리 사회는 혁신적 기술이 등장할 때면 이의 사회적 공감과 수용에 상당한 시간이 소요되는 지체현상을 경험하였다. 따라서 과오의 반복을 재현하는 어리석음을 뒤로하고, 지금이라도 인공지능^{AI} 로봇의 효용성과 합목적성이 발현될 수 있도록 우리 모두의 지혜와 역량을 모아야 할 것으로 본다. 인공지능^{AI} 로봇의 마지막 외투는 입법의 공고화이기 때문이다.

참고자료

- 김준호, 민법강의, 법문사, 2000
- 법률신문(오피니언 안진우, 2018. 3. 22)
- SAS KOREA
- NAVER 지식백과
- 정보통신역사관
- 법률저널(최용진, 4차 산업혁명과 입법방향)
- 경향신문(2018. 9. 11, 강금실 칼럼)
- 정보통신망 이용촉진 및 정보보호 등에 관한 법률
- 지능형 로봇 개발 및 보급 촉진법

4차 산업시대의 생존전략

글_ 장석진

삼성전자 무선사업부 해외 마케팅 영업 및
상품기획 등 20여년 경력을 기반으로
현재 경기대 교수와 경기대-KT 빅데이터 센터장 및
데이터랩 대표로 활동.
빅데이터와 AI 최접점에서 길을 찾는 젊은이들에게는 방향을
Startup 및 중소업체들에게는 가디언스 역할을 수행 중.

18세기 이후 인류의 생산성은 기하급수적으로 발전하게 되었다. 영국의 인구 통계학자 멜더스는 인구는 기하급수적으로 증가하나 생산성은 산술적인 증가로 인해 인류의 어두운 미래를 예견해 왔지만 멜더스는 2가지를 간과하고 있었다. 하나는 인류가 파임이라는 도구를 개발하여 사용할 것이라는 것과 또 다른 하나는 생산성의 기하급수적 증대라는 변수이다. 이로 인해 인류는 인구의 인위적 조정과 생산성의 확대로 과거 150년간 최대의 번영기를 누려왔다. 즉 생산성의 확대는 1차 산업혁명(증기의 동력) 2차 산업혁명(전기 사용) 3차 산업혁명(컴퓨터)이란 변곡점을 가지면서 시간과 생산성 향상에 지속적인 고민과 대안을 제시하면서 지금에 이르게 되었다. 이제는 소위 4차 산업혁명이라는 명칭 하에 모두가 어떠한 변화가 파생되며 어떤 분야의 생산성이 확대 증대 되어 전파될 것인지에 관심이 쏠려있다. 마치 1980년 말 모토로라의 벽돌 휴대폰이 지금의 모바일 문화의 태동이 된 것처럼 어떤 제품 혹은 서비스가 확대 전파 될 것인지가 초미의 관심사이다. 그 물결에 동참할 기회를 너도 나도 엿보고 있다고 해도 과언이 아니다. 결론적으로 생산성은 어떠한 분야의 어떤 방향으로 확대 전파 될 것인가에 대해 주목하고 있으며 확실한 것은 4차 산업혁명의 시대는 이미 도래했을 수도 있으며 다른 획기적 제품 서비스의 파생이 전 산업군에 엄청난 파장을 가져올 수도 있다. 결국은 어디에 그리고 어떤 분야가 빅뱅을 가져오는가에 대해서는 아직도 의견들이 분분하다. 이에 4차 산업시대의 생존전략이란 제목 하에 어디에 그리고 무엇을 어떻게 준비해야 하는가에 초점을 맞춰 이야기 해보고자 한다. 지금까지 저자가 삼성전자 모바일 사업부 경력 포함 영업 마케팅의 20년 경험과 교단에서 짧지만 최근 빅데이터에 관심을 갖고 준비한 내용을 바탕으로 사회초년생 혹은 취업을 준비하는 청년들의 영원한 숙제인 "어떻게 무엇을 위해 살 것인가?" 그리고 무엇을 준비해야 하는가에 대한 고민의 방점을 찍어보고자 한다.

1. 4차 산업의 태동배경과 원인

이제는 어느 책자나 강연, 인터넷에서 4차 산업혁명을 다루지 않는 것은 모두 진부하고 새롭지 못한 것으로 여겨진다. 스마트폰, O2O, 빅데이터, AI, 초연결성 등 모두 일맥상통하는 의미이고 다른 분야의 다른 표현에 불과하다는 것인 것이다. 우리는 단 하나 한 줄로 지금의 현상을 적을 수 있고 깊은 고민을 한다면 하나의 맥락으로 정의할 수 있다. 다름 아닌 잘살기 위한 방법 방향의 다른 표현에 불과하다는 것이다. 최근의 Data가 빅데이터가 되고 과거 인공지능이 이젠 AI+ex란 용어로 바뀌는 과정을 면밀히 살펴보면 오늘보다 더 잘 먹고 잘살기 위한 인간본연의 삶에서 비롯되고 태동되었다고 보면 된다.

미국에서 4차 산업혁명에 대한 논의나 생산성에 대한 고민은 그다지 중요치 않은 것 같다. 단지 실리콘 밸리 내의 IT에서 이젠 단순히 AI로 진화되는 과정을 거치고 있을 뿐이며, 보다 많은 데이터 처리와 마켓에서의 편리성을 추구하는 역할을 매우 중요하게 생각하는 것 같다. 반면 독일 및 중국을 비롯한 그 외 지역에서는 생산성과 직결된 공장에서의 자동화와 스마트 팩토리 중심의 4차 산업혁명이 한참 진화 중인 듯하다. 어느 방향이 옳은지는 아무도 알 수 없지만 두 가지 진화 과정은 조만간 하나의 통일화된 큰 패러다임의 모습으로, 우리 삶으로 다가올 것임에 분명하다.

국내는 대기업이 주도적으로 변화의 물결을 따라잡기 위해 외부의 인력을 끌어다 신기류에 편승하기 위한 토양을 만들어 보지만 매번 같은 실수를 반복할 뿐, 4차산업 변화를 주도하여 세계 시장을 끌어가기에는 역부족인 듯하다. 이유가 무엇일까? 매우 단순하다. 크게 보지 못하고 조직자체가 인류역사의 변곡점이 되는 중요한 창조와 발명에 적합하지 않기 때문이다. 조직과 조직문화 측면에서 보면 이미 다른 길을 가고 있다. 그 배경에는 동아시아권(한국/일본/중국)의 조직은 다른 토양의 조직 문화를 가지고 있기에 4차산업 변화에 대해 피상적이고 수박의 겉만 들여다 볼뿐이다.

구글, 아마존 등은 태동 때부터 4차 산업혁명에 대해 큰 그림을 가지고 적절히 수행하고 있었다. 2000년 필자가 미국에 있을 때 Business week에서는 이미 IT 산업이 슈퍼마켓에 적용되어 사람들이 편리하게 쇼핑을 할 수 있는지를 구체적으로 기술한 것을 볼 수 있었다. 또한 구글은 창업 당시부터 검색엔진으로 무엇을 할 것인가? 에 대한 물음에 인공지능이라는 대답을 확실히 해오고 있었다. 그로부터 훌쩍 20년을 넘긴 지금 우리도 이제 뭔가를 해야 하지 않을까? 고심 중이고 해결책을 마련하고 있는 상황이다. 정부는 수 조 단위의 정부지원금을 쏟아부어 4차산업에 대한 헤게모니를 끌어올리려 애를 쓰지만, 100미터 달리기에서 0미터와 50미터 출발선이 다른 점에서 출발해야 한다는 어처구니없는 상황만 반복적으로 연출될 뿐이다. 선도자들을 단순히 따라하는 Second Mover의 역할만이라도 제대로 해주길 바랄 뿐이다.

그렇다면 우리는 무엇을 어떻게 4차산업 태동에 맞춰 주도적으로 이끌어 낼 수 있을까? 그리고 우리의 장점과 단점이 무엇인지 파악하고, 준비해야 할까? 이를 위해 무엇보다 먼저 게임의 장 또는 판을 바꿔야 한다. 그렇지 않고서는 도저히 벗어날 수 없는 뫼비우스 따라는 함정에 빠지고 말 것이다. 그렇다면 여기서 무엇을 어떻게 바꿔야 하는가?

한 시대가 어떤 산업 구조와 형태를 가지고 있건 무엇보다 먼저 사람으로부터 출발을 하여야한다. 생뚱맞은 이야기로 들릴지 모르지만, 앞에서 언급한 외국의 4차산업은 그들 문화양식 혹은 삶의 방식에서 출발, 비롯된 것이지 이와 동떨어진 삶에서 출발된 것이 아니다. 생각의 부동은 항상 일어나지만 생각을 지배하는 삶의 양식 속에서 우리가 볼 수 없는 행위를 그리고 삶을 이끌어 간다는 것을 이해해야 한다.

결국 4차 산업혁명을 비롯한 모든 기술발전은 사람을 이해해야만 하는 것이지, 기술과 진보만을 쫓다보면 그 본질을 파악할 수 없게 된다. 즉 생태계와 문화 그 속에 깃들어 있는 개인의 니즈와 자의식을 이해하지 못하고는 4차산업의 본질과 태동, 배경 및 원인을 제대로 파악하지 못하는 상황에 이른다는 것이다. 인간의 본질에 가장 잘 접근한 이론은 매너슬로의 욕구의 6단계가 있고, 프로이트와 칼융의 자의식에 대한 심리학적 접근이 매우 설득력이 있어 보인다. 독자들은 4차 산업혁명을 인문학의 기본 배경 접근에 대해 의아해 하거나 설득력이 없어 보인다고 생각하거나 느낄지 모르지만 4차 산업혁명은 문화양식의 변화일 뿐 사람과 사회 속에서 발생한다는 것을 이해해야 한다.

지금의 인류가 이루어놓은 문명과 문화는 언어적 인간, 유희적 인간이란 틀 속에서 이해할 필요가 있다. 인간과 동물의 차이는 다양한 상징과 언어의 구사능력으로 갈리게 된다. 인간은 그를 통해 현실의 나와 허구의 나를 탄생시키면서 진화할 수 있었다. 또한 언어를 통해 사회성을 키우면서 남들이 나를 어떻게 볼 것인가에 대한 자각으로 자아를 탄생시켰다. 이는 인류에서 삶에 대한 기준을 자각하게 해주었으며 먹고 사는 문제가 어느 정도 해결되면서 삶에 대한 기준을 높여 간 것이다. 이것이 역사 속에서 발전해온 생활양식이고 표현과 창작을 통해 살아있음을 더욱 생생히 확인하게 되고 자아의식의 확장을 경험했을 것이다. 이처럼 생활양식이 하나씩 쌓이면서 우리는 문명과 문화를 발전시켜 온 것이다.

인간은 태초 언어와 상징을 사용함으로서 현실과 허구를 구분지을 수 있었고, 허구를 통해 상상력과 자아의 발전 그리고 사회(남)가 나를 어떻게 생각할 것인가에 대한 인식을 꾸준하게 확장시켜왔다. 먹고 사는 문제를 풀어가면서 확장된 자의식의 높은 기준은 문명과 문화의 싹을 틔우게 되었다. 문명과 문화의 싹은 복사와 창조의 굴레를 통해 언어와 전파라는 강력한 결실을 거둘 수 있었다. 또한 교환과 거래를 통해 서로를 충족시킬 수 있는 시장이라는 터에서 니즈와 또 다른 발전된 자아의 촉수를 뻗어 파생 양식이 다른 버전의 문화와 문명을 지속적으로 발전시키면서 오늘에 이르게 된다. 이런 긴 여정 속에서 4차 산업혁명은 사회 전반에 걸쳐서 숙명적으로 태동할 수밖에 없는 또 다른 쉼표를 찍으며 우리 곁으로 다가오고 있는 것이다.

총은 300년 전 주원장이 몽골족을 제압하기 위하여 개발된 도구로 기다란 막대기에 화약과 돌을 넣고 심지에 불을 붙인 것에서 비롯되었지만 불과 100년도 안되서 이베리아 반도에서 무어인을 쫓아내는 가장 강력한 도구로 발전했다. 무어인을 쫓아낸 이자벨 여왕이 콜럼버스에게 새로운 기회를 가져오길 바라면서 투자한 것이 새로운 대륙 발견으로 이어진다.

결론적으로 4차 산업혁명을 Industry4.0에서 따오건 누가 주창하건, 용어의 문제가 아닌 사회의 문명 혹은 문화의 파생 양식이 추구하는 변곡의 정점인 것이다. 주원장이 처음 사용했던 총이 불과 100년 남짓하여 가장 강력한 무기로 발전한 것처럼 이제는 100년이 아니라, 10년 내 우리가 알고 있는 기존의 생활양식과 시장이 다른 모습으로 바뀔 수밖에 없는 지점에 이르렀다. 이것이 4차 산업혁명의 태동과 원인인 것이다.

2. 4차 산업혁명의 본질

현상의 본질은 진리나 작게는 이론과 같은 것이라 쉽게 변할 수 없는 것이라 생각할 수 있지만 우리가 지금까지 알고 있는 모든 것은 변한다는 것이고, 하나가 모든 것을 설명한다는 것은 매우 어려운 일임에 틀림이 없다. 하지만 지금까지 인류가 배워오고 습득한 지식과 방법을 근간으로 본질을 파헤쳐 보고자 한다. 모든 산업혁명은 우리가 배워온 것에 의하면 기술 혹은 기계의 발전으로 새로운 메커니즘이 등장하고 이에 따르는 것으로 알고 있다. 즉 신기술, 신기계의 개발과 연구로 인해 모든 사회 구성체가 활용함으로써 확산된 것으로 이해된다. 물론 현상만 놓고 볼 때는 그렇게들 교육 받아 왔고 그렇게 진행된 듯해 보인다. 이것이 현상과 본질에 대한 첫 번째 왜곡인 것이다. 인류 최초 발견품과 발명품을 들여다 보자. 최초의 인류인 호모에렉투스는 인류 역사상 가장 위대한 불을 발견하였다. 자연 현상에서 비롯된 불을 인간이 피하기만 하였다면 과연 인류가 지금까지 존재할 수 있었을까? 필요는 발명과 발견을 낳았다. 호모에렉투스는 불을 최초로 사용하겠다는 의지와 니즈를 강력하게 느꼈으며, 불은 그 욕구를 충족시키면서 필수불가결한 존재로 자리하게 된다.

인류의 모든 발견과 발명은 인간 자체의 숨길 수 없는 니즈에서 비롯된 것이며, 고도화 된 니즈는 고도화된 발명품을 만들어 내고 있다. 그 어디에도 우연은 없으며 모든 것이 필요에 의해 그리고 인간의 호기심이라는 선물에 의해 지금의 우리를 만들어 낸 것이다. 총과 금속활자에서 보듯이 화약과 금속활자는 우리의 필요에 의해 일반인이 상상할 수 없는 단계까지 발전해왔다. 총은 명의 주원장이 몽골제국을 제압할 수 있도록 개인용 화기로 발전되었고, 쿠텐베르그의 활자는 많은 사람들이 읽을 수 있는 책이라는 정보의 보따리를 만들어 낸 것이다. 책을 통하여 우리는 직접경험을 하지 않더라도 남의 경험으로부터 배우면서 지식의 폭을 넓힐 수 있게 되었다. 간접경험을 전달하는 책은 20대의 청년을 노년층이 쌓아온 경륜과 지혜의 세계로 안내하는 길라잡이의 역할을 하면서 사회 전반의 발전에 박차를 가하였다.

　태생적으로 유한한 존재인 인류는 무한한 지식의 바다를 항해하면서, 오감을 통해 얻을 수 있는 구체적인 경험을 바탕으로한 지식이라는 계단을 밟으며 도전을 통해 무한을 추구하고 있다. 진시황이 불로초를 찾아 가듯.
　진시황의 욕구를 답습하고 있는 우리는 혹시, 4차산업에서 그 길을 찾고 있는 것은 아닌가 하는 질문을 하게된다. 그렇다면 4차산업의 본질은 무엇인가? 단답하자면 '편하고자 하는 인간 본연의 니즈와 호기심'의 결실이라 할 수 있을 것이다.

　이미 기술은 4차 산업혁명 전에 개별적으로 발달되어왔고 단지 실행과 상용화에 이르기까지 각각의 기술이 대기하고 있는 것과 다름없다. 여기에 인간 본연의 니즈가 어떻게 연결 짓기를 원하는가에 따라 4차 산업혁명의 본질은 달라질 것이다. 끊임없이 편함을 추구하는 인간은 본인과 똑같은 로봇이 우리가 보고, 듣고, 만지고, 느끼는 것을 똑같이 느끼며 인간이 하기 싫어하는 노동을 해주길 바란다. 운전조차 힘들게 느끼고 짜증 내는 인간은 자율주행차를 원할 것이며, 음성으로 지시 혹은 명령만으로 수행하는 음성인식 로봇도 성행할 것이다. 이처럼 단순히 니즈와 인간의 욕구를 채울 수 있는 대체재는 각종 기술들과 결합된 상품으로 우리 앞에 나타날 것이고 나타나고 있다. 여기서 우리는 이러한 기술의 결합과정 중에서 나타나는 부작용이 오히려 럭비공처럼 우리를 엉뚱한 방향으로 이끌 수 있다는 점을 간과해서는 안 될 것이다. 이는 인간의 유한함과 환경 그리고 비용 등 우리를 둘러싼 생태계의 유한함으로 보다 쉽고 편한 방법으로

shortcut를 찾거나 shortcut 자체가 지금까지 경험하지 못한 새로운 경험을 선사 하는 경우를 의미 한다.

　최초의 스마트폰이라 일컬어지는 아이폰 이전에 윈도우 계열의 스마트 폰은 이미 존재했었다. 이 스마트 폰이 윈도우와 통신이 결합되어 아이폰의 기능을 충족시킬 것이라 생각했지만, 아이폰은 윈도우 스마트폰을 역사의 한 켠으로 매몰시키고 말았다. 아이폰처럼 심플하고 직관적으로 사용 할수 있을 때만 유지되는 효용을 윈도우 계열의 스마트폰은 충족시켜주지 못하였다. 스티브 잡스는 아이폰에 우리의 니즈를 가정 적절하게 담아 진정한 승자가 되었다.

　앞에서 언급한 것처럼 아이폰이 출시되기 10년 전부터 스마트폰은 윈도우와 통신의 결합을 통하여 시장을 장악하려 여러 번 시도하였으나, 개방형이라는 벽을 넘지 못하고 실패를 하고 만 것이다.

　인간의 끊임없는 욕망을 충족시키면서 돈을 벌기 위한 수단으로 조직 혹은 개인은 인간 본연의 니즈와 호기심을 충족시키는 독립적인 무언가를 만들어 낼 것이다. 이런 맥락에서 4차 산업혁명은 인간 본연의 마음 한 켠에 존재하는 니즈 혹은 욕망에 대한 끊임없는 해결책에서 비롯된다. 이는 매춘이 인류역사와 동일하게 시작된 것처럼 4차 산업혁명의 음지에서는 3D포르노 등 인간의 본능을 채워 줄 무엇인가가 개발 유통 될 것이 분명하다.

3. 어떻게, 무엇을 준비해야 하는가?

　결론은 최소한의 도구를 다룰 줄 알아야 한다는 것이다. 석기시대의 파편손도끼는 사냥에서 없어서는 안될 매우 중요하고 유일무이한 도구였다. 손도끼를 날카롭게 만들 수 있어야 살아 남을 수 있고 종족을 보존할 수 있는 유일한 도구였다. 청동·철기시대 또한 청동·철기도구가 중요한 자산이었음에도 불구하고, 그 도구를 생산하는 대장장이의 지위는 높지 않았다. 그 이유는 도구가 생산되고 유통되는 경로에서 유통자의 역할과 지위가 더 중요했기 때문이다. 교역의 시작과 더불어 인간의 지위는 니즈와 욕구를 충족시키는 정점에서 찾게 되었고, 이것이 본원적 가치의 파생에서 비롯된 근거이기도 하다.

인간의 니즈와 충족은 알게 모르게 분업과 교역으로 보다 더 가치가 있다고 생각하는 곳으로 옮겨가게 되었던 것이다. 예를 들면 좋은 건축물을 소유한다든지 청동과 철기란 도구를 활용, 권력과 힘을 얻는 지위를 차지하게 되는 현상을 의미 한다. 이처럼 본원적 가치에서 파생되는 새로운 가치가 더욱더 인간의 마음을 사로잡고 하나의 대상이 됨으로서 인류 역사는 니즈와 욕망의 파생상품과 괘를 같이 한다고 해도 과언이 아니다.

국가(원시적 의미) 혹은 Territory가 생겨난 것도 하나의 파생상품인 것이다. 산업혁명시대에 와서는 무엇이 파생되었을까? 필자는 "부의 축적의 무한한 가능성"이 파생되었다고 판단한다. 이때부터 화폐가 교환 수단을 넘어선 또 다른 가치로서 파생되었으며 종류도 여러 가지로 나타났다고 본다. 하지만 화폐는 본원적 가치인 교환에서 비롯되었기에 실물이 있어야 함으로 막대한 부를 축척하기 위한 수단으로 Territory에 국한되지 않고 국외로 식민지를 개척할 수밖에 없는 지극히 당연한 자본주의가 형성되었다. 증기기관의 원리가 자본주의라는 사상적 태동의 원동력이 되었던 것처럼.

전기의 시대를 발판으로 3차혁명의 시대를 넘어서 4차혁명시대의 원리는 무엇일까? 3차혁명이 컴퓨터의 시대에서 비롯된 무한 반복과 네트워크의 태동에서 비롯되었다고 본다면 4차 산업혁명의 원리는 가상imagination과 대체replace로 파악하고 있다. 가상은 광의의 개념으로 현실에서 발생되지 않는 일이지만, 마치 현실에서 처리되고 해결되는 과정을 의미한다. 과거에는 돈을 송금하기 위해서는 사람이 직접

은행 혹은 ATM에 가서 송금을 하였으나, 이제는 손가락 하나로 모든 일을 처리할 수 있게 되었다. 어제는 가상이었지만, 오늘은 현실화되는 과정 중 하나인 것이다. 극단적으로 가상이 현실이 되는 순간으로 보여진다.

여기 해외여행을 하고자 하는 사람들이 있다. 이들은 새로운 곳에 간다는 기대와 계획을 짜는 동안의 들뜬 마음을 경험하고, 여행지의 새로운 경험을 통한 오감에 새로운 자극을 받는다. 이 과정은 인간의 뇌를 만족시켜주고 지속적 만족감을 뇌가 경험 하도록 만든다. 가상 해외여행은 기술적으로 안 되는 것은 아니지만 시장성에 대한 확신이 없어 상품화하지 못하고 있고, 일정 지역의 3D경치 정도로만 묘사되고 있다.

이처럼 가상은 4차 산업혁명의 표면화된 욕구총족의 가치로 파생될 것이다. 즉 1단계는 인간의 욕구 중 하나인 편안함에 치중하여 상품들이 가상의 세계와 접목되는 현상들을 볼 수 있을 것이다. 그 예로 배달앱, 은행송금, 무인 자동차 등이 서비스와 상품으로 하나씩 선보일 것이다. 2단계는 인간의 DNA 속에 존재하는 움직임을 가상과 현실을 적절히 접목시키는 AR의 단계로 차원을 높여 옮겨갈 전망이다. 현시점 우리가 경험하는 AR의 개념이 아닌 홍채 혹은 일상적 안경에 모든 정보가 표출되며 인간이 원하고자 하는 정보는 언제, 어디서나 진짜와 같은 모습으로 보여지게 될 것이다.

영화의 Aron에서 볼 수 있는 것들이 현실에서 나타나게 될 전망이다. 대체replace의 1단계는 인간노동의 부분적 대체이다. 예를 들면 자동차 운전에서는 사람의 노동력이 없어질 것이고, 단순작업의 현장에는 로봇 Arm이 그 자리를 자리 잡을 것이다. 또한 컴퓨터에서 단순기사와 정보를 위한 책자들은 자동적으로 만들어 질 것이다. 즉 단순반복의 일과 노동력은 쉽게 기계학습 혹은 인공으로 대체될 것이다.

많은 사람들은 이 때문에 기존 일자리들이 없어지지 않는가?에 대해 많은 우려를 나타내고 있다. 하지만 일자리의 증대가 발생될 뿐이지 그것은 기우에 불과하다. 단지 사라지고 없어지는 것은 전통적인 방식 혹은 양식의 전환만 일어나는 것일 뿐, 일자리는 절대 사라지지 않는다고 필자는 확신한다. 그 이유는 인간 본연의 모습에서 답을 찾을 수 있다고 본다.

컴퓨터의 확산으로 종이 소비가 줄고 종이가 사라질 것이라고 예측했으나, 결과는 그렇지 않았다. 이유가 뭘까? 1990년대까지만 해도 우리는 책과 활자의 DNA를 갖고 있었다고 해도 과언이 아니다. 종이의 활자가 매우 익숙하고 새로운 방식의 매체는 뇌의 인식을 더디게 하는 벽으로 존재해 있었다. 이처럼 종이바탕의 활자를 오랜 시간동안 익히고 쓰고 했기에 아직도 우리는 종이를 지속적으로 소비하는 종족으로 남게 되는 것이다. 어린아이가 볼펜, 연필, 색연필로 종이에 뭔가 그리듯, 낙서가 사라지지 않는 한 종이의 소비는 계속 될 것이다. 하지만 점차로 어린아이조차 핸드폰이 뭔지도 모르면서 꾹꾹 누르기 시작하게 된다면 종이의 소비는 점차 줄어들 수도 있을 것이다.

단순작업의 종류에 따라 대체방식이 다르겠지만 단순작업이라도 작업을 통한 뭔가 확인에 기인된다면 바뀌는 시간이 서서히 발생할 것이고 확인confirm의 뇌작동이 사라지지 않는 한 쉽사리 바뀌지 않을 것이다. 또한 만약에 대체가 된다면 작업만 대체될 것이고 확인이란 인지 과정을 위한 사람의 노동력은 살아남을 뿐더러 대체제의 유지와 보수 및 관리라는 측면에서 또 다른 노동력이 투입될 것이 자명하다. 이처럼 우리가 우려하는 대체의 모습은 양식 혹은 방식의 대체일뿐 인간본연이 가지고 있는 뇌작용에서 비롯되는 과정들은 쉽사리 바뀌지 않을 전망이다.

은행전산망의 발달로 창구직원은 줄어든 것처럼 보이지만 기존에는 침투조차 할 수 없었던 마트 한 켠의 은행과 건물마다의 소규모 은행의 개설, 점포의 확대로 직원 자체는 줄지 않는 역설과도 유사하다 하겠다. 이는 세분화되고 학습되면서 발전하는 인간의 니즈와 욕구를 충족하기 위해서 니즈와 욕구의 접점들이 점차적으로 늘어나기 때문이다. 이처럼 부분적 대체를 통해 다시금 니즈와 욕구의 접점은 지속적으로 증대되고 이에 필요한 인력은 생각보다 기하급수적으로 늘어날 것으로 판단된다. 인구 절벽과 마주치는 어느 순간부터 인간의 니즈와 욕구의 소비는 편중되면서 가시화 될 것이다. 2단계로 어쩔 수 없이 인구 절벽이란 큰 벽 앞에 인간은 또 다른 선택을 할 수 밖에 없다. 즉 가장 효율적인 방법으로 다수의 행복을 추구하는 선택을 할 수 밖에 없는데 이젠 기술도 뒷받침되므로 부분 대체 보다도 완전 대체로 흘러 갈 수밖에 없을지 모른다.

인간의 니즈와 욕구는 이미 사회화에서 학습된 마당에 그걸 줄인다는 것은 마약을 끊는 것과 같은 고통이 수반되므로 인간은 인간의 완전대체재를 희망하게 되고 사회 또한 그 방향으로 선회할 가능성이 매우 높다. 예를 들자면 현 시점의 Sex Doll이 아닌 인간과 거의 70% 이상 가까운 로봇이 등장할 것이고, 여러 가지 복합적인 노동력을 제공할 것이다. 이처럼 가상과 대체재라는 두 가지 변수로 4차 산업혁명에 대하여 간략히 살펴보았다. 무수히 보와왔던 SF 영화의 장면일 수 있고 다른 모습으로 연출될 수도 있다. 하지만 단 한 가지 가상과 대체는 인간 본연 그리고 기술이란 변수를 가지고 예측한 것이다.

4차 산업혁명이건 이후 일어날 혁명이건 인간-니즈와 욕구-을 중심점에 놓지 않으면 한낱 줄거리에 불과하다. 그러면 우리는 어떻게 무엇을 준비해야 하는가?에 대한 답은 쉽게 찾을 수 있다. 먼저 인간의 니즈와 욕구의 본질이 무엇인지를 알고 본원적 가치가 파생되는 길목에서 그 시점의 기술과 상품을 적절히 녹여낼 수 있고 전파(유통)시킬 수 있다면 무수히 많은 기회를 얻고 그에 대한 부와 권력이 뒤따르게 될 것이다. 지금의 페이스북, 카카오톡과 과거의 구글, 아마존 등이 인간본연의 니즈와 욕구의 파생 길목을 지키고 있다가 잡은 기회이듯이 앞으로 여러분들도 무한한 기회를 얻을 수 있을 것이다. 또 한 가지 명심할 것은 철기시대 대장장이가 권력과 부를 거머쥔 당사자가 아니듯, 기술과 깊이 있는 알고리즘을 연구하고 새로운 방식을 깊이 파는 것으로 연구자의 의미는 충족될 것이다. 기회와 부 그리고 권력을 얻으려면 인간 본연을 이해하고 파생의 길목이 어디인지를 항상 생각하고 이것을 대비해야만 가능하다. 이것이 4차 산업혁명시대 젊은이들이 어떻게 그리고 무엇을 준비해야 하는가에 대한 물음의 답이라고 생각한다.

4. 미래의 우리 삶이란?

인간이 가지고 있는 가장 중요한 장점 중의 하나는 환경에 대한 적응을 쉽게 한다는 점이다. 물론 다른 동물들도 마찬가지이긴 하지만 인간은 환경에 적응을 하면서 무엇을 더 좋게 더 편하게 할 수 있는지를 항상 생각하며 실천하고 도전을 하고있다. 이따금씩 자신의 모든 것을 바쳐서 혹은 자신이 가지고 있는 재능의 한계에 도전하면서 많은 사람은 주위 환경의 불편함을 해소하고자 많은 노력을 기울이기도 한다. 하지만 모든 도전이 성공하는 것은 아니다. 주어진 상황은 항상 한계가 있고 한계를 어떤 식으로 쉽게 그리고 간접 혹은 직접적으로 돌파해보고자 하는 것이 인간이 가지고 있는 가장 큰 장점 중에 하나인 것이다.

이처럼 인류역사는 문명과 제도 인간의 관계 속에서 이루어지는 모든 기록이 아닌가 한다. 그렇다면 과연 우리의 미래는 어떤가? 혹자는 불확실성과 인간성의 파괴 또 다른 견해는 지속적 낙관론자로 우리의 미래는 인간 스스로 개척할 수 있을 것으로 예측하기도 한다. 이유는 환경에 적응하고 도전하면서 개선하려는 모습이 인류가 품고 있는 지속 발전형 모형이라는 것이다. 단지 시간과 장소에 의해 우리의 삶의 모습이 결정될 뿐이라는 생각이 지배적인 것이다. 이처럼 우리는 모순 속에서 즉 환경에 적응하려는 것과 지루함 혹은 환경에서 벗어나고자 하는 갈망을 가슴 속 한 켠에 피워올리면서 우리는 생각과 고민을 동시에 할 수 있는 존재인 것이다. 그렇다면 우리의 미래는 과연 어떤 모습일까?

미래에 대한 여러 가지 예측과 해설들이 나오고 있지만 긍정과 부정의 측면에서 살펴본다면 필자는 긍정에 한 표를 던지고 싶다. 지금까지 인류가 걸어온 길을 돌이켜보면 그 안에서 답을 얻을 수 있다. 한때는 마치 암흑기와도 같은 시기였고 끊임없이 제기되는 전쟁의 위협과 인간의 나약함이 항상 나타나 있다고 해도 과언이 아니다. 하지만 이를 시간의 시계열로 쪼개어 본다면 발생은 항상 원인을 내포하고 있고, 인간 스스로 위협에 대한 인지와 억압에 대해 항상 그에 대한 대비와 방향을 가지고 있었음을 들여다 볼 수 있다. 예를 들면 중세의 암흑기라 하더라도 유일신의 믿음에 대한 한 켠의 반대 입장과 이단이 존재했으며, 징키스칸과 쿠빌라이는 엄연히 다른 존재인 것이다. 즉 우리가 선언하는 과거 우리의 삶은 시대적 통찰력에 기원한 하나의 특징을 표현하고 나타내는 것이지만, 그 시대는 한 단어와 하나의 정의로 인류와 인간의 삶을 정의 할 수 없다. 코페르니쿠스의 지동설은 그 당시의 인간의 오감을 통해서는 절대적으로 나올 수 없는 연역적 방법론이었다. 하지만 인간이 가지고 있는 귀납적 그리고 사물을 판단하는 객관적 인지를 통해 즉 여러 사실들의 종합을 열거한 방법으로 시대를 뛰어넘는 이론이 탄생한 것이다. 이는 신의 영역에 도전을 하는 위대한 발견으로, 단지 발견으로만 끝난 것이 아니라 공표하고 이론을 책자로 펴내며 기염을 토했던 것이다. 이처럼 인간은 동물과 다른 추론과 사고의 지평선에서 새로운 것을 내다보는 의식의 확장을 지속적으로 하여 왔다. 모든 발견과 발명은 이처럼 우리가 일상에서 생각하지만 생각의 각도와 시각으로 우리를 다른 저 너머의 세계로 인도해오고 있었다. 산업혁명은 인간의 탐욕과 이기의 극치를 보여주는 듯 했으나, 인간으로 하여금 문명의 파생에서 발생되는 이로운 점들을 인간 세계에 펼치면서 새로운 세상을 열게되었다. 이는 동시대를 영위하는 우리의 삶 속에서는 전혀 알아차리지 못하는 변화의 중심을 지나왔기 때문이다.

변화는 항상 중심과 주변으로 나뉘는데 그 이유는 중심과 주변은 상당한 시간이 지난 뒤에야 파악 될 수 있으며 우리의 삶은 항상 중심의 시각에서 관찰하고 파악하기에 주변의 변화를 감지 못하기 때문이다. 이처럼 이미 우리는 카카오톡으로 파일을 전송하고, 개개인의 생각을 공유함에도 불구하고 마치 팩스 사용에 대한 생각을 잊고 지내는 것과 같은 이치이다. 20년 전 팩스는 우리 삶에 있어서 매우 편리하고 없어서는 안 될 존재로 여겨져서 개인집에도 팩스를 설치하여 문서의 교환을 하였다. 이처럼 미래의 삶이 가까운 것에서부터 먼 미래를 생각해볼 때 우리는 이미 가까운 미래의 삶이 어떻게 바뀌어 갈 것인가를 감지하고 있고 사회와 미래는 우리의 삶 속으로 다가오고 있는 것이다. 단지 어떤 발명 혹은 발견이 이를 입증하고 파생하는가에 따라 우리는 감지하거나 느끼게 되는 것이다. 카카오톡이나 페이스북과 같은 솔루션이 우리의 삶 속으로 들어오면서 우리 삶의 질이 한 단계 상승을 보이는 것과도 유사한 이치이다. 즉 내재적 삶의 목표와 방향은 정해져 있다. 단지, 표출하고 표현하는 양식의 변화만 있을 뿐이다. 그 이후 우리는 한 단계 업그레이드 된 상황에서 또 다른 발견과 발명을 꾀하고 있는 것과 같은 이치이기도 하다. 이제 우리는 무궁화호의 시간 개념에서 SRT의 시간 개념으로 넘어가는 시점에서 또 다른 모습으로 변모 해 가고 있다.

5. 현재 나를 바꾸는 생각과 행동은?

한국에서의 현재의 교육과 학습 방식으로는 4차 산업혁명의 주체자로서 우뚝 설 수가 없고 답이 없는 상황이다. 잘 알다시피 정해진 틀에서 경쟁의 시대를 거쳐 같은 생각과 같은 느낌과 공감을 교육 받은 우리로서는 더욱더 창의와는 멀어진다고 해도 과언이 아니다. 그렇다면 왜 그런가? 답은 인간의 지금까지의 삶 속에 있다. 인간과 동물의 현 시점의 구조가 다르다. 즉 모든 창의적인 음악, 미술 혹은 무용 등의 창작활동, 예를 들면 인간의 뇌에서 발전한 것인데 동물은 사실상 input과 output의 뉴런이 매우 가까워서 먹는다는 단순한 행동에만 집중한다. 하지만 인간의 뇌는 진화를 거쳐 오면서 뇌의 용량이 커지고 input과 output 사이에 수많은 뉴런 혹은 전기적 신호가 발생하면서 음식을 보면서도 먹는다는 행위로만 한정하지 않는다. 이처럼 input과 output 사이의 거리로 인해 많은 다른 input과의 충돌이 생길수도 있고, 다른 방향으로 output을 결정할 수도 있는 것이다. 음식을 보고 과거의 요리법과 맛을 상상할 수도 있고, 음식 war를 할 수도 있는 것이 인간인 것이다.

이처럼 우리는 수많은 input을 통해 세련되고 새롭고 발전적인 output을 낼 수 있는데, 우리의 대학교까지의 교육과정을 보면 대다수가 같은 input을 주입적으로 넣어 왔다고 해도 과언이 아니다. output 또한 대동소이하여 별반 차이가 없다. 물론 동질적인 사회와 획일적 인간형을 위해서는 좋을지 모르지만, 이러한 교육을 받은 이들의 다양과 다원의 가치가 키워드로 부상하는 4차 산업혁명에서의 주도적 역할을 해낼지가 의문이고 불가능 할 수도 있다. 하지만 천만다행인 것은 인간의 뇌는 죽는 날까지 지속적으로 input이 가능하므로 나를 바꾸는 생각의 첫째는 수많은 경험의 세계로 자기 자신을 던지는 것이다. 세계일주도 좋고 생판 모르는 나라에서 생활도 좋고 지금의 환경이 아닌 전혀 다른 경험을 다양하게 해야만 한다. 여기에는 책을 통한 간접 경험도 포함된다. 이처럼 뇌의 input을 늘려놓지 않으면 본 Main 경기에서 주도적이지 못하고 변화의 소용돌이에서 휩쓸리기 마련이다. 정말 본인이 4차 산업혁명의 주체자로 Main 경기의 승부사라고 생각 한다면 지금의 직장에서 벗어나 새로운 경험과 input을 위한 준비가 되어있어야 한다. 우리의 교육과 사회는 이미 창조적인 것과는 동떨어져 있는 구조이므로 한 발짝 물러나 관조의 느낌으로 그리고 새로운 경험을 위해 모험적 사고방식을 지녀야 한다.

그런 여정에서 실패는 무수히 발생한다. 우리의 뇌는 실패를 매우 두려워하고 저항을 하려 한다. 여러분들은 시험공부를 하면서 너무도 힘들어 차라리 단순 노동을 하는 분들을 부러워 한 적이 있을 것이다. 이는 우리의 뇌가 실패를 두려워하면서 차라리 단순하게 사고하면 어떨까? 하고 우리의 행동에 제동을 걸기 때문이다. 실패는 그 자체가 중요한 input으로 가까운 미래에 creative한 output의 밑거름이 되는 것이다. 우리 모두의 밑바탕에는 창조성이라는 DNA가 깔려 있다. 이것을 어떻게 인지하고, 도전의 동기로 사용할 것인지는 여러분의 몫이다. 변화는 항상 있어왔고 그러한 변화는 새로운 생각을 주축으로 발견 혹은 발명을 통해 지속적으로 이루어지고 있는 것이다. 4차 산업혁명은 하나의 Mega trendy한 길이며 아직 도래하지 않은 인류의 발전을 예고하고 있다. follower로서가 아니라, Leader로서 욕심이 있다면 뇌의 input을 위해 무엇을 하고 있는가에 대해 자문해 보길 바란다. input의 바다에 뛰어들지 않으면서 어떻게 하면 변화의 주체가 될 수 있을까? 하는 생각은 빈곤한 욕심일 뿐, 변화의 주체가 될 수 없다. 우리는 뇌의 한계를 뛰어넘어보려는 도전적인 자만이 그 주도자가 되는 것이다.

6. 이제, 변화는 내가 주도 한다.

이제 여러분들이 input의 바다에 빠져볼 의향이 있다면 한 가지 직업 혹은 한 가지 길에만 빠지지 말라고 당부하고 싶다. 변화는 상호융합에서 나오는 것이지, 외길에서는 절대 발생되지 못하기 때문이다. 명창이 되기 위해 수십 년을 수련하는 지난한 과정을 거쳐야 한다. 그렇듯 새로운 목소리로 새로운 창법으로 다른 지평을 여는 것은 매우 힘든 것이다. 이제는 과거와는 달리 외길 30년 이라는 타이틀이 그다지 바람직하지 않게 되었다. 득음이 변화를 주도하는 것이 아니라, 득음 후에 다른 것을 받아들일 때 우리의 소리는 1단계 더 upgrade되는 것이다. 이처럼 두 가지 직업 혹은 세 가지 일에 관심과 노력을 기울이지 않는다면 변화 속에서 도태된다. 이유는 creative한 motive가 전혀 창출되지 않기 때문이다.

1950년대 자동차의 대량생산으로 포드는 엄청난 돈을 학계에 기증했다. 목적은 세상의 꼭 필요한 이론 혹은 학문적 가치가 무엇인가? 에 대한 답을 요구하는 주문이었다. 그야말로 엄청난 기부를 통해 수많은 학자와 연구원의 참여 속에서 발견한 사실은 지금까지 한 분야의 전문가 또는 한 분야의 깊은 학술적 견해가 인류를 견인하는 답이 아니라는 것이다. 즉 자기만의 길을 파는 편협함은 자기만족일 뿐, 인류사회에 혹은 인간에게 혜택이 주는 것이 아니라는 공통점이 발견되었다. 예를 들면 곤충학의 대가는 곤충의 삶에 대해 심오하고 깊은 연구를 했으나, 그뿐이라는 것이다. 이를 활용하고 인류에 보탬이 되어야 하는데 다른 학문과의 연결은 거의 전무했던 것이다. 포드의 기부는 학문이 가야할 방향의 지평을 열어주었다고 해도 과언이 아니다. 곤충의 날개는 물리학의 공기를 어떻게 바꿀 수 있는지 곤충의 눈처럼 180도를 넘어서 볼 수 있는 카메라를 설계하는 기초가 되는지 등을 생각해보면 그 당시 학문의 깊이가 인류의 발전에 그다지 도움이 되지 못했던 것이다. 이후 구조주의 혹은 시스템주의 이론이 나오면서 인류는 학문적 지식의 결합 융합으로 한층 발달한다. 이처럼 4차 산업혁명의 발전과 리더가 되기 위해 많은 경험과 다른 경험의 융복합화가 얼마나 중요한지 알 수 있다. 배달관련 App을 만들기 위해 직접 배달 오토바이를 끌어보지 못하면 100번 책을 봐도 생태계를 이해하지 못하고, 실질적인 배달앱을 만들지 못한다. 2~3달 정도 오토바이 배달을 해보지 않고서는 더 큰 발명과 발견을 이루지 못하는 것이다. 전산학과만의 시간 단축 coding은 결코 경영에 쓰이지 못하는 코딩이 될 것이며, 경영에서 필요한 회사의 가치를 이해하지 못하면 Coding은 시간을 단축했다는 자기만족으로만 끝나게 될 것이다. 변화를 생각했으면 주도한다고 생각하고 주도한다면 많은 경험을 끌어내어 융복합의 방향으로 나아가야 한다. 그것이 4차 산업혁명의 주도적 변화의 참 모습인 것이다.

7. 인생에 있어서 꼭 필요한 10가지 지침

혹자는 인생이 고달프고 상대적 비교를 통해 뭔가 꼭 이루어내야 하는 과정으로 받아들이고 있으며 혹자는 인생 뭐 없다고들 이야기한다. 왜 이렇게 다른 톤과 방식으로 인생을 표현하는가. 우리는 각자의 삶의 몫에 대해 남의 의견을 왜 그리 듣게 되는가?

짧지만 살아온 인생에 대해 감히 논하고자 하는데 무리가 있지만 그래도 몇가지 지침이 되는 관점에서 적어 보고자 한다. 이글을 읽는 독자를 20대와 30대 초반으로 설정하고 이야기 해보고자 한다.

[하고자 하고싶은 것이 있으면 지금 당장 하는 것이 좋다]

개인적인 관점에서 적어 본다면 20대 학교 졸업 등 취업과 연관해서 남들보다 좋은 직장을 구했다. 세련되게 빼어입고 만나게 되는 선배들을 통해서 취업에 대한 막연한 생각을 많이 했다. 겉보기가 좋아서 다들 그렇게 보았고 사회가 부모님이 원해서 다들 취업에만 매달리고 있는 우리의 현실은 어쩔수 없는 자화상이지만 이게 다가 아님을 명심해야 한다. 즉 1~2년을 보지 말고, 5~10년의 그림을 그려봐야 한다. 생각하기도 어렵고 뚫고 나가 보지 못해 매우 어렵다. 가진 것도 자신감도 그리고 그렇게 이룰 수 있는 네트웍도 없다. 매우 어렵게 느껴지고 어려운 것이 사실이다. 하지만 어느 누구는 같은 시기에 우연이건 필연이건 취직이 아닌 다른 쪽에 승부를 걸어 성공을 하고 있다. 해외에서 뭔가 하고 싶으면 당장 보따리 싸서 나가라. 나가서 고민하고 경험해라. 말이 안 통한다, 그쪽 문화가 어렵다는 등의 장벽이 많지만 해외에서 뭔가 하고 싶으면 무조건 나가라.

나가서 해결의 단서를 잡아라.

[연애를 열정적으로 그리고 사랑 때문에 아파해봐라]

사람이 모든 것의 답이고 사람 때문에 우린 성공하고 실패한다. 연애를 가슴으로 하지 않는 사람은 사랑을 이해 못하고, 사랑 때문에 아파보지 못한 사람은 결코 사람에게 다가갈 수 없음을 명심하라.

[본인을 위해서 투자하라]

유흥비와 쾌락을 위해 낭비 하지 말고, 빚을 내서라도 배움에 투자하라. 반드시 10배 이상의 보상이 돌아 올것이다.

[몸을 혹사 하라]

운동을 하건 10킬로미터를 걷든 본인의 몸을 의자에 너무 의존하지 말아라. 뇌, 특히 중뇌는 혹사된 몸과 땀으로 활성화되고 창조력이 무한하게 발전한다. 운동과 장거리 걸음이 본인의 건강과 뇌활동에 도움이 된다는 것을 명심하라.

[하루종일 돈을 쓰지 않는 경험을 해보라]

돈은 우리에게 편함을 줄 뿐 모든 것을 주지 않는다. 돈을 안쓰고 살수 있는 삶에 대해 고민해 보라. 그것이 결국 본인을 성장하게 할 것이다.

[책 또는 글을 써봐라]

단순히 일상을 기록하는 일기가 아닌 100페이지 정도의 기획서 논문 혹은 기고문 등 다양한 글을 쓸 기회를 꼭 갖도록 해봐야 한다. 그래야만 이 시대를 살아가는 tool을 가지고 살아갈 수 있다.

[시간날 때 마다 원하는 장르의 영상물을 섭렵하라]

유투브, 영화, 각종 원하는 영상물을 보는 시간을 가져라. 뭔가에 빠지지 않으면 본인이 원하는 뭔가를 찾을 수 없다. 이제는 책으로 간접 경험을 하는 것이 아니라, 영상물로 간접 경험을 하는 시대이다.

[남들이 어떻게 돈을 벌고 있는지 유심히 관찰하라]

핵심역량core competency이 남들과 어떤 차별점이 있는지 뭘 잘 하는지 뭘로 돈을 벌고 있는지 유심히 관찰하라. 이를 통해 본인의 폭넓은 경제적 관점과 비즈니스 모델이 뭔지를 알 수 있을 것이다.

[나의 네트웍을 확장하라]

단순히 알고 지내는 사람 및 초등학교, 중학교, 고등학교, 대학교 교우들과도 항상 연결할수 있도록 connection을 만들어 놓길 바란다. 나이 오십을 넘어서까지 아는 사람들만이 자기와 일을 함께 할수 있는 경우가 생길 것이다. 이는 소중한 자산이 될 것이다.

[자신이 생각하는 일에 일생 중 한 번은 꼭 투자를 해라]

돈, 명예, 사랑 등 삶이 복잡한 듯해도 결국은 자기가 원하는 대로 해나가는 것이 바람직하고 그렇게 해야만 본인 스스로 만족하게 된다. 돈은 그 다음인 것이다. 본인이 원하는 그리고 바라는 것이 있다면 지금이라도 하면 된다.

추락하는 미래에
기술의 날개를 달자

글_ 최성철

최성철 교수는 29년동안 LG그룹의 유무선 데이터 교환기 분야
연구소에서 HW연구개발과 개발검증연구분야에서
미래통신 분야를 연구하였다.
5G 무선망 기반으로 창조적 발전혁명을 주도하는
4차산업의 기능과 서비스들의 발전방향를 살펴보고
젊은 인재들이 자신만의 블루오션을 찾을 수 있기를 바라고 있다.

오롯이 인간의 힘으로만 살아가던 시대에서는 농사 시기를 맞추거나 식생활 자원이 풍성한 장소를 찾아내는 경험을 보유한 사람이 기술적 인재였다. 기계적인 힘을 이용하게 된 산업혁명 이후부터는 기계 활용기술 지식이 미래를 쥐락펴락하는 힘이였다. 영국은 산업혁명으로 세계경제의 중심에서 기술적인 우위를 이용하여 해가 지지 않는 패권국가가 되었고, 산업혁명의 영향을 우선적으로 수용한 유럽이나 미국의 경우도 대다수가 경제적으로 안정된 선진국 위치에 있다. 그들이 기술적인 우월적 지위를 갖추어갈 때, 우리는 역사적 내부 갈등과 선진기술의 늑장 수용으로 구한말부터 열강들의 패권 다툼의 희생양이 된 아픈 역사의 기록을 가지고 있다. 하지만 20세기 중반부터는 전쟁으로 인해 하루하루가 힘든 시기에도 긍정적 도전의식으로 응집했던 우리는 이제 아시아 경제 대국 대열에 들어섰다. 그 과정에서 경제적 도약을 위해 선택한 제조응용분야의 제조 기술력은 축적하였으나, 기초기술력 분야는 아직 성숙되지 않은 도전의 연속선상에 있다. 제조응용분야 산업은 개발도상국 저임금 기조에 입지는 줄어들고, 원천기술이나 기초소재분야의 아직까지 높은 수입 의존도는 기술자립의 약점으로 공격의 대상이 되고 있고, 2011년 독일에서 시작된 4차 산업혁명의 국내 기술은 아직 초보적인 수준이다. 1997년도 시발된 IMF 경제 불안감은 사회적으로 이어져 N포세대로 인한 출산인구 감소와 함께 노령인구는 늘어가고, 경제적인 압박에 퇴직연령은 줄어들어 양질의 삶을 오래 지속하기 위해서는 인생2막의 새로운 직업을 찾아야만 한다. 우리 사회는 사회적 구성원이 X-Y 세대가 중심이면서 점차 N세대 중의 디지털 네이티브 Digital Native 세대가 중심이 되는 시기를 향해 가고 있다. 모든 세대가 산업기술 테두리 안에서 경쟁을 하게 되어, 당신이 지금까지도 4차 산업혁명 이후의 미래기술 학습에 소홀히 하였다면, 그들과 경쟁하면서 제2의 직업의 기회를 얻기가 쉽지 않다. 항상 그래 왔듯이 새로운 미래 기술혁명 시대를 선점하여야 더 많은 기회가 있다. 이제라도 핵심 미래기술을 이해하고 나만의 장점이 돋보일 수 있는 분야를 선점하여 추락하는 미래에 기술의 날개를 달자.

1. 미래기술 개발환경은 이제 준비되었다.

급변하는 오늘날 미래기술은 'Industrial 4.0' 혹은 '4차 산업혁명'의 Data Transportation 서비스영역으로써, 아날로그Analog 및 초기 디지털Digital 사회에서 심오한 디지털 세상으로 진화하는 모든 곳에서 확인할 수 있다. 대표적인 요소기술들인 AICBM−M AI, IoT/ IoE, Cloud, Big−Data, Mobility, Material은 스마트플랫폼 기반 위에서 지능화 진화를 거듭하고 있다. 정부에서도 2016년 '뉴노멀 시대의 성장전략'의 미래 유망 10대 서비스를 발표하였으며, 매년 기술변화 트렌드별 10대 미래유망기술을 선정하고 있다. 2019년에는 응용기술분야에서 소재기술분야 중심으로 변화되어 환경분야(1), 바이오분야(2), 에너지분야(4), 전자분야(3)가 선정되었다.

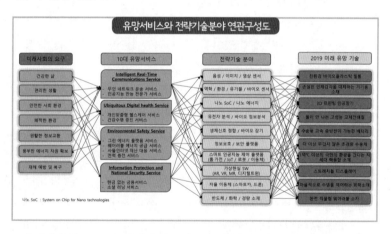

미래기술의 중요한 개발환경준비는 1)데이터 저장 메모리 용량의 고집적화 및 다양한 기능성 비메모리 반도체 개발 확대, 2)기하급수적인 컴퓨팅 연산 속도 증대와 병렬분산 알고리즘 개발, 3) 초연결Hyper−Connectivity, 초고속Ultra−High Speed, 초저지연Ultra−Low Latency을 실현한 무선전송 기술의 비약적인 발전, 4)개발자 SW 기술의 Open Source 공유화 정책이 성숙되면서 시작되었다.

[데이터 저장 메모리 용량의 고집적화 및 다양한
서비스 제공을 위한 비메모리 반도체 개발 확대]

데이터 저장장치에 사용되는 메모리는 3차원 수직구조로 데이터 저장 집적도를 높인 낸드 플래시 메모리Nand-Flash Memory기술과 3비트 기술TLC·트리플레벨셀로 데이터 저장 효율을 높인 고성능 메모리까지 상용화되었다. IoT 기기의 소프트웨어, 인공지능AI 알고리즘을 저장하는 용도에 가장 적합한 속도와 용량크기를 위해서 MRAMMagnetic RAM, PCRAMPhase Change RAM, ReRAMResistive RAM 등 차세대 메모리에 사용되는 신소재 반도체 개발에도 주력하고 있다. 비메모리 반도체 개발은 중앙처리장치CPU, 주문형 반도체ASIC, 디지털신호 처리DSP 칩, 마이크로 컨트롤러로 구성된 정보처리 목적의 반도체로서, 최근 가전기기, 컴퓨터의 멀티미디어 추세에 맞도록 필요한 화면 처리나 전송을 위한 기능형 비메모리 반도체가 개발되고 있다.

[컴퓨터 기술발전 및 병렬 분산 알고리즘 개발로
컴퓨팅 기능 확대]

반도체 개발과 더불어 혁명적인 발전을 병행한 컴퓨터는 자기드럼을 저장장치와 기계언어로 동작되던 제1세대 컴퓨터에서, 1960년대 트랜지스터 반도체 개발로 소형화된 제2세대 컴퓨터 시대, 1960년대말 개발된 직접회로IC : Integrated Circuit 및 관리운영시스템 OS가 탑재된 소형컴퓨터의 제3세대 컴퓨터 시대, 1970년대 중반에 개발된 초고밀도 집적회로VLSI : Very Large Scale Integration를 이용한 제4세대 개인용 컴퓨터 시대를 거쳐서, 1990년대 이후로 제5세대 컴퓨터시대를 맞고 있다. 제5세대 컴퓨터는 병렬 분산 알고리즘과 문제해결 추론시스템 수용 및 지식베이스 데이터베이스, 그리고 지적인 입출력 구조의 발전으로 서비스 구현 목적에 맞는 특화적 운용구조로 개발되고 있다. 미래 컴퓨터는 자율적 기능개발이 수행 가능한 인공지능형 컴퓨터를 목표로 추진되고 있으며, 지능형 반도체 개발과 병행하여 깊이 있는 연구가 진행되고 있다.

[통합된 데이터 전송기술 서비스와
5G 서비스 구축 _ 초연결, 초고속, 초저지연]

우리나라 이동통신 휴대전화 서비스는 1988년 7월 아날로그 통신망의 음성전화 통신 서비스 수준의 1세대 이동통신^{AMPS}, 1996년 1월 디지털 이동통신 기술^{CDMA} 기반의 휴대폰에 디지털카메라 기능 및 MP3 재생기능 서비스를 지원한 2세대 이동통신^{CDMA + EvDo}, 2006년 이동통신 WCDMA 기술 상용화로 동영상과 온라인 게임 접속과 같은 다양한 '멀티미디어 통신'이 가능한 3세대 이동통신^{WCDMA}, 2011년 7월 새롭게 IP전달방식을 적용한 LTE 서비스로 스트리밍 동영상 시청이 가능한 데이터 트랜스포테이션^{Data Transportation} 초기 환경의 4세대 이동통신, 2019년 4월 3일 '세계 최초 5G 상용화'의 5세대 이동통신 적용기술로 진화되었다.

미래기술서비스들은 최대 전송 속도 향상뿐만 아니라 다수 기기 연결, 초저지연 실시간 미래 서비스 기반기술인 5G 서비스 이상의 기반 위에서만 정상적으로 작동될 수 있다. 5G 무선통신 기술 발전을 위해서는 ①신뢰성 보안 기술이 탑재된 초고속단거리 무선통신부품들의 다양화, ②대용량 고속전송과 대역폭 관리기능이 포함된 초고속 5G 무선전송 및 망접속 기술, ③전송망 집중화로 인한 Blocking 현상을 막을 수 있는 초저지연 프런트홀과 백홀기술 및 5G 전달망 코어 관리기술, ④초연결을 수행할 수 있는 Massive MCT 기술, ⑤무선망 전체 접속 공유를 위한 RRH 접속 관리 운용 기술, ⑥향후 고속 이동체 및 스마트 모빌리티 지원 가능한 초고속 인터넷 제공 기술이 병행 개발되어야 한다.

[많은 사용자 확보를 위한 개발자 SW 기술의 Open Source 공유화 정책]

세계적으로 정보화 사회에서는 고급기술 전문가들의 특허권 뿐만 이 아니라, 일반적으로 사용하는 보편화된 기술도 사용자 기술표준으로 제정되면 지식재산권IPR : Intellectual property rights 비용수익이 가능하다. 다국적 서비스를 제공하는 운용시스템소프트웨어OS : Operating system Software 개발회사들은 사용자 기술표준을 위해 내부 핵심기능을 제외한 알고리즘 공유화 오픈소스정책Open Source Policy을 제공함으로써, 더 많은 전문가 및 일반개발자들이 참여하는 환경으로 응용기술개발을 선도하고 있다.

미래 서비스 기술환경으로는 ①실시간 데이터 수집이 저비용으로 가능한 환경, ②사진이나 동영상 등 대용량 비정형 데이터 저장이 저비용으로 가능한 환경, ③수많은 컴퓨터들을 연결해서 한꺼번에 연산을 처리할 수 있는 초고속 병렬처리 컴퓨팅 기술 개발, ④대용량 데이터 연산을 저비용으로 가능한 환경이 기반이 되어 Data Transportation 사회를 현재 진행형으로 이끌어 가고 있다.

2. 미래기술 트렌드 분석은 블루오션 선점을 위한 시작이다.

4차 산업혁명은 "Off-line 1차-2차 산업혁명 환경을 3차 산업혁명 환경의 디지털화 기술을 적용하여 변환된 융합 정보화 데이터를 적용하는 On-line 산업환경으로서, 서비스나 상품의 양산 순환 고리로 연계되는 운용서비스 구조"이다. 서비스구조 플랫폼은 5G 이상의 전송 속도와 저장 데이터의 손쉬운 접속/관리/운용을 위한 클라우드 운용, 그리고 병렬분산 알고리즘이 적용된 컴퓨팅 연산속도 응용 구조의 운용서비스 플랫폼이다. 플랫폼에서는 사이버물리시스템CPS으로 수집된 빅데이터의 분석, 처리, 의사결정을 인공지능 기술로 수행하는 구조로서 모든 산업분야에서 네트워크 및 IT 기술 융합으로 개발되고 있다.

미래기술은 인간의 역할을 위험에서 점차 벗어나게 하는 부분으로 개발되어 2030년까지 사고위험 업무는 로봇이나 자동화 IoE 단말기기로의 업무 이전이 예측되고 있다. 대체 영역 업무종사자를 포함한 새롭게 직업을 선택해야 하는 세대 및 사회에 첫 발을 내딛는 세대들이 직업선택 불안감과 생활 위기감으로부터 벗어나기 위해서는 미래기술 서비스 트렌드를 알고 대처하여야 한다. 기술이 힘이 되는 미래의 블루오션을 선점하기 위해 다양한 분야에서 활용되는 요소기술과 서비스 트랜드를 나의 미래로 연결하자.

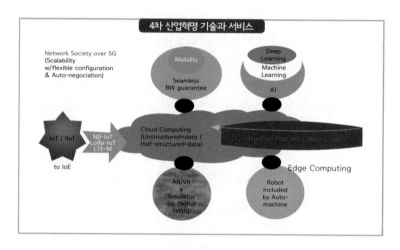

[보고, 듣고, 느끼고는 모든 것에
생명을 부여_ 지능형 센서]

사람이 오감(시각, 청각, 후각, 미각, 촉각)으로 인지적 기능감지를 하는 것과 같이, 사물인터넷기기도 감지된 빛, 온도, 습도 등 다양한 환경 센서에 정보 데이터 생성 회로가 결합된 형태의 감지·판단 능력을 갖춘 지능형 센서들을 이용하고 있다. 음성인식센서 기반으로는 SKT "NUGU", KT 'GIGA Genie', LGU+ "Clover" 등이 홈 IoT 인공지능기기에서 수행되고, 모바일기기에 장착된 다양한 센서(태양광, 자기장, 기압, 동작 등)들은 제어 애플리케이션Application들을 통해서 방향계, 고도계, 카메라 조명, 위치정보기로 사용되고 있다. One Chip 상에 센서 기능과 함께 통신, 데이터 처리 및 인공지능 능력까지 갖춘 초소형, 초경량 특징을 가진 지능형 센서는 USNUbiquitous Sensor Network 환경의 스마트기능이 운용되는 모든 시스템, 원격의료 시스템, 종합 환경감시 시스템, 지능형 단말 등 다양한 분야에 적용될 수 있다. 지능형 센서는 하드웨어적으로 극한환경 적응, 고성능화, 소형화, 다기능화, 저전력화, 통합화 되는 추세이며, 소프트웨어적으로는 센서들로부터 수집된 데이터를 이용하는 수집·저장·분석을 효율적으로 수행하고 최적화하는 내부 소프트웨어 및 플랫폼 기술들이 함께 발전되고 있다.

[사물인터넷은 만물인터넷으로 확대 _ IoT & IIoT toward IoE]

초연결사회의 고유 식별이 가능하도록 사물에 인터넷접속기능을 구현하여 사물이 만들어낸 정보를 인터넷으로 공유하는 사물인터넷IoT:

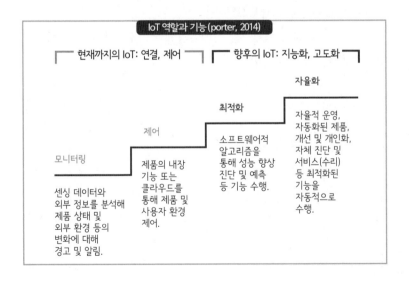

IoT 역할과 기능 (porter, 2014)

현재까지의 IoT: 연결, 제어   향후의 IoT: 지능화, 고도화

자율화

최적화

제어

모니터링

센싱 데이터와 외부 정보를 분석해 제품 상태 및 외부 환경 등의 변화에 대해 경고 및 알림.

제품의 내장 기능 또는 클라우드를 통해 제품 및 사용자 환경 제어.

소프트웨어적 알고리즘을 통해 성능 향상 진단 및 예측 등 기능 수행.

자율적 운영, 자동화된 제품, 개선 및 개인화, 자체 진단 및 서비스(수리) 등 최적화된 기능을 자동적으로 수행.

Internet of Things 단계를 마이클 포터Michael Porter는 네 단계로 설명했다. 첫째는 센싱데이터sensing data를 통한 모니터링 단계, 둘째는 제품 혹은 이용자의 환경을 제어하는 제어 단계, 셋째는 소프트웨어 알고리즘을 통해 성능이나 예측 기능까지 갖추는 지능화·고도화된 단계이고, 넷째는 고도로 자율화된 기능을 수행하는 것이다.(Porter, 2014)

사물인터넷IoT: Internet of Things 자율화 환경은 스마트 기능을 보유한 다양한 분야의 기기에서 수집된 빅데이터 정보를 클라우딩 컴퓨팅과 인공 지능적 분석으로 가치를 창조하는 쌍방향 통신의 만물인터넷IoE: Internet of Everything 환경으로 진화되고 있다. 스마트 기기들은 만물인터넷 환경에 연결되어 사용자의 도움 없이 서로 정보를 주고 받으며 대화를 나누고, 스스로 동작 상태나 오작동 여부를 확인하고, 맞춤형 재고 관리 및 주문 요청도 수행한다. 사물인터넷 기기 개발과 함께 플랫폼, 운용자동화 시스템 및 인공지능 기술서비스 등 사물간의 제어 수행 환경이 개발되어 다양한 사회분야에서 활용되고 있다.

[전체 산업분야에서 생산되는 빅데이터Big Data의 거대한 쓰나미와 클라우드Cloud]

오늘날 정보통신 분야에서는 빅데이터와 클라우드를 제외하고는 기술발전을 설명할 수가 없다. 빅데이터는 기존 수행 방법과 도구로는 수집/ 저장/ 분석 기능이 어려운 인터넷 검색, 음악, 동영상 형태의 정형 및 비정형 데이터로서, 유튜브/ 인스타그램/ 페이스북/ 트위터/ 카카오/ 밴드 등 다양한 SNS소통도구를 통해서 기하급수적인 데이터들이 생성된다. 빅데이터 운용 플랫폼에서는 다양한 종류(정형, 반정형, 비정형)의 수십 테라 바이트Tera-byte=1,000GB 혹은 수십 페타바이트Peta-byte: 1,000TB 이상 대용량 데이터를 실시간 동시처리/ 분석 수행을 병렬처리 알고리즘으로 중단 없이 통합적으로 빠르게 수행되어야 한다. (빅데이타 속성 3V : Volume, Velocity, Variety)

빅데이터 플랫폼 운용기술의 대표적인 예는 입력되는 빅데이터를 독립된 형태의 작은 연산으로 나누고, 이를 병렬적으로 처리 취합하는 분할 점령Divide and Conquer 기술인 맵리듀스Map-Reduce 방식의 분산 테이터 처리 프레임워크로 운용되는 아파치 하둡Apache Hadoop이 대표적이다. 하둡은 기본프레임 구성의 1.0 버전에서 맵리듀스 부분을 보완하고 데이터 처리부분을 강화한 2.0 버전과 일부 스크립터 부분을 보완한 3.0 버전까지 활용되고 있다.

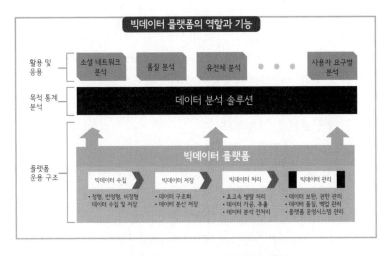

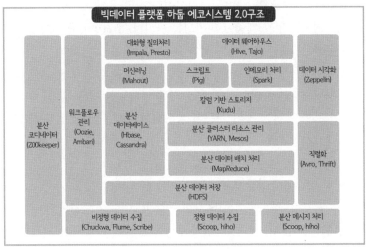

다양한 소셜미디어 소통으로 생성된 무한대 빅데이터의 저장공간으로는 네트워크 저장공간 가상화 서비스인 클라우드 서비스 전환이 적극 활용되고 있다. 클라우드 서비스는 네트워크 내 운용 위치에 따라 퍼브릭 클라우드Public Cloud와 프라이빗 클라우드Private Cloud 그리고 에지 클라우드Edge Cloud 서비스로 구분되며, 특히 엑세스 위치에서 클라우드 수행앱을 적용하여 고속연산처리까지 수행할 수 있는 에지 클라우드 활용이 점차 늘어나고 있다. 빅데이터 관리운용기능 제공을 위해서 빅데이터 플랫폼 구성의 기반 SW, Clouding Brokering & Service 기술, 가상화 및 컨테이너 기술이 병행 개발되고 있다.

[나만의 정보보호 자물쇠로 타인으로부터의 자유 _ 정보보호]

지능화된 네트워크 사용환경에서는 모든 정보교환 및 거래, 그리고 금융거래정보 등을 온라인에서 수행하기에 정보데이터는 절대적으로 외부 침해로부터 안전하게 보호되어야 한다. 정보가 안전security하게 보호된다는 것은 해당 정보가 기밀성confidentiality, 무결성integrity, 가용성availability의 모든 조건을 만족하여야 한다. 기밀성이란 비밀 유지로서 허가 받지 않은 대상에게는 정보 제공이 되어서는 안되며, 무결성이란 데이터 정보는 운용관리환경에서 소유자 허가 없이 수정될 수 없어야 하며, 가용성은 허가된 접근만이 정보에 대해 접근 가능함을 말한다. 안전한 접근 제어 방식으로는 유일한 특성 구분 인증이 가능한 지문·홍체·정맥 등 생체인증 기술 접근 제어 기능이 활용되고 있다. 정보보호의 침해 공격의 대표적인 예는 가용성을 공격하는 분산형 서비스 거부 공격DDoS: Distributed Denial of Service attack이 대표적인 공격이다.

다양한 빅데이터 정보보호 수행 환경으로는 빅데이터를 수집하는 사물인터넷 보안, 단말장치 상에서의 전달망 Access 지점의 모바일 보안, 산업군의 스마트팩토리 환경에서의 스마트 산업제어 시스템ICS:

Industrial Control System 보안, 스마트 모빌리티 기능을 이용하는 스마트카 운용환경 보안, 지능형 고감도 영상보안 등 다양한 지능형 보안 위협 대응 전략이 운용되어야 하며, 내부 운용 데이터들은 블록체인 기반의 보안기술 적용으로 안정성이 확보되어야 한다.

[정보는 절대적 안전으로 관리될 수 있도록 단 하나의 끈도 놓치지 말라 _ 블록체인]

블록체인보안기술Block-Chain Security Technology은 누구라도 열람 가능한 장부에 투명한 거래 내역 블록을 체인 형태로 연결한 데이터를 연관된 모든 컴퓨터에 동시에 복제하여 저장하는 분산형 데이터 저장 기술이다. 특히, 거래 내역 장부를 공개하고 동일한 데이터를 분산해서 관리하는 의미에서 '공공 거래장부'나 '분산 거래장부Distributed Ledgers'라고도 불린다. 블록Block은 일정 시간 동안 확정된 거래 내역으로서 거래 내

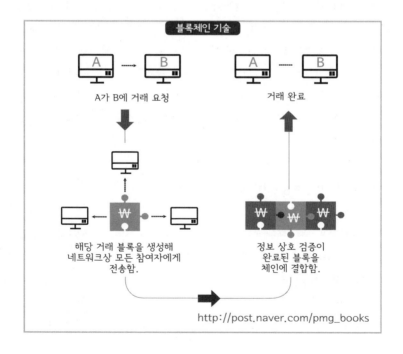

블록체인 기술

A가 B에 거래 요청

거래 완료

해당 거래 블록을 생성해 네트워크상 모든 참여자에게 전송함.

정보 상호 검증이 완료된 블록을 체인에 결합함.

http://post.naver.com/pmg_books

역을 결정하는 주체인 사용자의 온라인 거래 내용이 담긴 블록이 형성된다. 생성된 블록은 네트워크 내의 모든 참여자들에게 전송되고, 전달된 해당 블록은 초기 원장부터 연결 지속된 거래 내역 데이터 내용이라는 것이 참여자들에 의해서 확인되고 타당성 여부가 승인된 블록만이 기존 블록체인에 연결되면서 전달이 이루어진다.

블록체인은 사용자 구성형태에 따라서 공적 블록체인Public Block-chain과 사적 블록체인Private Block-chain으로 나뉜다. 공적 블록체인은 누구에게나 개방돼 모두가 참여할 수 있는 형태로 비트코인, 이더리움 등 가상통화가 대표적이며, 사적 블록체인은 사전에 구성원으로 허가를 받은 그룹 내 구성원들만 사용하는 형태로 참여자 수가 제한적으로 운용되어 승인 절차 속도가 빠르다.

블록체인에 저장하는 정보는 광범위하고 다양하기 때문에 블록체인 기술의 활용 가능한 분야도 매우 포괄적이다. 대표적인 가상통화 거래 외에도 디지털 개인 인증, 신용카드 및 전자결재, 개인 신용대출 및 보유정보, 물류 및 수송 서비스, 원산지 유통관리, 예술품 및 경매 물품 감정, 인터넷 행정관리 및 부동산 등기소, 주민등록 및 자격증 인증, 공유의료서비스 관리, 공유 서비스 환경 및 운용내역 관리 등 다방면에서 개인 식별이 가능한 데이터들로서 보안적 신뢰성이 요구되는 광범위한 분야에서 블록체인 기술이 공유 데이터 관리기술로서 그 위치를 다져가고 있다.

[딥러닝, 머신러닝, 그리고 통계적 판단과 예측의 인공지능AI : Artificial Intelligent]

인공지능Artificial Intelligence은 인간이 아닌 다른 사물에게 인공적으로 지적 능력에 준하는 기능을 필요에 따라 구현하는 것으로, 빅데이터를 이용한 딥러닝Deep Learning을 수행하는 단계에서 인공신경망Artificial Neural Network을 이용한 기계 학습Machine Learning 단계를 거쳐서 스스로 판단하는 단계로 발전되고 있다. 인공지능은 구현되는 깊이에 따라 약한 인공지능Weak AI과 강한 인공지능Strong AI으로 구분한다. 약한 인공지능은 단순히 인간의 능력 일부를 시뮬레이션 도구로 설계된 인공지능이고, 강한 인공지능은 인간의 마음을 복잡한 정보처리로 구현하는 인공지능이다. 즉 인간의 지능 능력이 필요한 일을 대신 수행하고 자율적으로 처리 할 수 있으면 인공지능이고 할 수 있다.

인공지능은 앞으로도 수많은 운용환경 빅데이터를 바탕으로 딥러닝과 머신러닝를 거쳐서 절대적으로 오차를 보장하는 귀결이 필요하며, 인간의 지적 능력을 표현하기 위해서 통계적이고 최적화된 추론 알고리즘이 개발되어야 한다. 인공지능 서비스 제공을 위해서 음성인식 SW, 영상처리 시스템 기술, 인공지능 플랫폼 기술, 텍스트를 포함한 인지과학 SW 기술이 개발되고 있다.

[로봇은 나의 베스트프렌이며 가족 _ 로봇]

로봇은 기계적으로 움직여서 동작과 행동을 수행할 수 있는 기계적 인공물로서 인간과 비슷한 가시적 외형을 갖기도 한다. 생산공장에서 인간의 단순노동을 대신해 수행하는 (반)자동화된 산업용 로봇, 스스로 환경을 인식한 후에 자신이 행동할 수 있는 가능한 범위에서 행동을 조절하고 결정하는 지능형 로봇, 외관 상으로 인간과 닮은 인간친화적 모습의 안드로이드 로봇, 그리고 다양한 분야에서 특정 지능화 기능을 수행하는 소프트웨어 명령체제에 따라 작동하는 플랫폼 자체도 로봇으로 분류된다.

로봇은 1942년 아이작 아시모프IsaacAsimov가 제시한 "첫째, 로봇은 인간에게 해를 끼치지 않는다. 둘째, 로봇은 첫 번째 원칙에 위배되지 않는 한 인간의 명령에 복종해야 한다. 셋째, 로봇은 첫 번째와 두 번째 원칙을 위배하지 않는 선에서 로봇 자신을 보호해야 한다."는 로봇의 3원칙을 기준으로 개발되고 있다. 로봇의 미래는 인공지능artificial intelligence, AI기술 발전에 달려 있다. 무엇보다도 분야별 빅데이터에 입각한 딥러닝deep learning이 현실화됨으로써, 1997년 IBM 딥블루는 체스에서, 2011년 IBM 왓슨은 퀴즈에서, 2016년 구글 알파고는 바둑에서 인간을 능가하는 모습을 보여주었으며, 한슨로보틱스 인공지능 휴먼 로봇 소피아는 사우디아라비아의 최초 시민권을 받기도 하였다.

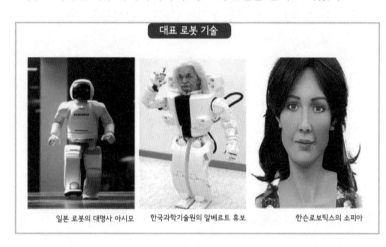

대표 로봇 기술

일본 로봇의 대명사 아시모　　한국과학기술원의 알베르트 휴보　　한슨로보틱스의 소피아

　　로봇 서비스 기술개발은 산업화 분야에서는 스마트팩토리 운용관점의 생산 로봇 수준에서 산업용 부상방지 및 작업지원과 물류관리 등 지능형 산업 생산 환경의 로봇으로 진화되고, 인간 친화형 협동로봇으로 가전로봇, 스포츠 시뮬레이션 로봇, 가사로봇, 펫로봇 및 노인과 장애인을 위한 착용형 근력보조 웨어러블 로봇으로 진화가 계속되고 있다. 다양한 로봇 운용을 위해서는 인공지능 로봇 플랫폼 및 서비스 환경, 그리고 오류 동작 책임에 대한 법제도 부분도 병행하여 진화되어야 한다.

[증강현실과 가상현실에서 나도 함께 _ AR / VR / MR]

　　가상현실VR, Virtual Reality의 기본 개념은 인간의 오감 중에서 시각, 청각, 촉각을 자극해서 실제는 아니지만 실제로 있는 것처럼 느끼게 만들어낸 '인공적으로 마치 실제와 유사하게 구현된 인공 환경'으로 이용자가 직접 사용하여 사용자 경험을 창출한다. 가상현실의 응용은 의학 분야의 수술 및 해부연습, 항공·군사 분야의 실제 탱크·항공기 조종

훈련, 건설산업의 설계 및 가구 배치 시뮬레이션, 실감영상을 응용한 헬스 산업, 게임 업체 등에서 사람들이 직접 체험하거나 수행하지 않고서도 마치 그 환경을 직접 경험하는 것처럼 느끼게 해주는 것이다. 이미 2016년 리우올림픽에는 가상현실로 제작한 영상이 등장했으며, 우리나라에서도 2018년도 평창동계올림픽의 홍보영상에 사용되었다.

증강현실AR, Augmented Reality은 실제 존재하는 현실 공간상에 다양한 가상화 프로그램을 이용하여 현실과 가상물체를 겹쳐 보여 주는 것으로, 미착용 상태에서도 의류 매장에서 자신에게 맞는 색상이나 스타일이 어울리는 옷을 간편하게 확인할 수 있고, 스마트폰이나 네비게이션 시스템에서 요청된 주행 정보를 실제 도로 장면에 추가하여 가상의 지도에 보여줄 수 있다. 기술적인 발전은 2016년 7월 포켓몬Pokemon 캐릭터와 스토리에 증강현실을 더해 새로운 게임으로 등장했고, 이제는 실사영화영상으로도 활용되고 있다.

혼합현실MR, mixed reality은 가상현실VR, virtual reality과 증강현실AR, augmented reality을 혼합한 응용기술로서 조작이 어려운 환경과 시스템에 대한 실질적인 현장학습 교육 등 정상적인 환경에서는 재현하기 어려운 운용 교육에 매우 유용한 기술이다. VR, AR, MR 세가지 현실의 공통점은 실제 존재하지 않은 현실을 실제처럼 구현해서 사람이 인지할 수 있도록 하는 기술이다.

가상현실과 증강현실 그리고 혼합현실

| 가상현실 | 증강현실 | 혼합현실 |

기술개발은 개인 환경에서는 웨어러블 디바이스가 자리 잡을 것이고,

제조 환경에서는 증강현실과 가상현실 서비스 기반의 디지털 트윈 기술이 스마트 팩토리의 중추적인 운용 플랫폼이 될 것이다. 스마트 팩토리 플랫폼에서는 전체 공정프로세스를 디지털 트윈 가상화 화면상에 표시하여 운용 편리성을 제공하고, 혼합현실 기반의 교육 컨텐츠를 활용하여 사전 기술 숙달을 지원하거나 위험환경 분야의 안전화 교육을 수행한다. 초기 설계 분석 환경이 매우 중요한 건축물이나 공간 활용 설치 구축에서는 다양한 시뮬레이션 환경에서의 결과 분석을 제공하여 최적의 설계 환경을 제공한다.

적극적인 기술활용을 위해서 실사 기반의 AR/ VR/ MR 영상입력 장치와 오감 인터렉션 시스템 운용을 지원하는 콘텐츠 제작용 소프트웨어, 공간형 AR/ VR/ MR 디스플레이 솔루션을 위한 특화형 가시화 디스플레이 도구들, 그리고 연계되어 응용 환경을 구축하는 AR/ VR/ MR 응용서비스 플랫폼 개발이 진행되고 있다.

[내게 맞는 맞춤형 웨어러블_ 웨어러블]

웨어러블Wearable, 착용은 손목, 머리, 몸, 발을 포함한 신체의 어디라도 착용할 수 있는 기기를 뜻한다. 정보통신IT 기기의 웨어러블 기술은 휘어지는 초박막형 디스플레이, 스마트 센서, 감시용 저전력 무선 통신, 초고속 대용량 모바일 운영 체제 등 다양한 IT 기술과 함께 일상생활에서 사용되는 손목시계, 안경, 헬멧, 의복 등에 접목되어 사용자에게 다

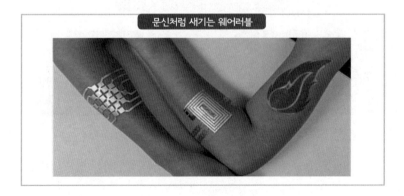

문신처럼 새기는 웨어러블

양한 방식으로 컴퓨팅 환경을 제공한다. 맞춤형 웨어러블 기술은 다양한 생활편의 약자가 착용하는 보조 기기, 가상으로 익스트림 스포츠를 즐기는 실감 체험형 웨어러블 기기, 실제 레저와 스포츠 환경에서 활용되는 GPS 및 통화 기기, 비상 구조용 및 스포츠용 웨어러블 기기, 다양한 생체 건강 측정용 스마트 IoT 기기, 생체 인증기기 시스템을 이용한 보안인증 분야까지 그 활용도는 매우 크다. 스마트폰 기능을 탑재한 손목에 착용하는 스마트밴드는 사용자의 활동 바이오 정보를 기록하고, 생체 인식을 통한 결제까지도 가능하게 기술이 발전하고 있으며, 얼굴과 머리에 착용하는 웨어러블로도 카메라 기능과 증강현실 기능 및 데이터ㆍ앱ㆍSMSㆍ이메일 접속 기능을 제공한다. 이제는 전기회로를 그린 뒤에 문신처럼 피부에 찍어낼 수 있는 기술까지도 개발되었다.

미래 웨어러블 서비스는 건강 측정ㆍ점검의 피트니스 트래커fitness tracker 영역과 통신망 연결로 사용 편의성을 제공하는 개인 서비스 영역, 그리고 데이터플랫폼 운용 기반의 제어영역으로도 서비스 개발이 되고 있다.

[편리함과 포근함을 최대한
가까이 할 수 있는 가정 _ 스마트홈]

스마트홈 기술은 기존 가정용 기기의 관리와 제어에서 범위가 확대되어 가정에서 사용되는 생활가전제품(TV, 에어컨, 냉장고 등)을 비롯해 각종 생활편의 시설용 에너지 소비장치(수도, 전기, 냉난방 등), 생활안정용 보안기기(도어록, 감시카메라 등) 등 모든 것을 통신망으로 연결해 감시 제어가 가능한 첨단 지능화 기술이다.

국내 가전기업인 삼성은 스마트홈 플랫폼 '삼성 스마트' 서비스를 통해서 생활가전제품을 모바일 스마트폰, 웨어러블 단말, 스마트 TV 등으로 관리 및 제어가 가능한 환경으로 개발하고 있고, LG에서는 스마트 가전 및 자동차, 로봇, 스마트 홈에도 확대 적용할 'webOS' 서비스를 제공하고 있다. 전통적인 네트워크사업자인 국내 이동통신 3사SKT,

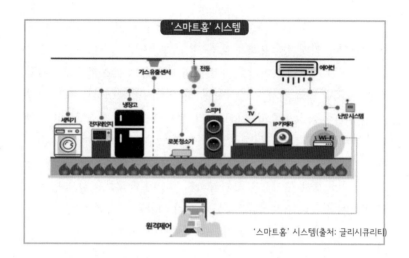

'스마트홈' 시스템(출처: 글리시큐리티)

KT, LG U+는 모바일 스마트폰이나 인공지능AI 스피커에 구현된 사용자 음성 인식 기능을 플랫폼과 연동하여 집 안의 사물인터넷IoT 기기 원격 제어가 가능한 스마트 홈 서비스를 일반 소비자 대상으로 제공하고 있다. 실생활에서 사용하는 가정용 전기/ 가스/ 수도 사용량의 원격검침, 화재나 누전 경보 및 전력차단기, 무단 침입/ 출입 감지 센서, 독거노인이나 응급환자의 긴급호출 등 센서들을 이용한 서비스 기술과 집합건물의 공용 안내방송 및 문자 전송 자동 송출 서비스로도 응용분야가 확대되고 있다. 인공지능 기술이 적용된 플랫폼에서는 사용자의 취향을 지속적으로 학습하여, 요구 조건에 속하는 결과를 스스로 제공하는 방향으로 발전하고 있다.

스마트홈 기술개발로는 중앙장치에서의 운용기기 제어, 응용서비스 검색 및 수행 확인 관리, 데이터 관리 소프트웨어와 운용 플랫폼 기능이 개발되고 있다. 지능화 서비스 구현을 위해서 GPS 위치 탐색기능 및 실내 위치 탐색이 가능한 홈/ 빌딩 지능형 공간 서비스 기능과 지능형 HEMS 기능, 그리고 통합형 스마트 네트워크 연동기술이 탑재된 스마트홈 서비스 플랫폼 응용기술이 스마트 디바이스 개발규격에 포함되어 구현되어야 한다.

[스마트홈의 똑똑한 비서,
스마트 가전 _ Smart Appliance]

스마트 가전이란 인터넷 접속 기능을 내장하여 자율적으로 동작될 수 있는 똑똑한smart 의미를 가진 TV·냉장고·세탁기·오븐 청소가 에어컨·가습기 등 생활가전제품을 통칭하며, 스마트 가전 범주의 제일 큰 부분을 차지하는 것은 당연히 스마트 TV 이다. 스마트TV는 방송을 시청하는 TV기능과 인터넷 접속기능을 포함하는 컴퓨터 기능이 융합된 형태로서 원격 소통 제어가 가능한 환경이다. 방송을 수신하고 통신 융합 서비스를 제공하는 대표적인 사물인터넷 기기로서 마이크·카메라·터치스크린·센서 등 TV 내의 기능을 이용하여 집 안에서 접속 가능한 다양한 스마트 기기의 자원 공유 및 연동 제어 서비스를 제공하는 콘텐츠 허브 기능으로 서비스 분야가 확장되고 있다. 스마트TV는 방송·통신·컴퓨팅의 융합을 지향하여 다양한 미디어들의 융합을 지향하여 다양한 미디어들의 융합 가속화를 수행하고, 각종 댁내 스마트 IoT 기기를 연계하는 미디어 허브 기능으로 스마트 미디어 시대를 주도하는 역할 수행을 목표로 개발되고 있다.

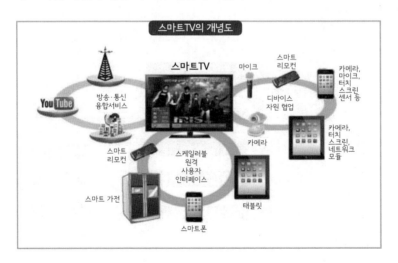

스마트TV의 개념도

다양한 스마트 가전들의 기술개발은 전원관리가 필수적인 스마트 콘센트 및 플러그 기술을 이용한 전원 전략형 에너지 관리장비, 보는 것만으로도 기본적인 측정이 가능한 스마트 미러, 공기정화 기술이 탑재된 에어가전, 스마트키친 디바이스 기기 및 관리 플랫폼 기술, 고효율 난방기기 및 융복합형 정수기 등 무선통신 기술이 탑재된 사물인터넷 기기들로서 에지 클라우드와 연동되는 스마트 서비스까지 제공하는 것을 목표로 하고 있다.

[자주적이고 효율적인
생산관리 솔루션_ 스마트 팩토리[Smart Factory]

스마트 팩토리[Smart Factory]는 생산과정(설계·개발, 제조 및 유통·물류) 전반에 정보통신기술[ICT]이 결합된 디지털 자동화 공정을 적용하여 설계시점부터 생산성, 품질 점검, 고객만족도를 향상시키는 지능형 생산공장이다. 스마트 팩토리는 최근 가볍고 유연한 생산체계 요구에 따라 가상영역의 컴퓨팅, 통신, 제어를 수행하는 가상물리시스템[Cyber Physical System] 운용환경에서 사물인터넷 기능이 탑재된 공장 설비와 기계에서 수집된 실제 공정 데이터의 분석 결과에 따라서 운용조건 제어를 수행하는 제조업 혁신 방안으로 대두되고 있다.

스마트 팩토리의 구조는, ①기능별 생산모듈 간에는 상호연결 측면에

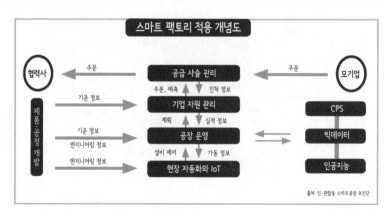

서 인과관계가 성립될 수 있는 직접 연결은 피하고, ②다품종 소량 생산 시스템 구성에 맞게 가변적으로 운용할 수 있도록 자동화 생산 공정을 모듈화하여 운영하고, ③생산 시스템 내 독립적 운용 구성모듈 간의 출력 개체는 자동으로 인식하여, ④전체적인 핫−스와핑Hot-Swapping 혹은 핫−플러그Hot-Plug 방식의 모듈 연계 생산구조를 가진다. 스마트 팩토리는 산업 이더넷과 사물인터넷 기술을 적용해서 수집된 빅데이터 분석결과를 가시화 표현을 적용하여 가상적인 디지털 환경에 투영한다.

  관련 기술분야는 스마트 공장 플랫폼과 연동되는 스마트 생산공정 애플리케이션 개발, 스마트 생산공정 사이버물리시스템CPS : Cyber Physical System 및 생산공정 빅데이터 분석 시스템, 스마트 생산공정관리 AR/VR 운용을 위한 신뢰성 높은 산업용 네트워킹 기술, 지능형 센서 및 화상처리 기술이 개발되고 있다. 운용 중단 시간 최소화를 위해서는 고장 유지보수를 포함한 예측프로그램의 적용과 현장 적응용 3D 프린팅 제조시스템을 활용하여 바로 적용할 수 있는 끊김 없는 제조 플랫폼이 운용되어야 한다.

[미래 이동체의 대표 주자 _ 미래형자동차]

  미래의 자동차 기술은 크게 전동화 파워트레인, 자율주행, 커넥티드의 3가지 특징으로 정의된다. 첫 번째 특징인 전동화 파워트레인은 화석 연료 사용에서 전기를 사용하는 하이브리드 차량으로 변화가 되어 왔으며, 국내 미래형 자동차로는 수소전기차가 결정되었다. 국내 일부 자동차업체에서 수소전기차를 2030년까지 연간 생산량을 50만대를 목표로 공장 신축에 들어갔지만, 수소차 충전소 인프라 구축이 빠르게 이루어지지 않으면 육성정책 자체가 제한적인 효과를 나타낼 수 밖에 없다. 두 번째 특징인 자율주행의 경우는 운전자 제어 없이 도로의 상황을 인지−판단−제어를 반복하며 주행상황을 파악해 자동으로 주행하는 기능으로서 무인 자동차driverless car, 운전자 없이 주행하는 차와 개념적 차이는 있지만 혼용되고 있다. 자율주행자동차 기술의 발전은 통신과 GPS 관리기술 그리고 지능형 이동체 운용알고리즘과 함께 종합적인 관리 관제 시스템의 요구사항의 개발도 필수사항이다. 특히, 자율주행 센서의 완벽 동작을 위해서는 주변 환경과 상호간에 1초 당 1GB 이상이 되는 초고속 데이터 정보교환 통신 속도가 우선적으로 요구되고, 빅데이터 전달 분석을 위한 초고속 컴퓨팅 기술과 자율적인 판단을 할 수 있는 인공지능 기술이 필요하다. 세 번째 특징인 커넥티드의 경우는 통신 시설이나 다른 차량과 무선으로 연결돼 다양한 서비스를 제공해주는 미래형 자동차의 대표적인 개념이다. 커넥티드 카는 사물인터넷 기반의 외부 상황 감지 지능형 센서와 자동차를 연결시켜 대용량 정보를 신속하게 주고받을 수 있는 양방향 인터넷과 모바일 서비스가 가능한 5G 기반 이상의 통신 기술까지 보유하여야 한다.

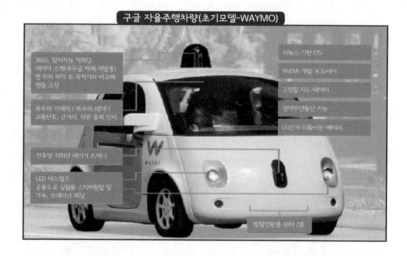

미래자동차는 고도화된 정보통신기술ICT을 적용하여 운전자에게 사고 감지나 차량 위치 추적 등의 안전 중심 기능은 무선통신 연동 '텔레메틱스Telematics'로 제공하고 지도, 내비게이션 등 편의 정보 제공은 '인포테인먼트Infotainment' 서비스로 제공하는 플랫폼 솔루션이 차량 내에 탑재되어,

자동차도 하나의 '커넥티드 디바이스'가 되는 형태가 되고 있다. 미래 이동체 부분에서는 육상형 자동차 교통신호체계 같은 새로운 저고도 공간 이동체에 적용 가능한 저고도 이동체 제어플랫폼과 이동체계 표준이 함께 필요하다. 표준 이외에도 추가적인 자율주행차 연구개발과 함께 운용정책 수립 방향 그리고 현행 자동차 책임 규정 적용 등 국내 실정에 맞는 기준의 표준 제정과 다양한 결함 검사 항목 그리고 운용상 과실 책임 기준 등 제도 제정을 위해 기술적인 부문 이외에도 인문, 사회적 합의 도출이 필요하다.

[내 몸의 작은 변화를 위한 처방 _ 바이오]

바이오 연구기술은 유전자 조작 식물·동물·미생물 등 유전자 조작 분야와 세포융합·세포배양 등 세포조작 분야, 그리고 첨단 기술을 활용해 원하는 유전자 형질을 짧은 시간에 직접적으로 확보하는 개체 조작 분야로 구분된다. 바이오 기술연구는 ①식물 분야로는 유전자 조작을 통해 해충 저항성을 높이고 다양한 미생물(바이러스성/ 세균성/ 진균성) 질병에 대한 저항성을 갖는 작물 연구가 진행되고 있고, ②동물 분야에서는 가축을 대상으로 하는 축산업과 인간을 위한 동물 장기에 대한 연구로 핵 치환nuclear substitution 기술과 유전자 제거 기술gene knock-out 연구가 진행되고 있다. ③에너지 분야에서는 화석연료 대체 연구로 사탕작물(사탕수수, 사탕무)을 발효시켜 생산하는 바이오에탄올과 식물성 기름으로부터 생산되는 바이오디젤 등 바이오에너지(바이오연료) 생산이나 미세조류로부터의 수소 생산 연구가 진행되고, ④환경 분야에서는 도시 산업화에 따라 발생하는 환경 폐기물처리 방안으로 생분해biodegradation 능력을 가진 미생물 개발 연구가 진행되고 있다. ⑤ 의약 분야에서는 생물공학에 기초한 치료 및 호르몬제나 항생제 등 치료용 단백질, 다양한 면역 진단검사, DNA 구조분석 및 유전자 분석 치료 등 인간의 사회적 삶의 질을 높이고 무수한 질병들을 극복하고, 열악한 환경 극복 식물 연구를 통해 증가하는 인구를 기아로부터 자유로울 수 있는 방향으로 발전되고 있다.

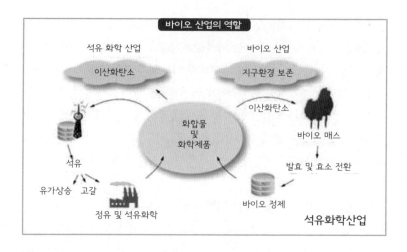

기술적인 분석을 위해서 바이오 분야에서는 IT 기술과 나노기술의
융합 연구가 무엇보다 활발히 진행되고 있다. 바이오칩을 비롯하여
분자진단, 면역화학진단 및 유전체분석 및 정보분석 등 기초분석 연
구와 부착형/ 기능성/ 아토피개선 화장품 등 밀착형 환경제품을 이용
한 치료연구, 그리고 바이오 연구를 통한 식품류의 응용으로 건강기
능성 식품 소재와 웰빙 전통식품 개발이 바이오 산업의 한 분야를 이
끌고 있다.

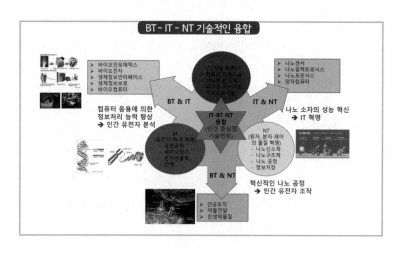

[화석연료에 의한 온실가스의 해방을 위한
미래 에너지 _ 에너지]

　세계 각국에서는 화석 연료 사용을 최대한 축소하여 이상 기후 현상 억제를 위한 세계 기후 협약 활동과 핵 원자력 공포에서 벗어나기 위해 다양한 대체 신재생 에너지 개발 등을 위한 인류 존립 당면 과제를 연구하고 있다. 신재생 에너지는 기후 영향을 받기 때문에 효율성이나 경제성이 적다는 단점은 있지만, 무한한 자연에너지로 깨끗하고 아무리 써도 없어지지 않는 장점도 있다. 국내에서도 수력 발전, 풍력 발전, 태양광 발전, 조력 발전, 지열 발전, 폐열 발전이나 바이오 매스 등 다양한 재생 에너지renewable energy와 연료전지나 온실가스가 전혀 없는 수소에너지, 석탄액화 가스화 등 새로운 에너지원으로의 전환을 지속적으로 연구하고 있다. 정부에서는 신에너지(연료전지, 석탄액화가스화, 수소에너지) 3개 분야와 재생 에너지(태양열, 태양광, 바이오매스, 풍력, 소수력, 지열, 해양에너지, 폐기물에너지) 8개 분야 등 총 11개 분야를 신재생 에너지로 지정하고, 신재생 에너지의 효율화 기술개발과 저렴한 운용비용의 실용화를 위해 노력하고 있다.

　신재생 에너지 관리를 위해서는 대체에너지 자원과 병행해서 에너지 저장기술이 필수적으로 보완되어야 한다. 에너지 저장기술연구로는 초고용량 캐패시터 및 이차전지 전해질 이용기술, 레독스 플로우 배터

리 기술, 연료전지용 M-BOP를 관리하는 xEMS 시스템 기술이 개발되고 있다. 더불어 안전한 생활환경을 보존하기 위해 요소기술 개발과 병행하여 대기오염 물질처리 소재 및 공정 전처리 설비, 재활용 폐기물과 재사용 분류 설비가 적용되어야 하며, 제조업 내에서도 환경오염을 최소화시키면서 에너지를 생산하는 부생가스 재활용 기술 적용이 필요하다. 국내에서는 정보통신기술과 협업으로 다양한 에너지 구성을 통합한 국내 지능형 전력망 '스마트 그리드Smart Grid' 운용으로 전력망 효율화를 수행하고 있다.

[총알배송, 야간 특급배송 등의 서비스로
냉장고가 돌아 다니는 세상_ 물류]

물류란 물적 유통Physical Distribution으로서 일반적으로 제품의 생산이 완료되어 포장되고 배송을 위해 하역되어 수송되거나 추후 판매를 위해 보관 등 생산자로부터 소비자에게 제품·재화를 효과적으로 옮겨주는 기능 또는 활동을 총칭하여 말한다. 물적 유통활동은 대량생산·대량판매·대량소비 추세와 함께 제품을 소비자에게 신속하며 정확하게 배송하는 부분까지 확대되어, 공급자는 신속한 배송을 위해 대도시 주변에 유통 센터의 건설과 운송용 컨테이너나 단위 포장용 팔레트를 이용하여 수송 단계 일관화를 수행하는 유닛로드시스템Unit Load System을 적용하여 유통시간 단축을 꾀하고 있다. 물류서비스 환경에서도 정보통신기술과 협업으로 개발되고 있는 고도화 물류관리(주문, 배송, 재고 등) 플랫폼을 적용하기 위해 물자 재고 관리부터 물자이동 서비스까지의 물류 관제 시스템 개발과 무인이동체(로봇, 드론)을 이용한 물류시스템이 운용되고 있다. 스마트 창고형 물류 관제 시스템은 극도로 세분화된 지능형 물자관리 환경으로 운용되고, 배송물을 스마트 물류창고 내 최적 이동동선에 맞춰 구분하고 분류하는 스마트 패키징 시스템 기술을 통해서 배송 준비를 하게 된다. 준비된 배송물은 스마트 모빌리티를 이용한 스마트 화물이동정보 모니터링 시스템 기술로 최적 조건 상태에서 최단 시간에 소비자에게 배송되므로, 배송물류 시스템이 냉장고 역할을 하게 된다. 해외에서는 알리바바가 투자한 중국 신선식품 마트인 허마셴성盒馬鮮生은 반경 3km 내 30분 배송을 통해서 '각 가정에 냉장고를 없애겠다'며 배송지역을 2년 만에 중국 13개 도시에 90여 개 매장을 늘리면서 빠르게 성장하고 있다. 또한 국내에서도 판매증가에 따른 손실부분이 커서 이익을 내지 못하는 등 여러 논란에도 불구하고 새벽배송 시장은 유통업계 대부분의 각축장으로 냉장고 역할의 유통 구조는 우리 가정의 일상 생활과 관련 산업을 빠르게 바꾸고 있다.

[모든 것은 안전한 관리가 관건 _ 안전]

안전관리Safety Management란 위험이 생기거나 사고 발생 환경이 없는 상태 또는 위험 원인이 있는 상태라도 사람이 위해危害를 받는 일이 없도록 대응책이 세워져 있고, 위해로부터 안전한 상태를 유지하기 위해서 숨은 위험(사람, 물건, 사고) 예측을 관리하는 대책이 수립되어 있어야만 한다. 산업현장의 안전관리를 위해서는 ①제세동기 사용요령과 같이 다양한 실전용 안전 교육을 하고, ②위험한 환경에서 발생 가능한 사고 발생 예측별 가이드라인을 만들어 대처훈련 연습을 하며, ③사전에 사고가 예방될 수 있는 안전 법규를 제정하여 준수하여야 한다.

사회적 안전위험요소 차단을 위해서 정보통신기술과의 협업과 융합된 고도화 기술을 기반으로 보건위생 사고는 센서형 식품 안전관리 시스템으로 사전 차단하고, 지능형 화재안전 대응시스템으로 현장관리를 유지하고, 유해물질 유통모니터링 시스템으로 신뢰성 있는 원산지 유통 관리절차가 운용되며, 지능형 모니터링 시스템 기술로 환경안전 사전예고 활동 등 다양한 지원활동이 수행되고 있다. 미래 사회에서는 안전위험요소를 좀 더 세밀히 구분하여 관리하는 안전관리 플랫폼 기술의 중요성이 증대된다.

안전까지 살펴보았지만 안전의 한 축에는 건강과 직결되는 미세먼지와 매년 오는 황사와 같은 환경의 문제기 있으며 이를 해결하기 위해서도 획기적인 미래기술과의 융합이 필요하다. 여기 소개한 미래기술분야와 서비스 이외에도 다양한 분야에서 기술적인 융합을 통해서 세분화된 개발과 진화가 진행되고 있으니 흐름을 항상 주시하여 미래의 블루오션을 놓치지 말자.

3. Let's start now!

미래기술분야 주요특징은 사회적으로는 협업과 융합 그리고 공유, 서비스적으로는 Smart/ Fast/ Massive connection 및 가상화 응용이며, 기술적으로는 인공지능과 예측모델링이다. 협업과 융합적 분야에서는 모든 산업분야에서 분야간 협업 및 4차 산업혁명과의 융합으로 개발의 속도와 범위가 급속하게 확대되고, 특히 바이오산업분야와 나노산업분야는 정보통신기술ICT의 융합으로 새로운 학문적 분야로 발전하고 있다. 서비스 분야에서는 소유가 아닌 공유의 개념 확산으로 차량공유서비스나 생활용품 렌탈서비스 등 다양한 분야에서 공유서비스가 적용되고 있다. 기술적 분야에서는 다양한 빅데이터 분석결과 플랫폼 개발적용이 이루어지고 있다. 스마트 팩토리 환경에서는 지능형 센서를 적용한 자동화 시스템 기술 적용으로 제조 혁신을 실감하고 있으며, 의료업계에서도 질병과 치료에 대해 축적된 다양한 빅데이터를 활용한 예측 및 예방시스템이 개발되고 있다. 서비스 분야의 스마트 플랫폼은 스마트물류, 스마트농업, 스마트에너지, 스마트이동체, 스마트시티 등 다양한 산업군으로 적용되고 있다. 위험물 관리교육이나 사고 사전 예방 교육 분야에서도 가상현실이나 증강현실이 다양한 시뮬레이션 기능으로 활용되고 있다.

미래사회는 고도로 지능화된 ICT, IoT 서비스와 함께 인공지능AI 기술이 일반화된 스마트 시티Smart City 내에서 편의를 제공받는 유비쿼터스Ubiquitous 사회로 진입하고 있다. 사회 구성원의 중심은 아날로그에서 디지털 변화로의 과도기에 태어나 컴퓨터와 인터넷이 학습, 놀이와 표현에서 자연스럽게 자리 잡은 X-Y 세대가 주축이고, 그 하위는 어릴 때부터 모바일 인터넷 기기들을 자유자재로 활용하여 4차 산업혁명 기술 기반의 새로운 놀이문화를 즐기는 디지털 N-세대NET GENERATION 들로 이어지고 있다. 디지털 N-세대들 중에서도 태어나면서 디지털 문화에 대한 적응력을 습득한 디지털 네이티브Digital Native들의 역량이 우리 사회의 미래 경쟁력이다.

  디지털 네이티브들이 사회 주축으로 성장하기까지의 미래 열쇠는 당신이 쥐고 있다. 만일 당신이 디지털 네이티브가 아니라면 미래기술을 수용하는 자세와 마음가짐으로 자신을 디지털 네이티브로 변화시키고, 아직까지도 미래기술에 대한 관심이 부족하다면 핵심미래기술이라도 자신의 기술적 배경으로 받아들여서 추락하는 미래에 기술의 날개를 달아보자.

Let's start now !

달리는 말에도 신발을 신기는
청춘들의 거침없는 열정에
잉걸불로 박차를 가하는 지침서

빼어난 조각가는 형상을 만들어 가는 것이
아니라 만들어진 형상을 찾아
쓸모없는 돌을 제거해 나간다.

청춘 이여!
4차산업 에도
오아시스 는 있다